L'obvie et l'obtus

Essais critiques III

Roland Barthes

L'obvie et l'obtus

Essais critiques III

Éditions du Seuil

EN COUVERTURE :
Photo Jerry Bauer
© Seuil

ISBN 2-02-014609-6
(ISBN 2-02-006248-8, 1re publication)

Note de l'éditeur

*Roland Barthes disait souvent le dessein, au fil des dernières années, de publier de nouveaux recueils d'essais critiques, pour lesquels le tissu existait amplement. Il avait même ébauché plusieurs groupements. Au moment où il a fallu reprendre ce travail — non à sa place, on dira pourquoi —, un principe était clair : devaient être laissés à l'écart, comme dans les deux précédents volumes (*Essais critiques, *1964 ;* Nouveaux Essais critiques *recueillis à la suite du* Degré zéro de l'écriture, *1972), les textes plus occasionnels, écrits pour une intervention ponctuelle. Ce sont donc les préfaces, articles de revue et études qui devaient être retenus : bref, ce qui constitue proprement un essai. Jalons — était-il dit dans le premier volume — d'une expérience intellectuelle caractéristique de l'époque ; on ajoutera ici : à condition de mettre l'accent autant sur l'expérience que sur l'intelligence qui y est au travail ; et de préciser qu'à travers l'exploration de l'« empire des signes », s'est toujours davantage énoncé l'irremplaçable dessin — il vaudrait mieux écrire : la volumétrie — d'une subjectivité : celle de qui se désignait lui-même, dans un projet, comme « l'amateur de signes ».*

Même une fois le choix opéré, l'étendue d'écrits qui demeuraient était impressionnante — insoupçonnée pour beaucoup. C'est alors que sont apparues l'importance et la progression des recherches sur ce que, faute d'un meilleur mot, on appellera l'écriture du visible (photographie, cinéma, peinture) ainsi que sur la musique ; et qu'il a semblé opportun d'ordonner cet ensemble, en réservant les essais sur le texte littéraire pour un autre recueil. Nul ne peut être sûr que R.B. aurait adopté ce découpage : il faut donc en prendre la responsabilité, comme celle du titre — emprunté à l'article sur

Eisenstein —, qui a paru recouvrir assez bien tout le volume, dans son mouvement qui va de l'organisation symbolique *au supplément énigmatique, « sans signifié », au « faux pli » subversif de la* signifiance.

Il faut prendre aussi la responsabilité de l'ordre choisi : pour la disposition et pour les quelques grandes sections qui ont été ici proposées, on peut même se dire sûr qu'elles n'auraient pas été celles de R.B. — sûr simplement parce que le travail de la mise en place a toujours été un de ceux où la création barthésienne a surgi, pour qui la suivait au long des jours, dans ce qu'elle avait de plus imprévisible ; parce qu'ordonner appartenait à ce qu'il y avait de plus irréductible dans l'originalité de cette œuvre — dans la cohésion d'une écriture complète où rien ne peut permettre de distinguer entre l'invention du concept, le choix de l'image-clé, le phrasé et la respiration du discours. Du moins a-t-il semblé qu'à avancer comme on l'a fait, on parvenait à respecter assez généralement l'ordre chronologique tout en permettant de saisir le déplacement de la pensée comme les réappropriations du style.

Rappelons-le enfin : R.B., veillant avec le plus grand soin au moindre détail de ce qui touchait à l'activité de l'écrivain, rédigea toujours lui-même l'essentiel du « prière d'insérer » de ses livres, comme il choisit d'être l'auteur du Roland Barthes *des* Écrivains de toujours : *c'est assez dire que l'éditeur ne peut que ressentir l'obligation où il s'est trouvé de devoir intervenir ici, comme la contrainte de marquer d'une rature inopportune l'unique responsabilité du discours* [1].

F.W.

1. En un cas, la règle barthésienne de ne pas confondre l'écrit avec l'oral a été transgressée : pour la conférence sur Charles Panzéra prononcée à Rome en 1977 ; c'est que nous disposions d'un texte entièrement rédigé et qu'il nous a paru important, à la fois parce qu'il complète les écrits précédents sur la musique et par sa portée biographique.

Dans le champ de la peinture, tous les essais écrits par R.B. — et tous écrits relativement tard — auraient pu être rassemblés ici grâce à l'accord très facilement donné des différents éditeurs, si n'avait dû, à notre vif regret, être réservé le cas d'un écrit consacré à Steinberg, commandé voici plusieurs années et rédigé dans la dernière écriture de Barthes — celle des fragments. La publication originale de ce livre, pour lequel le texte de R.B. avait été remis dès 1977, s'est trouvée en effet retardée jusqu'à ce jour.

1

L'ÉCRITURE DU VISIBLE

Le message photographique

La photographie de presse est un message. L'ensemble de ce message est constitué par une source émettrice, un canal de transmission et un milieu récepteur. La source émettrice, c'est la rédaction du journal, le groupe des techniciens dont certains prennent la photographie, dont d'autres la choisissent, la composent, la traitent, et dont d'autres enfin la titrent, la légendent et la commentent. Le milieu récepteur, c'est le public qui lit le journal. Et le canal de transmission, c'est le journal lui-même, ou plus exactement, un complexe de messages concurrents, dont la photographie est le centre, mais dont les entours sont constitués par le texte, le titre, la légende, la mise en pages, et, d'une façon plus abstraite mais non moins « informante », le nom même du journal (car ce nom constitue un savoir qui peut infléchir fortement la lecture du message proprement dit : une photographie peut changer de sens en passant de *l'Aurore* à *l'Humanité*). Ces constatations ne sont pas indifférentes ; car on voit bien qu'ici les trois parties traditionnelles du message n'appellent pas la même méthode d'exploration ; l'émission et la réception du message relèvent toutes deux d'une sociologie : il s'agit d'étudier des groupes humains, de définir des mobiles, des attitudes, et d'essayer de lier le comportement de ces groupes à la société totale dont ils font partie. Mais pour le message lui-même, la méthode ne peut être que différente : quelles que soient l'origine et la destination du message, la photographie n'est pas seulement un produit ou une voie, c'est aussi un objet, doué d'une autonomie structurelle ; sans prétendre nullement couper cet objet de son usage, il faut bien prévoir ici une méthode particulière, antérieure à l'analyse sociologique elle-même, et qui ne peut être que l'analyse immanente de cette structure originale, qu'est une photographie.

Naturellement, même au regard d'une analyse purement immanente, la structure de la photographie n'est pas une structure isolée ; elle communique au moins avec une autre structure, qui est le texte (titre, légende ou article) dont toute photographie de presse est accompagnée. La totalité de l'information est donc supportée par deux structures différentes (dont l'une est linguistique) ; ces deux structures sont concurrentes, mais comme leurs unités sont hétérogènes, elles ne peuvent se mêler ; ici (dans le texte), la substance du message est constituée par des mots ; là (dans la photographie), par des lignes, des surfaces, des teintes. De plus, les deux structures du message occupent des espaces réservés, contigus, mais non « homogénéisés », comme par exemple dans un rébus qui fond dans une seule ligne de lecture des mots et des images. Aussi, bien qu'il n'y ait jamais de photographie de presse sans commentaire écrit, l'analyse doit porter d'abord sur chaque structure séparée ; ce n'est que lorsque l'on aura épuisé l'étude de chaque structure, que l'on pourra comprendre la façon dont elles se complètent. De ces deux structures, l'une est déjà connue, celle de la langue (mais non pas, il est vrai, celle de la « littérature » que constitue la parole du journal : il reste sur ce point un immense travail à faire) ; l'autre, celle de la photographie proprement dite, est à peu près inconnue. On se bornera ici à définir les premières difficultés d'une analyse structurale du message photographique.

Le paradoxe photographique

Quel est le contenu du message photographique ? Qu'est-ce que la photographie transmet ? Par définition, la scène elle-même, le réel littéral. De l'objet à son image, il y a certes une réduction : de proportion, de perspective et de couleur. Mais cette réduction n'est à aucun moment une *transformation* (au sens mathématique du terme) ; pour passer du réel à sa photographie, il n'est nullement nécessaire de découper ce réel en unités et de constituer ces unités en signes différents substantiellement de l'objet qu'ils donnent à lire ; entre cet objet et son image, il n'est nullement nécessaire de disposer un relais, c'est-à-dire un code ; certes l'image n'est pas le réel ; mais elle en est du moins l'*analogon* parfait, et c'est précisément cette perfection analogique qui, devant le sens commun, définit la photographie. Ainsi apparaît le statut particulier de l'image photographique : *c'est un message sans code* ; proposition dont il faut tout de suite dégager un corollaire important : le message photographique est un message continu.

Existe-t-il d'autres messages sans code ? A première vue, oui : ce sont précisément toutes les reproductions analogiques de la réalité : dessins, peintures, cinéma, théâtre. Mais en fait, chacun de ces messages développe d'une façon immédiate et évidente, outre le contenu analogique lui-même (scène, objet, paysage), un message supplémentaire, qui est ce qu'on appelle communément le *style* de la reproduction ; il s'agit là d'un sens second, dont le signifiant est un certain « traitement » de l'image sous l'action du créateur, et dont le signifié, soit esthétique, soit idéologique, renvoie à une certaine « culture » de la société qui reçoit le message. En somme, tous ces « arts » imitatifs comportent deux messages : un message *dénoté*, qui est l'*analogon* lui-même, et un message *connoté*, qui est la façon dont la société donne à lire, dans une certaine mesure, ce qu'elle en pense. Cette dualité des messages est évidente dans toutes les reproductions qui ne sont pas photographiques : pas de dessin, si « exact » soit-il, dont l'exactitude même ne soit tournée en style (« vériste ») ; pas de scène filmée, dont l'objectivité ne soit finalement lue comme le signe même de l'objectivité. Ici encore, l'étude de ces messages connotés reste à faire (il faudrait notamment décider si ce qu'on appelle l'œuvre d'art peut se réduire à un système de significations) ; on peut seulement prévoir que, pour tous ces arts imitatifs, lorsqu'ils sont communs, le code du système connoté est vraisemblablement constitué soit par une symbolique universelle, soit par une rhétorique d'époque, bref par une réserve de stéréotypes (schèmes, couleurs, graphismes, gestes, expressions, groupements d'éléments).

Or, en principe, pour la photographie, rien de tel, en tout cas pour la photographie de presse, qui n'est jamais une photographie « artistique ». La photographie se donnant pour un analogue mécanique du réel, son message premier emplit en quelque sorte pleinement sa substance et ne laisse aucune place au développement d'un message second. En somme, de toutes les structures d'information [1], la photographie serait la seule à être exclusivement constituée et occupée par un message « dénoté », qui épuiserait complètement son être ; devant une photographie, le sentiment de « dénotation », ou si l'on préfère, de plénitude analogique, est si fort, que la description d'une photographie est à la lettre impossible ; car *décrire* consiste précisément à adjoindre au message dénoté, un relais ou un message second, puisé dans un code qui est la langue, et qui constitue fatalement, quelque soin qu'on prenne pour être exact, une connotation par rapport à l'analogue photographique : décrire, ce n'est donc pas seulement être inexact ou incomplet, c'est changer de structure, c'est signifier autre chose que ce qui est montré [2].

Or, ce statut purement « dénotant » de la photographie, la perfection et la plénitude de son analogie, bref son « objectivité », tout cela risque d'être mythique (ce sont les caractères que le sens commun prête à la photographie) : car en fait, il y a une forte probabilité (et ce sera là une hypothèse de travail) pour que le message photographique (du moins le message de presse) soit lui aussi connoté. La connotation ne se laisse pas forcément saisir tout de suite au niveau du message lui-même (elle est, si l'on veut, à la fois invisible et active, claire et implicite), mais on peut déjà l'induire de certains phénomènes qui se passent au niveau de la production et de la réception du message : d'une part, une photographie de presse est un objet travaillé, choisi, composé, construit, traité selon des normes professionnelles, esthétiques ou idéologiques, qui sont autant de facteurs de connotation ; et

1. Il s'agit bien entendu de structures « culturelles », ou culturalisées, et non de structures opérationnelles : les mathématiques, par exemple, constituent une structure dénotée, sans aucune connotation ; mais si la société de masse s'en empare et dispose par exemple une formule algébrique dans un article consacré à Einstein, ce message, à l'origine purement mathématique, se charge d'une connotation très lourde, puisqu'il *signifie* la science.

2. Décrire un dessin est plus facile, puisqu'il s'agit en somme de décrire une structure déjà connotée, travaillée en vue d'une signification *codée*. C'est peut-être pour cela que les tests psychologiques utilisent beaucoup de dessins et très peu de photographies.

d'autre part, cette même photographie n'est pas seulement perçue, reçue, elle est *lue*, rattachée plus ou moins consciemment, par le public qui la consomme, à une réserve traditionnelle de signes ; or, tout signe suppose un code, et c'est ce code (de connotation) qu'il faudrait essayer d'établir. Le paradoxe photographique, ce serait alors la coexistence de deux messages, l'un sans code (ce serait l'analogue photographique), et l'autre à code (ce serait l'« art », ou le traitement, ou l'« écriture », ou la rhétorique de la photographie) ; structurellement, le paradoxe n'est évidemment pas la collusion d'un message dénoté et d'un message connoté : c'est là le statut probablement fatal de toutes les communications de masse ; c'est que le message connoté (ou codé) se développe ici à partir d'un message *sans code*. Ce paradoxe structurel coïncide avec un paradoxe éthique : lorsqu'on veut être « neutre, objectif », on s'efforce de copier minutieusement le réel, comme si l'analogique était un facteur de résistance à l'investissement des valeurs (c'est du moins la définition du « réalisme » esthétique) : comment donc la photographie peut-elle être à la fois « objective » et « investie », naturelle et culturelle ? C'est en saisissant le mode d'imbrication du message dénoté et du message connoté que l'on pourra peut-être un jour répondre à cette question. Mais, pour entreprendre ce travail, il faut bien se rappeler que, dans la photographie, le message dénoté étant absolument analogique, c'est-à-dire privé de tout recours à un code, c'est-à-dire encore : *continu*, il n'y a pas lieu de rechercher les unités signifiantes du premier message ; au contraire, le message connoté comporte bien un plan d'expression et un plan de contenu, des signifiants et des signifiés : il oblige donc à un véritable déchiffrement. Ce déchiffrement serait actuellement prématuré, car pour isoler les unités signifiantes et les thèmes (ou valeurs) signifiés, il faudrait procéder (peut-être par tests) à des lectures dirigées, en faisant varier artificiellement certains éléments de la photographie pour observer si ces variations de formes entraînent des variations de sens. Du moins peut-on dès maintenant prévoir les principaux plans d'analyse de la connotation photographique.

Les procédés de connotation

La connotation, c'est-à-dire l'imposition d'un sens second au message photographique proprement dit, s'élabore aux différents niveaux de production de la photographie (choix, traitement technique, cadrage, mise en pages) : elle est en somme une mise en code de l'analogue photographique ; il est donc possible de dégager des procédés de connotation ; mais ces procédés, il faut bien le rappeler, n'ont rien à voir avec des unités de signification, telles qu'une analyse ultérieure de type sémantique permettra peut-être un jour de les définir : ils ne font pas à proprement parler partie de la structure photographique. Ces procédés sont connus ; on se bornera à les traduire en termes structuraux. En toute rigueur, il faudrait bien séparer les trois premiers (truquage, pose, objets) des trois derniers (photogénie, esthétisme, syntaxe), puisque dans ces trois premiers procédés, la connotation est produite par une modification du réel lui-même, c'est-à-dire du message dénoté (cet apprêt n'est évidemment pas propre à la photographie) ; si on les inclut cependant dans les procédés de connotation photographique, c'est parce qu'ils bénéficient eux aussi du prestige de la dénotation : la photographie permet au photographe d'*esquiver* la préparation qu'il fait subir à la scène qu'il va capter ; il n'en reste pas moins que, du point de vue d'une analyse structurale ultérieure, il n'est pas sûr que l'on puisse tenir compte du matériel qu'ils livrent.

1. *Truquage*.

En 1951, une photographie largement diffusée dans la presse américaine coûtait son siège, dit-on, au sénateur Millard Tydings ; cette photographie représentait le sénateur conversant avec le leader communiste Earl Browder. Il s'agissait en fait d'une photographie truquée, constituée par le rapprochement artificiel des deux visages. L'intérêt méthodique du truquage, c'est qu'il intervient à l'intérieur même du plan de dénotation, sans prévenir ; il utilise la crédibilité particulière de la photographie, qui n'est, on l'a vu, que son pouvoir exceptionnel de dénotation, pour faire passer comme simplement dénoté un message qui est en fait fortement connoté ; dans aucun autre traitement, la connotation ne prend aussi complètement le masque « objectif » de la dénotation. Naturellement, la signification n'est possible que dans la mesure où il y a réserve de signes, ébauche de code ; ici, le signifiant, c'est l'attitude de conversation des deux personnages ; on notera que cette attitude ne devient signe que pour une certaine société, c'est-à-dire au regard seulement de certaines valeurs : c'est l'anti-communisme sourcilleux de l'électorat américain qui fait du geste des interlocuteurs le signe d'une familiarité répréhensible ; c'est dire que le code de connotation n'est ni artificiel (comme dans une langue véritable), ni naturel : il est historique.

2. *Pose*.

Voici une photographie de presse largement diffusée lors des dernières élections américaines : c'est le buste du président Kennedy, vu de profil, les yeux au ciel, les mains jointes. Ici, c'est la pose même du sujet qui prépare la lecture des signifiés de connotation : juvénilité, spiritualité, pureté ; la photographie n'est évidemment signifiante que parce qu'il existe une réserve d'attitudes stéréotypées qui constituent des éléments tout faits de signification (regard au ciel, mains jointes) ; une « grammaire historique » de la connotation iconographique devrait donc chercher ses matériaux dans la peinture, le théâtre, les associations d'idées, les métaphores courantes, etc., c'est-à-dire précisément dans la « culture ». Comme on l'a dit, la pose n'est pas un procédé spécifiquement photographique, mais il est difficile de ne pas en parler, dans la mesure où elle tire son effet du principe analogique qui fonde la photographie : le message n'est pas ici « la pose », mais « Kennedy priant » : le lecteur reçoit comme une simple dénotation ce qui en fait est structure double, dénotée-connotée.

3. *Objets*.

Il faut ici reconnaître une importance particulière à ce que l'on pourrait appeler la pose des objets, puisque le sens connoté surgit alors des objets photographiés (soit que l'on ait artificiellement disposé ces objets devant l'objectif si le photographe en a eu le loisir, soit qu'entre plusieurs photographies le metteur en pages choisisse celle de tel ou tel objet). L'intérêt, c'est que ces objets sont des inducteurs courants d'associations d'idées (bibliothèque = intellectuel) ou, d'une façon plus obscure, de véritables symboles (la porte de la chambre à gaz de Chessmann renvoie à la porte funèbre des anciennes mythologies). Ces objets constituent d'excellents éléments de signification : d'une part, ils sont discontinus et complets en eux-mêmes, ce qui est pour un signe une qualité physique ; et d'autre part, ils renvoient à des signifiés clairs, connus ; ce sont donc les éléments d'un véritable lexique, stables au point que l'on peut facilement les constituer en syntaxe. Voici par exemple une « composition » d'objets : une fenêtre ouverte sur des toits de tuile, un paysage de vignobles ; devant la fenêtre, un album de photographies, une loupe, un vase de fleurs ; nous sommes donc à la campagne, au sud de Loire (vignes et tuiles), dans une demeure bourgeoise (fleurs sur la table), dont l'hôte âgé (loupe) revit ses souvenirs (album de photographies) : c'est François Mauriac à Malagar (dans *Paris-Match*) ; la connotation « sort » en quelque sorte de toutes ces unités signifiantes, cependant « captées » comme s'il s'agissait d'une scène immédiate et spontanée, c'est-à-dire insignifiante ; on la trouve explicitée dans le texte, qui développe le thème des attaches terriennes de Mauriac. L'objet ne possède peut-être plus une *force*, mais il possède à coup sûr un sens.

4. *Photogénie*.

On a déjà fait la théorie de la photogénie (Edgar Morin dans *le Cinéma ou l'Homme imaginaire*), et ce n'est pas le lieu de revenir sur la signification générale de ce procédé. Il suffira de définir la photogénie en termes de structure informative : dans la photogénie, le message connoté est dans l'image elle-même, « embellie » (c'est-à-dire en général sublimée) par des techniques d'éclairage, d'impression et de tirage. Ces techniques seraient à recenser, pour autant seulement qu'à chacune d'elles corresponde un signifié de connotation suffisamment constant pour s'incorporer à un lexique culturel des « effets » techniques (par exemple, le « flou de mouvement » ou « filé », lancé par l'équipe du Dr Steinert pour signifier l'espace-temps). Ce recensement serait d'ailleurs une excellente occasion pour distinguer les effets esthétiques des effets signifiants — sauf à reconnaître peut-être qu'en photographie, contrairement aux intentions des photographes d'exposition, il n'y a jamais d'*art*, mais toujours du *sens* — ce qui précisément opposerait enfin selon un critère précis la bonne peinture, fût-elle fortement figurative, à la photographie.

5. *Esthétisme.*

Car si l'on peut parler d'esthétisme en photographie, c'est, semble-t-il, d'une façon ambiguë : lorsque la photographie se fait peinture, c'est-à-dire composition ou substance visuelle délibérément traitée « dans la pâte », c'est soit pour se signifier elle-même comme « art » (c'est le cas du « pictorialisme » du début du siècle), soit pour imposer un signifié d'ordinaire plus subtil et plus complexe que ne le permettraient d'autres procédés de connotation ; Cartier-Bresson a ainsi construit la réception du cardinal Pacelli par les fidèles de Lisieux comme un tableau d'ancien maître ; mais cette photographie n'est nullement un tableau ; d'une part, son esthétisme affiché renvoie (malicieusement) à l'idée même de tableau (ce qui est contraire à toute peinture véritable), et d'autre part, la composition signifie ici d'une façon déclarée une certaine spiritualité extatique, traduite précisément en termes de spectacle objectif. On voit d'ailleurs ici la différence de la photographie et de la peinture : dans le tableau d'un Primitif, la « spiritualité » n'est nullement un signifié, mais, si l'on peut dire, l'être même de l'image ; certes, il peut y avoir dans certaines peintures, des éléments de code, des figures de rhétorique, des symboles d'époque ; mais aucune unité signifiante ne renvoie à la spiritualité, qui est une façon d'être, non l'objet d'un message structuré.

6. *Syntaxe*.

On a déjà parlé ici d'une lecture discursive d'objets-signes à l'intérieur d'une même photographie ; naturellement, plusieurs photographies peuvent se constituer en séquence (c'est le cas courant dans les magazines illustrés) ; le signifiant de connotation ne se trouve plus alors au niveau d'aucun des fragments de la séquence, mais à celui (supra-segmental, diraient les linguistes) de l'enchaînement. Voici quatre instantanés d'une chasse présidentielle à Rambouillet ; à chaque coup l'illustre chasseur (Vincent Auriol) dirige son fusil dans une direction imprévue, au grand risque des gardes qui fuient ou s'aplatissent : la séquence (et la séquence seule) donne à lire un comique, qui surgit, selon un procédé bien connu, de la répétition et de la variation des attitudes. On remarquera à ce propos que la photographie solitaire est très rarement (c'est-à-dire très difficilement) comique, contrairement au dessin ; le comique a besoin de mouvement, c'est-à-dire de répétition (ce qui est facile au cinéma), ou de typification (ce qui est possible au dessin), ces deux « connotations » étant interdites à la photographie.

Le texte et l'image

Tels sont les principaux procédés de connotation de l'image photographique (encore une fois, il s'agit de techniques, non d'unités). On peut y joindre d'une façon constante le texte même qui accompagne la photographie de presse. Ici, trois remarques.

D'abord ceci : le texte constitue un message parasite, destiné à connoter l'image, c'est-à-dire à lui « insuffler » un ou plusieurs signifiés seconds. Autrement dit, et c'est un renversement historique important, l'image n'*illustre* plus la parole ; c'est la parole qui, structurellement, est parasite de l'image ; ce renversement a son prix : dans les modes traditionnels d'« illustration », l'image fonctionnait comme un retour épisodique à la dénotation, à partir d'un message principal (le texte) qui était senti comme connoté, puisqu'il avait précisément besoin d'une illustration ; dans le rapport actuel, l'image ne vient pas éclaircir ou « réaliser » la parole ; c'est la parole qui vient sublimer, pathétiser ou rationaliser l'image ; mais comme cette opération se fait à titre accessoire, le nouvel ensemble informatif semble principalement fondé sur un message objectif (dénoté), dont la parole n'est qu'une sorte de vibration seconde, presque inconséquente ; autrefois, l'image illustrait le texte (le rendait plus clair) ; aujourd'hui, le texte alourdit l'image, la grève d'une culture, d'une morale, d'une imagination ; il y avait autrefois réduction du texte à l'image, il y a aujourd'hui amplification de l'une à l'autre : la connotation n'est plus vécue que comme la résonance naturelle de la dénotation fondamentale constituée par l'analogie photographique ; on est donc en face d'un procès caractérisé de naturalisation du culturel.

Autre remarque : l'effet de connotation est probablement différent selon le mode de présentation de la parole ; plus la parole est proche de l'image, moins elle semble la connoter ; happé en quelque sorte par le message iconographique, le message verbal semble participer à son objectivité, la connotation du langage « s'innocente » à travers la dénotation de la photographie ; il est vrai qu'il n'y a jamais d'incorporation véritable, puisque les substances des deux structures (ici graphique, là iconique) sont irréductibles ; mais il y a probablement des degrés dans l'amalgame ; la légende a probablement un effet de connotation moins évident que le gros titre ou l'article ; titre et article se séparent sensiblement de l'image, le titre par sa frappe, l'article par sa distance, l'un parce qu'il rompt, l'autre parce qu'il éloigne le contenu de l'image ; la légende au contraire, par sa disposition même, par sa mesure moyenne de lecture, semble doubler l'image, c'est-à-dire participer à sa dénotation.

Il est cependant impossible (et ce sera une dernière remarque à propos du texte) que la parole « double » l'image ; car dans le passage d'une structure à l'autre s'élaborent fatalement des signifiés seconds. Quel est le rapport de ces signifiés de connotation à l'image ? Il s'agit apparemment d'une explicitation, c'est-à-dire, dans une certaine mesure, d'une emphase ; en effet, le plus souvent, le texte ne fait qu'amplifier un ensemble de connotations déjà incluses dans la photographie ; mais parfois aussi le texte produit (invente) un signifié entièrement nouveau et qui est en quelque sorte projeté rétroactivement dans l'image, au point d'y paraître dénoté : « *Ils ont frôlé la mort, leur visage le prouve* », dit le gros titre d'une photographie où l'on voit Elisabeth et Philip descendre d'avion ; cependant, au moment de la photographie, ces deux personnages ignoraient encore tout de l'accident aérien auquel ils venaient d'échapper. Parfois aussi la parole peut aller jusqu'à contredire l'image de façon à produire une connotation compensatoire ; une analyse de Gerbner (*The social anatomy of the romance confession cover-girl*) a montré que dans certains magazines du cœur, le message verbal des gros titres de couverture (de contenu sombre et angoissant) accompagnait toujours l'image d'une cover-girl radieuse ; les deux messages entrent ici en compromis ; la connotation a une fonction régulatrice, elle préserve le jeu irrationnel de la projection-identification.

L'insignifiance photographique

On a vu que le code de connotation n'était vraisemblablement ni « naturel » ni « artificiel », mais historique, ou si l'on préfère : « culturel » ; les signes y sont des gestes, des attitudes, des expressions, des couleurs ou des effets, doués de certains sens en vertu de l'usage d'une certaine société : la liaison entre le signifiant et le signifié, c'est-à-dire à proprement parler la signification, reste, sinon immotivée, du moins entièrement historique. On ne peut donc dire que l'homme moderne projette dans la lecture de la photographie des sentiments et des valeurs caractériels ou « éternels », c'est-à-dire infra- ou trans-historiques, que si l'on précise bien que la signification, elle, est toujours élaborée par une société et une histoire définies ; la signification est en somme le mouvement dialectique qui résout la contradiction entre l'homme culturel et l'homme naturel.

Grâce à son code de connotation, la lecture de la photographie est donc toujours historique ; elle dépend du « savoir » du lecteur, tout comme s'il s'agissait d'une langue véritable, intelligible seulement si l'on en a appris les signes. Tout compte fait, le « langage » photographique ne serait pas sans rappeler certaines langues idéographiques, dans lesquelles unités analogiques et unités signalétiques sont mêlées, à cette différence près que l'idéogramme est vécu comme un signe, tandis que la « copie » photographique passe pour la dénotation pure et simple de la réalité. Retrouver ce code de connotation, ce serait donc isoler, recenser et structurer tous les éléments « historiques » de la photographie, toutes les parties de la surface photographique qui tiennent leur discontinu même d'un certain savoir du lecteur, ou, si l'on préfère, de sa situation culturelle.

Or, dans cette tâche, il faudra peut-être aller fort loin. Rien ne dit qu'il y ait dans la photographie des parties « neutres », ou du moins l'insignifiance complète de la photographie est-elle peut-être tout à fait exceptionnelle ; pour résoudre ce problème, il faudrait d'abord élucider complètement les mécanismes de lecture (au sens physique, et non plus sémantique, du terme), ou, si l'on veut, de perception de la photographie ; or, sur ce point, nous ne savons pas grand-chose : comment lisons-nous une photographie ? Que percevons-nous ? Dans quel ordre, selon quel itinéraire ? Qu'est-ce même que percevoir ? Si, selon certaines hypothèses de Bruner et Piaget, il n'y a pas de perception sans catégorisation immédiate, la photographie est verbalisée dans le moment même où elle est perçue ; ou mieux encore : elle n'est perçue que verbalisée (ou, si la verbalisation tarde, il y a désordre de la perception, interrogation, angoisse du sujet, traumatisme, selon l'hypothèse de G. Cohen-Séat à propos de la perception filmique). Dans cette perspective, l'image, saisie immédiatement par un méta-langage intérieur, qui est la langue, ne connaîtrait en somme réellement aucun état dénoté ; elle n'existerait socialement qu'immergée au moins dans une première connotation, celle-là même des catégories de la langue ; et l'on sait que toute langue prend parti sur les choses, qu'elle connote le réel, ne serait-ce qu'en le découpant ; les connotations de la photographie coïncideraient donc, *grosso modo*, avec les grands plans de connotation du langage.

Ainsi, outre la connotation « perceptive », hypothétique mais possible, on rencontrerait alors des modes de connotation plus particuliers. D'abord une connotation « cognitive », dont les signifiants seraient choisis, localisés dans certaines parties de *l'analogon* : devant telle vue de ville, je *sais* que je suis dans un pays nord-africain, parce que je vois sur la gauche une enseigne en caractères arabes, au centre un homme en gandoura, etc. ; la lecture dépend ici étroitement de ma culture, de ma connaissance du monde ; et il est probable qu'une bonne photographie de presse (et elles le sont toutes, puisqu'elles sont sélectionnées) joue aisément du savoir supposé de ses lecteurs, en choisissant les épreuves qui comportent la plus grande quantité possible d'informations de ce genre, de façon à euphoriser la lecture ; si l'on photographie Agadir détruite, il vaut mieux disposer de quelques signes d'« arabité », bien que l'« arabité » n'ait rien à voir avec le désastre lui-même ; car la connotation issue du savoir est toujours une force rassurante : l'homme aime les signes et il les aime clairs.

Connotation perceptive, connotation cognitive : reste le problème de la connotation idéologique (au sens très large du terme) ou éthique, celle qui introduit dans la lecture de l'image des raisons ou des valeurs. C'est une connotation forte, elle exige un signifiant très élaboré, volontiers d'ordre syntaxique : rencontre de personnages (on l'a vu à propos du truquage), développement d'attitudes, constellation d'objets ; le fils du Shah d'Iran vient de naître ; voici sur la photographie : la royauté (berceau adoré par une foule de serviteurs qui l'entourent), la richesse (plusieurs nurses), l'hygiène (blouses blanches, toit du berceau en plexiglas), la condition cependant humaine des rois (le bébé pleure), c'est-à-dire tous les éléments contradictoires du mythe princier, tel que nous le consommons aujourd'hui. Il s'agit ici de valeurs apolitiques, et le lexique en est riche et clair ; il est possible (mais ce n'est qu'une hypothèse), qu'au contraire la connotation politique soit le plus souvent confiée au texte, dans la mesure où les choix politiques sont toujours, si l'on peut dire, de mauvaise foi : de telle photographie, je puis donner une lecture de droite ou une lecture de gauche (voir à ce sujet une enquête de l'IFOP, publiée par *les Temps modernes*, 1955) ; la dénotation, ou son apparence, est une force impuissante à modifier les options politiques : aucune photographie n'a jamais convaincu ou démenti personne (mais elle peut « confirmer »), dans la mesure où la conscience politique est peut-être inexistante en dehors du *logos* : la politique, c'est ce qui permet *tous* les langages.

Ces quelques remarques esquissent une sorte de tableau différentiel des connotations photographiques ; on voit en tout cas que la connotation va très loin. Est-ce à dire qu'une pure dénotation, un *en-deçà du langage* soit impossible ? Si elle existe, ce n'est peut-être pas au niveau de ce que le langage courant appelle l'insignifiant, le neutre, l'objectif, mais bien au contraire au niveau des images proprement traumatiques : le trauma, c'est précisément ce qui suspend le langage et bloque la signification. Certes, des situations normalement traumatiques peuvent être saisies dans un processus de signification photographique ; mais c'est qu'alors précisément elles sont signalées à travers un code rhétorique qui les distance, les sublime, les apaise. Les photographies proprement traumatiques sont rares, car, en photographie, le trauma est entièrement tributaire de la certitude que la scène a réellement eu lieu : *il fallait que le photographe fût là* (c'est la définition mythique de la dénotation) ; mais ceci posé (qui, à vrai dire, est déjà une connotation), la photographie traumatique (incendies, naufrages, catastrophes, morts violentes, saisis « sur le vif ») est celle dont il n'y a rien à dire : la photo-choc est par structure insignifiante : aucune valeur, aucun savoir, à la limite aucune catégorisation verbale ne peuvent avoir prise sur le procès institutionnel de la signification. On pourrait imaginer une sorte de loi : plus le trauma est direct, plus la connotation est difficile ; ou encore : l'effet « mythologique » d'une photographie est inversement proportionnel à son effet traumatique.

Pourquoi ? C'est que sans doute, comme toute signification bien structurée, la connotation photographique est une activité institutionnelle ; à l'échelle de la société totale, sa fonction est d'intégrer l'homme, c'est-à-dire de le rassurer ; tout code est à la fois arbitraire et rationnel ; tout recours à un code est donc une façon pour l'homme de se prouver, de s'éprouver à travers une raison et une liberté. En ce sens, l'analyse des codes permet peut-être de définir historiquement une société plus facilement et plus sûrement que l'analyse de ses signifiés, car ceux-ci peuvent apparaître souvent comme trans-historiques, appartenant à un fond anthropologique plus qu'à une histoire véritable : Hegel a mieux défini les anciens Grecs en esquissant la façon dont ils faisaient signifier la nature, qu'en décrivant l'ensemble de leurs « sentiments et croyances » sur ce sujet. De même nous avons peut-être mieux à faire qu'à recenser directement les contenus idéologiques de notre temps ; car, en essayant de reconstituer dans sa structure spécifique le code de connotation d'une communication aussi large que la photographie de presse, nous pouvons espérer retrouver, dans leur finesse même, les formes dont notre société use pour se rasséréner, et par là même saisir la mesure, les détours et la fonction profonde de cet effort : perspective d'autant plus attachante, comme on l'a dit au début, qu'en ce qui concerne la photographie, elle se développe sous la forme d'un paradoxe : celui qui fait d'un objet inerte un langage et qui transforme l'inculture d'un art « mécanique » dans la plus sociale des institutions.

1961, *Communications.*

Rhétorique de l'image

Selon une étymologie ancienne, le mot *image* devrait être rattaché à la racine de *imitari*. Nous voici tout de suite au cœur du problème le plus important qui puisse se poser à la sémiologie des images : la représentation analogique (la « copie ») peut-elle produire de véritables systèmes de signes et non plus seulement de simples agglutinations de symboles ? Un « code » analogique — et non plus digital — est-il concevable ? On sait que les linguistes renvoient hors du langage toute communication par analogie, du « langage » des abeilles au « langage » par gestes, du moment que ces communications ne sont pas doublement articulées, c'est-à-dire fondées en définitive sur une combinatoire d'unités digitales, comme le sont les phonèmes. Les linguistes ne sont pas seuls à suspecter la nature linguistique de l'image ; l'opinion commune elle aussi tient obscurément l'image pour un lieu de résistance au sens, au nom d'une certaine idée mythique de la Vie : l'image est re-présentation, c'est-à-dire en définitive résurrection, et l'on sait que l'intelligible est réputé antipathique au vécu. Ainsi, des deux côtés, l'analogie est sentie comme un sens pauvre : les uns pensent que l'image est un système très rudimentaire par rapport à la langue, et les autres que la signification ne peut épuiser la richesse ineffable de l'image. Or, même et surtout si l'image est d'une certaine façon *limite* du sens, c'est à une véritable ontologie de la signification qu'elle permet de revenir. Comment le sens vient-il à l'image ? Où le sens finit-il ? Et s'il finit, qu'y a-t-il *au-delà* ? C'est la question que l'on voudrait poser ici, en soumettant l'image à une analyse spectrale des messages qu'elle peut contenir. On se donnera au départ une facilité — considérable : on n'étudiera que l'image publicitaire. Pourquoi ? Parce qu'en publicité, la signification de l'image est assurément intentionnelle : ce sont certains attributs du produit qui forment *a priori* les signifiés du message publicitaire et ces signifiés doivent être transmis aussi clairement que possible ; si l'image contient des signes, on est donc certain qu'en publicité ces signes sont pleins, formés en vue de la meilleure lecture : l'image publicitaire est *franche*, ou du moins emphatique.

Les trois messages

Voici une publicité *Panzani* : des paquets de pâtes, une boîte, un sachet, des tomates, des oignons, des poivrons, un champignon, le tout sortant d'un filet à demi ouvert, dans des teintes jaunes et vertes sur fond rouge [1]. Essayons d'« écrémer » les différents messages qu'elle peut contenir.

L'image livre tout de suite un premier message, dont la substance est linguistique ; les supports en sont la légende, marginale, et les étiquettes, qui, elles, sont insérées dans le naturel de la scène, comme « en abyme » ; le code dans lequel est prélevé ce message n'est autre que celui de la langue française ; pour être déchiffré, ce message n'exige d'autre savoir que la connaissance de l'écriture et du français. A vrai dire, ce message lui-même peut encore se décomposer, car le signe *Panzani* ne livre pas seulement le nom de la firme, mais aussi, par son assonance, un signifié supplémentaire qui est, si l'on veut, l'« italianité » ; le message linguistique est donc double (du moins dans cette image) : de dénotation et de connotation ; toutefois, comme il n'y a ici qu'un seul signe typique [2], à savoir celui du langage articulé (écrit), on ne comptera qu'un seul message.

Le message linguistique mis de côté, il reste l'image pure (même

1. La *description* de la photographie est donnée ici avec prudence, car elle constitue déjà un méta-langage.

2. On appellera *signe typique* le signe d'un système, dans la mesure où il est défini suffisamment par sa substance : le signe verbal, le signe iconique, le signe gestuel sont autant de signes typiques.

si les étiquettes en font partie à titre anecdotique). Cette image livre aussitôt une série de signes discontinus. Voici d'abord (cet ordre est indifférent, car ces signes ne sont pas linéaires) l'idée qu'il s'agit, dans la scène représentée, d'un retour du marché ; ce signifié implique lui-même deux valeurs euphoriques : celle de la fraîcheur des produits et celle de la préparation purement ménagère à laquelle ils sont destinés ; son signifiant est le filet entrouvert qui laisse s'épandre les provisions sur la table, comme « au déballé ». Pour lire ce premier signe, il suffit d'un savoir en quelque sorte implanté dans les usages d'une civilisation très large, où « faire soi-même son marché » s'oppose à l'approvisionnement expéditif (conserves, frigidaires) d'une civilisation plus « mécanique ». Un second signe est à peu près aussi évident ; son signifiant est la réunion de la tomate, du poivron et de la teinte tricolore (jaune, vert, rouge) de l'affiche ; son signifié est l'Italie, ou plutôt l'*italianité* ; ce signe est dans un rapport de redondance avec le signe connoté du message linguistique (l'assonance italienne du nom *Panzani*) ; le savoir mobilisé par ce signe est déjà plus particulier : c'est un savoir proprement « français » (les Italiens ne pourraient guère percevoir la connotation du nom propre, non plus probablement que l'italianité de la tomate et du poivron), fondé sur une connaissance de certains stéréotypes touristiques. Continuant d'explorer l'image (ce qui ne veut pas dire qu'elle ne soit entièrement claire du premier coup), on y découvre sans peine au moins deux autres signes ; dans l'un, le rassemblement serré d'objets différents transmet l'idée d'un service culinaire total, comme si d'une part *Panzani* fournissait tout ce qui est nécessaire à un plat composé, et comme si d'autre part le concentré de la boîte égalait les produits naturels qui l'entourent, la scène faisant le pont en quelque sorte entre l'origine des produits et leur dernier état ; dans l'autre signe, la composition, évoquant le souvenir de tant de peintures alimentaires, renvoie à un signifié esthétique : c'est la « nature morte », ou comme il est mieux dit dans d'autres langues, le « *still living* [1] » ; le savoir nécessaire est ici fortement culturel. On pourrait suggérer qu'à ces quatre signes, s'ajoute une der-

1. En français, l'expression « nature morte » se réfère à la présence originelle d'objets funèbres, tel un crâne, dans certains tableaux.

nière information : celle-là même qui nous dit qu'il s'agit ici d'une publicité, et qui provient à la fois de la place de l'image dans la revue et de l'insistance des étiquettes *Panzani* (sans parler de la légende) ; mais cette dernière information est extensive à la scène ; elle échappe en quelque sorte à la signification, dans la mesure où la nature publicitaire de l'image est essentiellement fonctionnelle : proférer quelque chose ne veut pas dire forcément : *je parle*, sauf dans des systèmes délibérément réflexifs comme la littérature.

Voilà donc pour cette image quatre signes, dont on présumera qu'ils forment un ensemble cohérent, car ils sont tous discontinus, obligent à un savoir généralement culturel et renvoient à des signifiés dont chacun est global (par exemple, l'*italianité*), pénétré de valeurs euphoriques ; on y verra donc, succédant au message linguistique, un second message, de nature iconique. Est-ce tout ? Si l'on retire tous ces signes de l'image, il y reste encore une certaine matière informationnelle ; privé de tout savoir, je continue à « lire » l'image, à « comprendre » qu'elle réunit dans un même espace un certain nombre d'objets identifiables (nommables), et non seulement des formes et des couleurs. Les signifiés de ce troisième message sont formés par les objets réels de la scène, les signifiants par ces mêmes objets photographiés, car il est évident que dans la représentation analogique, le rapport de la chose signifiée et de l'image signifiante n'étant plus « arbitraire » (comme il l'est dans la langue), il n'est plus nécessaire de ménager le relai d'un troisième terme sous les espèces de l'image psychique de l'objet. Ce qui spécifie ce troisième message, c'est en effet que le rapport du signifié et du signifiant est quasi tautologique ; sans doute la photographie implique un certain aménagement de la scène (cadrage, réduction, aplatissement), mais ce passage n'est pas une *transformation* (comme peut l'être un codage) ; il y a ici perte de l'équivalence (propre aux vrais systèmes de signes) et position d'une quasi-identité. Autrement dit, le signe de ce message n'est plus puisé dans une réserve institutionnelle, il n'est pas codé, et l'on a affaire à ce paradoxe (sur lequel on reviendra) d'un *message sans code* [1]. Cette particularité se retrouve au niveau du savoir

1. Cf. « Le message photographique », ci-dessus.

investi dans la lecture du message : pour « lire » ce dernier (ou ce premier) niveau de l'image, nous n'avons besoin d'autre savoir que celui qui est attaché à notre perception : il n'est pas nul, car il nous faut savoir ce qu'est une image (les enfants ne le savent que vers quatre ans) et ce que sont une tomate, un filet, un paquet de pâtes : il s'agit pourtant d'un savoir presque anthropologique. Ce message correspond en quelque sorte à la lettre de l'image, et l'on conviendra de l'appeler message littéral, par opposition au message précédent, qui est un message « symbolique ».

Si notre lecture est satisfaisante, la photographie analysée nous propose donc trois messages : un message linguistique, un message iconique codé et un message iconique non codé. Le message linguistique se laisse facilement séparer des deux autres messages ; mais ces messages-là ayant la même substance (iconique), dans quelle mesure a-t-on le droit de les distinguer ? Il est certain que la distinction des deux messages iconiques ne se fait pas spontanément au niveau de la lecture courante : le spectateur de l'image reçoit *en même temps* le message perceptif et le message culturel, et l'on verra plus tard que cette confusion de lecture correspond à la fonction de l'image de masse (dont on s'occupe ici). La distinction a cependant une validité opératoire, analogue à celle qui permet de distinguer dans le signe linguistique un signifiant et un signifié, bien qu'en fait jamais personne ne puisse séparer le « mot » de son sens, sauf à recourir au métalangage d'une définition : si la distinction permet de décrire la structure de l'image d'une façon cohérente et simple et que la description ainsi menée prépare une explication du rôle de l'image dans la société, nous la tiendrons pour justifiée. Il faut donc revenir sur chaque type de message de façon à l'explorer dans sa généralité, sans perdre de vue que nous cherchons à comprendre la structure de l'image dans son ensemble, c'est-à-dire le rapport final des trois messages entre eux. Toutefois, puisqu'il ne s'agit plus d'une analyse « naïve » mais d'une description structurale [1], on modifiera un peu l'ordre des messages, en intervertissant le message culturel et le message littéral ; des deux messages iconiques, le premier est en quelque sorte imprimé sur le

1. L'analyse « naïve » est un dénombrement d'éléments, la description structurale veut saisir le rapport de ces éléments en vertu du principe de solidarité des termes d'une structure : si un terme change, les autres aussi.

second : le message littéral apparaît comme le *support* du message « symbolique ». Or nous savons qu'un système qui prend en charge les signes d'un autre système pour en faire ses signifiants est un système de connotation [1] ; on dira donc tout de suite que l'image littérale est *dénotée* et l'image symbolique *connotée*. On étudiera donc successivement le message linguistique, l'image dénotée et l'image connotée.

Le message linguistique

Le message linguistique est-il constant ? Y a-t-il toujours du texte dans, sous ou alentour l'image ? Pour retrouver des images données sans paroles, il faut sans doute remonter à des sociétés partiellement analphabètes, c'est-à-dire à une sorte d'état pictographique de l'image ; en fait dès l'apparition du livre, la liaison du texte et de l'image est fréquente ; cette liaison semble avoir été peu étudiée d'un point de vue structural ; quelle est la structure signifiante de l' « illustration » ? L'image double-t-elle certaines informations du texte, par un phénomène de redondance, ou le texte ajoute-t-il une information inédite à l'image ? Le problème pourrait être posé historiquement à propos de l'époque classique, qui a eu une passion pour les livres à figures (on ne pouvait concevoir, au XVIIIe siècle, que les *Fables* de La Fontaine ne fussent pas illustrées), et où certains auteurs comme le P. Ménestrier se sont interrogés sur les rapports de la figure et du discursif [2]. Aujourd'hui, au niveau des communications de masse, il semble bien que le message linguistique soit présent dans toutes les images : comme titre, comme légende, comme article de presse, comme dialogue de film, comme *fumetto* ; on voit par là qu'il n'est pas très juste de parler d'une civilisation de l'image : nous sommes encore et plus que jamais une civilisation de l'écriture [3], parce que

1. Cf. *Éléments de sémiologie*, in *Communications*, 4, 1964, p. 130.
2. *L'Art des emblèmes*, 1684.
3. L'image sans parole se rencontre sans doute, mais à titre paradoxal, dans certains dessins humoristiques ; l'absence de parole recouvre toujours une intention énigmatique.

l'écriture et la parole sont toujours des termes pleins de la structure informationnelle. En fait, seule la présence du message linguistique compte, car ni sa place ni sa longueur ne semblent pertinentes (un texte long peut ne comporter qu'un signifié global, grâce à la connotation, et c'est ce signifié qui est mis en rapport avec l'image). Quelles sont les fonctions du message linguistique par rapport au message iconique (double) ? Il semble qu'il y en ait deux : d'*ancrage* et de *relais*.

Comme on le verra mieux à l'instant, toute image est polysémique, elle implique, sous-jacente à ses signifiants, une « chaîne flottante » de signifiés, dont le lecteur peut choisir certains et ignorer les autres. La polysémie produit une interrogation sur le sens ; or cette interrogation apparaît toujours comme une dysfonction, même si cette dysfonction est récupérée par la société sous forme de jeu tragique (Dieu muet ne permet pas de choisir entre les signes) ou poétique (c'est le « frisson du sens » — panique — des anciens Grecs) ; au cinéma même, les images traumatiques sont liées à une incertitude (à une inquiétude) sur le sens des objets ou des attitudes. Aussi se développent dans toute société des techniques diverses destinées à *fixer* la chaîne flottante des signifiés, de façon à combattre la terreur des signes incertains : le message linguistique est l'une de ces techniques. Au niveau du message littéral, la parole répond, d'une façon plus ou moins directe, plus ou moins partielle, à la question : *qu'est-ce que c'est ?* Elle aide à identifier purement et simplement les éléments de la scène et la scène elle-même : il s'agit d'une description dénotée de l'image (description souvent partielle), ou, dans la terminologie de Hjelmslev, d'une *opération* (opposée à la connotation)[1]. La fonction dénominative correspond bien à un *ancrage* de tous les sens possibles (dénotés) de l'objet, par le recours à une nomenclature ; devant un plat (publicité *Amieux*), je puis hésiter à identifier les formes et les volumes ; la légende (« *riz et thon aux champignons* ») m'aide à choisir *le bon niveau de perception* ; elle me permet d'accommoder non seulement mon regard, mais encore mon intellection. Au niveau du message « symbolique », le message linguistique guide non plus l'identification, mais l'interpréta-

1. Cf. *Éléments…, op. cit.*, p. 131-132.

tion, il constitue une sorte d'étau qui empêche les sens connotés de proliférer soit vers des régions trop individuelles (c'est-à-dire qu'il limite le pouvoir projectif de l'image), soit vers des valeurs dysphoriques ; une publicité (conserves *d'Arcy*) présente quelques menus fruits répandus autour d'une échelle ; la légende (« *comme si vous aviez fait le tour de votre jardin* ») éloigne un signifié possible (parcimonie, pauvreté de la récolte) parce qu'il serait déplaisant, et oriente la lecture vers un signifié flatteur (caractère naturel et personnel des fruits du jardin privé) ; la légende agit ici comme un contre-tabou, elle combat le mythe ingrat de l'artificiel, ordinairement attaché aux conserves. Bien entendu, ailleurs que dans la publicité, l'ancrage peut être idéologique, et c'est même, sans doute, sa fonction principale ; le texte *dirige* le lecteur entre les signifiés de l'image, lui en fait éviter certains et en recevoir d'autres ; à travers un *dispatching* souvent subtil, il le téléguide vers un sens choisi à l'avance. Dans tous ces cas d'ancrage, le langage a évidemment une fonction d'élucidation, mais cette élucidation est sélective ; il s'agit d'un méta-langage appliqué non à la totalité du message iconique, mais seulement à certains de ses signes ; le texte est vraiment le droit de regard du créateur (et donc de la société) sur l'image : l'ancrage est un contrôle, il détient une responsabilité, face à la puissance projective des figures, sur l'usage du message ; par rapport à la liberté des signifiés de l'image, le texte a une valeur *répressive* [1], et l'on comprend que ce soit à son niveau que s'investissent surtout la morale et l'idéologie d'une société.

L'ancrage est la fonction la plus fréquente du message linguistique ; on la retrouve communément dans la photographie de presse et la publicité. La fonction de relais est plus rare (du moins en ce qui concerne l'image fixe) ; on la trouve surtout dans les dessins humoristiques et les bandes dessinées. Ici la parole (le plus souvent

1. Ceci se voit bien dans le cas paradoxal où l'image est construite d'après le texte, et où, par conséquent, le contrôle semblerait inutile. Une publicité qui veut faire entendre que dans tel café l'arôme est « prisonnier » du produit en poudre, et donc qu'on le retrouvera tout entier à l'usage, figure au-dessus de la proposition une boîte de café entourée d'une chaîne et d'un cadenas ; ici la métaphore linguistique (« prisonnier ») est prise à la lettre (procédé poétique bien connu) ; mais en fait, c'est l'image qui est lue la première et le texte qui l'a formée devient pour finir le simple choix d'un signifié parmi d'autres : la répression se retrouve dans le circuit sous forme d'une banalisation du message.

un morceau de dialogue) et l'image sont dans un rapport complémentaire ; les paroles sont alors des fragments d'un syntagme plus général, au même titre que les images, et l'unité du message se fait à un niveau supérieur : celui de l'histoire, de l'anecdote, de la diégèse (ce qui confirme bien que la diégèse doit être traitée comme un système autonome [1]). Rare dans l'image fixe, cette parole-relais devient très importante au cinéma, où le dialogue n'a pas une fonction simple d'élucidation mais où elle fait véritablement avancer l'action en disposant, dans la suite des messages, des sens qui ne se trouvent pas dans l'image. Les deux fonctions du message linguistique peuvent évidemment coexister dans un même ensemble iconique, mais la dominance de l'une ou de l'autre n'est certainement pas indifférente à l'économie générale de l'œuvre ; lorsque la parole a une valeur diégétique de relais, l'information est plus coûteuse, puisqu'elle nécessite l'apprentissage d'un code digital (la langue) ; lorsqu'elle a une valeur substitutive (d'ancrage, de contrôle), c'est l'image qui détient la charge informative, et, comme l'image est analogique, l'information est en quelque sorte plus « paresseuse » : dans certaines bandes dessinées, destinées à une lecture « hâtive », la diégèse est surtout confiée à la parole, l'image recueillant les informations attributives, d'ordre paradigmatique (statut stéréotypé des personnages) : on fait coïncider le message coûteux et le message discursif, de façon à éviter au lecteur pressé l'ennui des « descriptions » verbales, confiées ici à l'image, c'est-à-dire à un système moins « laborieux ».

L'image dénotée

On a vu que dans l'image proprement dite, la distinction du message littéral et du message symbolique était opératoire ; on ne rencontre jamais (du moins en publicité) une image littérale à l'état pur ; quand bien même accomplirait-on une image entièrement « naïve », elle rejoindrait aussitôt le signe de la naïveté et se

1. Cf. Claude Bremond, « Le message narratif », in *Communications*, 4, 1964.

compléterait d'un troisième message, symbolique. Les caractères du message littéral ne peuvent donc être substantiels, mais seulement relationnels ; c'est d'abord, si l'on veut, un message privatif, constitué par ce qui reste dans l'image lorsqu'on efface (mentalement) les signes de connotation (les ôter réellement ne serait pas possible, car ils peuvent imprégner toute l'image, comme dans le cas de la « composition en nature morte ») ; cet état privatif correspond naturellement à une plénitude de virtualités : il s'agit d'une absence de sens pleine de tous les sens ; c'est ensuite (et ceci ne contredit pas cela) un message suffisant, car il a au moins un sens au niveau de l'identification de la scène représentée ; la lettre de l'image correspond en somme au premier degré de l'intelligible (en deçà de ce degré, le lecteur ne percevrait que des lignes, des formes et des couleurs), mais cet intelligible reste virtuel en raison de sa pauvreté même, car n'importe qui, issu d'une société réelle, dispose toujours d'un savoir supérieur au savoir anthropologique et perçoit plus que la lettre ; à la fois privatif et suffisant, on comprend que dans une perspective esthétique le message dénoté puisse apparaître comme une sorte d'état adamique de l'image ; débarrassée utopiquement de ses connotations, l'image deviendrait radicalement objective, c'est-à-dire en fin de compte innocente.

Ce caractère utopique de la dénotation est considérablement renforcé par le paradoxe qu'on a déjà énoncé et qui fait que la photographie (dans son état littéral), en raison de sa nature absolument analogique, semble bien constituer un message sans code. Cependant l'analyse structurale de l'image doit ici se spécifier, car de toutes les images, seule la photographie possède le pouvoir de transmettre l'information (littérale) sans la former à l'aide de signes discontinus et de règles de transformation. Il faut donc opposer la photographie, message sans code, au dessin, qui, même dénoté, est un message codé. La nature codée du dessin apparaît à trois niveaux : d'abord, reproduire un objet ou une scène par le dessin oblige à un ensemble de transpositions *réglées* ; il n'existe pas une nature de la copie picturale, et les codes de transposition sont historiques (notamment en ce qui concerne la perspective) ; ensuite, l'opération du dessin (le codage) oblige tout de suite à un certain partage entre le signifiant et l'insignifiant : le dessin ne reproduit pas *tout*, et souvent même fort peu de choses, sans cesser cependant d'être un message fort, alors que la photographie, si elle peut choisir son sujet, son cadre et son angle, ne peut intervenir *à l'intérieur* de l'objet (sauf truquage) ; autrement dit, la dénotation du dessin est moins pure que la dénotation photographique, car il n'y a jamais de dessin sans style ; enfin, comme tous les codes, le dessin exige un apprentissage (Saussure attribuait une grande importance à ce fait sémiologique). Le codage du message dénoté a-t-il des conséquences sur le message connoté ? Il est certain que le codage de la lettre prépare et facilite la connotation, puisqu'il dispose déjà un certain discontinu dans l'image : la « facture » d'un dessin constitue déjà une connotation ; mais en même temps, dans la mesure où le dessin affiche son codage, le rapport des deux messages se trouve profondément modifié ; ce n'est plus le rapport d'une nature et d'une culture (comme dans le cas de la photographie), c'est le rapport de deux cultures : la « morale » du dessin n'est pas celle de la photographie.

Dans la photographie, en effet — du moins au niveau du message littéral —, le rapport des signifiés et des signifiants n'est pas de « transformation » mais d' « enregistrement », et l'absence de code renforce évidemment le mythe du « naturel » photographique : la scène *est là*, captée mécaniquement, mais non humainement (le mécanique est ici gage d'objectivité) ; les interventions de l'homme sur la photographie (cadrage, distance, lumière, flou, filé, etc.) appartiennent toutes en effet au plan de connotation ; tout se passe comme s'il y avait au départ (même utopique) une photographie brute (frontale et nette), sur laquelle l'homme disposerait, grâce à certaines techniques, les signes issus du code culturel. Seule l'opposition du code culturel et du non-code naturel peut, semble-t-il, rendre compte du caractère spécifique de la photographie et permettre de mesurer la révolution anthropologique qu'elle représente dans l'histoire de l'homme, car le type de conscience qu'elle implique est véritablement sans précédent ; la photographie installe, en effet, non pas une conscience de l'*être-là* de la chose (que toute copie pourrait provoquer), mais une conscience de l'*avoir-été-là*. Il s'agit donc d'une catégorie nouvelle de l'espace-temps : locale immédiate et temporelle antérieure ; dans la photographie il se produit une conjonction illogique entre l'*ici* et l'*autrefois*. C'est donc au niveau de ce message dénoté ou message sans code que l'on peut comprendre pleinement l'*irréalité réelle* de la photographie ; son irréalité est celle de l'*ici*, car la photographie n'est jamais vécue comme une illusion, elle n'est nullement une *présence*, et il faut en rabattre sur le caractère magique de l'image photographique ; et sa réalité est celle de *l'avoir-été-là*, car il y a dans toute photographie l'évidence toujours stupéfiante du : *cela s'est passé ainsi* : nous possédons alors, miracle précieux, une réalité dont nous sommes à l'abri. Cette sorte de pondération temporelle (*avoir-été-là*) diminue probablement le pouvoir projectif de l'image (très peu de tests psychologiques recourent à la photographie, beaucoup recourent au dessin) : le *cela a été* bat en brêche le *c'est moi*. Si ces remarques ont quelque justesse, il faudrait donc rattacher la photographie à une pure conscience spectatorielle, et non à la conscience fictionnelle, plus projective, plus « magique », dont dépendrait en gros le cinéma ; on serait ainsi autorisé à voir entre le cinéma et la photographie non plus une simple différence de degré mais une opposition radicale : le cinéma ne serait pas de la photographie animée ; en lui l'*avoir-été-là* disparaîtrait au profit d'un *être-là* de la chose ; ceci expliquerait qu'il puisse y avoir une histoire du cinéma, sans rupture véritable avec les arts antérieurs de la fiction, alors que la photographie échapperait d'une certaine manière à l'histoire (en dépit de l'évolution des techniques et des ambitions de l'art photographique) et représenterait un fait anthropologique « mat », à la fois absolument nouveau et définitivement indépassable ; pour la première fois dans son histoire, l'humanité connaîtrait des *messages sans code* ; la photographie ne serait donc pas le dernier terme (amélioré) de la grande famille des images, mais correspondrait à une mutation capitale des économies d'information.

En tout cas l'image dénotée, dans la mesure où elle n'implique aucun code (c'est le cas de la photographie publicitaire), joue dans la structure générale du message iconique un rôle particulier que l'on peut commencer à préciser (on reviendra sur cette question lorsque l'on aura parlé du troisième message) : l'image dénotée naturalise le message symbolique, elle innocente l'artifice sémantique, très dense (surtout en publicité), de la connotation ; bien que l'affiche *Panzani* soit pleine de « symboles », il reste cependant dans la photographie une sorte d'*être-là* naturel des objets, dans la mesure où le message littéral est suffisant : la nature semble produire spontanément la scène représentée ; à la simple validité des systèmes ouvertement sémantiques, se substitue subrepticement une pseudo-vérité ; l'absence de code désintellectualise le message parce qu'il paraît fonder en nature les signes de la culture. C'est là sans doute un paradoxe historique important : plus la technique développe la diffusion des informations (et notamment des images), plus elle fournit les moyens de masquer le sens construit sous l'apparence du sens donné.

Rhétorique de l'image

On a vu que les signes du troisième message (message « symbolique », culturel ou connoté) étaient discontinus ; même lorsque le signifiant semble étendu à toute l'image, il n'en est pas moins un signe séparé des autres : la « composition » emporte un signifié esthétique, à peu près comme l'intonation, quoique suprasegmentale, est un signifiant isolé du langage ; on a donc affaire ici à un système normal, dont les signes sont puisés dans un code culturel (même si la liaison des éléments du signe apparaît plus ou moins analogique). Ce qui fait l'originalité de ce système, c'est que le nombre des lectures d'une même lexie (d'une même image) est variable selon les individus : dans la publicité *Panzani* qui a été analysée, nous avons repéré quatre signes de connotation ; il y en a probablement d'autres (le filet peut par exemple signifier la pêche miraculeuse, l'abondance, etc.). Cependant la variation des lectures n'est pas anarchique, elle dépend des différents savoirs investis dans l'image (savoirs pratique, national, culturel, esthétique) et ces savoirs peuvent se classer, rejoindre une typologie ; tout se passe comme si l'image se donnait à lire à plusieurs hommes et ces hommes peuvent très bien coexister en un seul individu : *une même lexie mobilise des lexiques différents*. Qu'est-ce qu'un lexique ? C'est une portion du plan symbolique (du langage) qui correspond à un corps de pratiques et de techniques [1] ; c'est bien le cas pour les différentes lectures de l'image : chaque signe correspond à un corps d' « attitudes » : le tourisme, le ménage, la connaissance de l'art, dont certaines peuvent évidemment manquer au niveau d'un individu. Il y a une pluralité et une coexistence des lexiques dans un même homme ; le nombre et l'identité de ces lexiques forment en quelque sorte l'*idiolecte* de chacun [2]. L'image, dans sa connotation, serait ainsi constituée par une architecture de signes tirés d'une profondeur variable de lexiques (d'idiolectes), chaque lexique, si « profond » soit-il, restant codé, si, comme on le pense maintenant, la *psyché* elle-même est articulée comme un langage ; mieux encore : plus on « descend » dans la profondeur psychique d'un individu, plus les signes se raréfient et deviennent classables : quoi de plus systématique que les lectures du Rorschach ? La variabilité des lectures ne peut donc menacer la « langue » de l'image, si l'on admet que cette langue est composée d'idiolectes, lexiques ou sous-codes : l'image est entièrement traversée par le système du sens, exactement comme l'homme s'articule jusqu'au fond de lui-même en langages distincts. La langue de l'image, ce n'est pas seulement l'ensemble des paroles émises (par exemple au niveau du combinateur des signes ou créateur du message), c'est aussi l'ensemble des paroles reçues [3] : la langue doit inclure les « surprises » du sens.

Une autre difficulté attachée à l'analyse de la connotation, c'est qu'à la particularité de ses signifiés ne correspond pas un langage analytique particulier ; comment nommer les signifiés de connotation ? Pour l'un d'eux, on a risqué le terme d'*italianité*, mais les autres ne peuvent être désignés que par des vocables venus du langage courant (*préparation-culinaire, nature-morte, abondance*) : le méta-langage qui doit les prendre en charge au moment de l'analyse n'est pas spécial. C'est là un embarras, car ces signifiés ont une nature sémantique particulière ; comme *sème* de connota-

1. Cf. A. J. Greimas, « Les problèmes de la description mécanographique », in *Cahiers de lexicologie,* Besançon, 1, 1959, p. 63.
2. Cf. *Éléments..., op. cit.*, p. 96.
3. Dans la perspective saussurienne, la parole est surtout ce qui est émis, puisé dans la langue (et la constituant en retour). Il faut aujourd'hui élargir la notion de langue, surtout du point de vue sémantique : la langue est « l'abstraction totalisante » des messages émis *et reçus.*

tion, « l'abondance » ne recouvre pas exactement « l'abondance », au sens dénoté ; le signifiant de connotation (ici la profusion et la condensation des produits) est comme le chiffre essentiel de toutes les abondances possibles, ou mieux encore de l'idée la plus pure de l'abondance ; le mot dénoté, lui, ne renvoie jamais à une essence, car il est toujours pris dans une parole contingente, un syntagme continu (celui du discours verbal), orienté vers une certaine transitivité pratique du langage ; le sème « abondance », au contraire, est un concept à l'état pur, coupé de tout syntagme, privé de tout contexte ; il correspond à une sorte d'état théâtral du sens, ou mieux encore (puisqu'il s'agit d'un signe sans syntagme) à un sens *exposé*. Pour rendre ces sèmes de connotation, il faudrait donc un méta-langage particulier ; nous avons risqué *italianité* ; ce sont des barbarismes de ce genre qui pourraient le mieux rendre compte des signifiés de connotation, car le suffixe *-tas* (indo-européen, **-tà*) servait à tirer de l'adjectif un substantif abstrait : l'*italianité*, ce n'est pas l'Italie, c'est l'essence condensée de tout ce qui peut être italien, des spaghetti à la peinture. En acceptant de régler artificiellement — et au besoin d'une façon barbare — la nomination des sèmes de connotation, on faciliterait l'analyse de leur forme [1] ; ces sèmes s'organisent évidemment en champs associatifs, en articulations paradigmatiques, peut-être même en oppositions, selon certains parcours, ou comme dit A. J. Greimas, selon certains axes sémiques [2] : *italianité* appartient à un certain axe des nationalités, aux côtés de la francité, de la germanité ou de l'hispanité. La reconstitution de ces axes — qui peuvent d'ailleurs par la suite s'opposer entre eux — ne sera évidemment possible que lorsqu'on aura procédé à un inventaire massif des systèmes de connotation, non seulement celui de l'image, mais encore ceux d'autres substances, car si la connotation a des signifiants typiques selon les substances utilisées (image, parole, objets, comportements), elle met tous ses signifiés en commun : ce sont les mêmes signifiés que l'on retrouvera dans la presse écrite, l'image ou le geste du comédien (ce pour quoi la sémiologie n'est concevable

1. *Forme*, au sens précis que lui donne Hjelmslev (cf. *Éléments...*, *op. cit.*, p. 105), comme organisation fonctionnelle des signifiés entre eux.

2. A. J. Greimas, *Cours de sémantique*, 1964, cahiers ronéotypés par l'École normale supérieure de Saint-Cloud.

que dans un cadre pour ainsi dire total) ; ce domaine commun des signifiés de connotation, c'est celui de l'*idéologie*, qui ne saurait être qu'unique pour une société et une histoire données, quels que soient les signifiants de connotation auxquels elle recourt.

A l'idéologie générale, correspondent en effet des signifiants de connotation qui se spécifient selon la substance choisie. On appellera ces signifiants des *connotateurs* et l'ensemble des connotateurs une *rhétorique* : la rhétorique apparaît ainsi comme la face signifiante de l'idéologie. Les rhétoriques varient fatalement par leur substance (ici le son articulé, là l'image, le geste, etc.), mais non forcément par leur forme ; il est même probable qu'il existe une seule *forme* rhétorique, commune par exemple au rêve, à la littérature et à l'image [1]. Ainsi la rhétorique de l'image (c'est-à-dire le classement de ses connotateurs) est spécifique dans la mesure où elle est soumise aux contraintes physiques de la vision (différentes des contraintes phonatoires, par exemple), mais générale dans la mesure où les « figures » ne sont jamais que des rapports formels d'éléments. Cette rhétorique ne pourra être constituée qu'à partir d'un inventaire assez large, mais on peut prévoir dès maintenant qu'on y retrouvera quelques-unes des figures repérées autrefois par les Anciens et les Classiques [2] ; ainsi, la tomate signifie l'italianité par métonymie ; ailleurs, la séquence de trois scènes (café en grain, café en poudre, café humé) dégage par simple juxtaposition un certain rapport logique de la même façon qu'une asyndète. Il est en effet probable que parmi les métaboles (ou figures de substitution d'un signifiant à un autre [3]), c'est la métonymie qui fournit à l'image le plus grand nombre de ses

1. Cf. E. Benveniste, « Remarques sur la fonction du langage dans la découverte freudienne », in *La Psychanalyse*, 1, 1956, p. 3-16 ; repris dans *Problèmes de linguistique générale*, Paris, Gallimard, 1966, chap. VII.

2. La rhétorique classique devra être repensée en termes structuraux (c'est l'objet d'un travail en cours), et il sera peut-être alors possible d'établir une rhétorique générale ou linguistique des signifiants de connotation, valable pour le son articulé, l'image, le geste, etc. [Cf. depuis : *l'Ancienne rhétorique* (*Aide-mémoire*), in *Communications*, 16, 1970, *NdE*.]

3. On préférera éluder ici l'opposition de Jakobson entre la métaphore et la métonymie, car si la métonymie est une figure de la contiguïté par son origine, elle n'en fonctionne pas moins finalement comme un substitut du signifiant, c'est-à-dire comme une métaphore.

connotateurs ; et parmi les parataxes (ou figures du syntagme), c'est l'asyndète qui domine.

Le plus important toutefois — du moins pour le moment — ce n'est pas d'inventorier les connotateurs, c'est de comprendre qu'ils constituent dans l'image totale des *traits discontinus* ou mieux encore : *erratiques*. Les connotateurs ne remplissent pas toute la lexie, leur lecture ne l'épuise pas. Autrement dit encore (et ceci serait une proposition valable pour la sémiologie en général) tous les éléments de la lexie ne peuvent être transformés en connotateurs, il reste toujours dans le discours une certaine dénotation, sans laquelle précisément le discours ne serait pas possible. Ceci nous ramène au message 2, ou image dénotée. Dans la publicité *Panzani*, les légumes méditerranéens, la couleur, la composition, la profusion même surgissent comme des blocs erratiques, à la fois isolés et sertis dans une scène générale qui a son espace propre et, comme on l'a vu, son « sens » : ils sont « pris » dans un syntagme *qui n'est pas le leur et qui est celui de la dénotation*. C'est là une proposition importante, car elle nous permet de fonder (rétroactivement) la distinction structurale du message 2 ou littéral, et du message 3 ou symbolique, et de préciser la fonction naturalisante de la dénotation par rapport à la connotation ; nous savons maintenant que *c'est très exactement le syntagme du message dénoté qui « naturalise » le système du message connoté*. Ou encore : la connotation n'est que système, elle ne peut se définir qu'en termes de paradigme ; la dénotation iconique n'est que syntagme, elle associe des éléments sans système : les connotateurs discontinus sont liés, actualisés, « parlés » à travers le syntagme de la dénotation : le monde discontinu des symboles plonge dans l'histoire de la scène dénotée comme dans un bain lustral d'innocence.

On voit par là que dans le système total de l'image, les fonctions structurales sont polarisées ; il y a d'une part une sorte de condensation paradigmatique au niveau des connotateurs (c'est-à-dire en gros des « symboles »), qui sont des signes forts, erratiques et l'on pourrait dire « réifiés » ; et d'autre part « coulée » syntagmatique au niveau de la dénotation ; on n'oubliera pas que le syntagme est toujours très proche de la parole, et c'est bien le « discours » iconique qui naturalise ses symboles. Sans vouloir inférer trop tôt de l'image à la sémiologie générale, on peut cependant risquer que le monde du sens total est déchiré d'une façon interne (structurale) entre le système comme culture et le syntagme comme nature : les œuvres des communications de masse conjuguent toutes, à travers des dialectiques diverses et diversement réussies, la fascination d'une nature, qui est celle du récit, de la diégèse, du syntagme, et l'intelligibilité d'une culture, réfugiée dans quelques symboles discontinus, que les hommes « déclinent » à l'abri de leur parole vivante.

1964, *Communications*.

Le troisième sens

Notes de recherche sur quelques photogrammes de S.M. Eisenstein

à Nordine Saïl,
directeur de Cinéma 3

I

Voici une image d'*Ivan le Terrible* (I) [1] : deux courtisans, deux aides, deux comparses (peu importe si je ne me rappelle pas bien le détail de l'histoire) versent une pluie d'or sur la tête du jeune tsar. Il me semble distinguer dans cette scène trois niveaux de sens :

1. Un niveau informatif, où se rassemble toute la connaissance que m'apportent le décor, les costumes, les personnages, leurs rapports, leur insertion dans une anecdote que je connais (même vaguement). Ce niveau est celui de la *communication*. S'il fallait lui trouver un mode d'analyse, c'est vers la première sémiotique (celle du « message ») que je me tournerais (mais de ce niveau et de cette sémiotique-là on ne s'occupera plus ici).

2. Un niveau symbolique : c'est l'or versé. Ce niveau est lui-même stratifié. Il y a le symbolisme référentiel : c'est le rituel impérial du baptême par l'or. Il y a ensuite le symbolisme diégétique : c'est le thème de l'or, de la richesse (à supposer qu'il existe) dans *Ivan le Terrible*, dont ce serait ici une intervention signifiante. Il y a encore le symbolisme eisensteinien — si par aventure un critique s'avisait de déceler que l'or, ou la pluie, ou le rideau, ou la défiguration, peuvent être pris dans un réseau de déplacements et de substitutions, propre à Eisenstein. Il y a enfin un symbolisme historique, si, d'une façon encore plus étendue que

1. Tous les photogrammes de S.M. Eisenstein dont il sera question ici sont extraits des numéros 217 et 218 des *Cahiers du cinéma*. Le photogramme de Romm (*Le Fascisme ordinaire*) est extrait du numéro 219.

les précédentes, on peut montrer que l'or introduit à un jeu (théâtral), à une scénographie qui serait celle de l'échange, repérable à la fois psychanalytiquement et économiquement, c'est-à-dire sémiologiquement. Ce second niveau, dans son ensemble, est celui de la *signification*. Son mode d'analyse serait une sémiotique plus élaborée que la première, une seconde sémiotique ou néo-sémiotique, ouverte, non plus à la science du message, mais aux sciences du symbole (psychanalyse, économie, dramaturgie).

3. Est-ce tout ? Non, car je ne peux encore me détacher de l'image. Je lis, je reçois (probablement même, en premier), évident, erratique et têtu, un troisième sens [1]. Je ne sais quel est son signifié, du moins je n'arrive pas à le nommer, mais je vois bien les traits, les accidents signifiants dont ce signe, dès lors incomplet, est composé : c'est une certaine compacité du fard des courtisans, ici épais, appuyé, là lisse, distingué ; c'est le nez « bête » de l'un, c'est le fin dessin des sourcils de l'autre, sa blondeur fade, son teint blanc et passé, la platitude apprêtée de sa coiffure, qui sent le postiche, le raccord au fond de teint plâtreux, à la poudre de riz. Je ne sais pas si la lecture de ce troisième sens est fondée — si on peut la généraliser —, mais il me semble déjà que son signifiant (les traits que je viens de tenter de dire, sinon de décrire) possède une individualité théorique ; car, d'une part, il ne peut se confondre avec le simple *être-là* de la scène, il excède la copie du motif référentiel, il contraint à une lecture interrogative (l'interrogation porte précisément sur le signifiant, non sur le signifié, sur la lecture, non sur l'intellection : c'est une saisie « poétique ») ; et d'autre part, il ne se confond pas non plus avec le sens dramatique de l'épisode : dire que ces traits renvoient à un « air » significatif des courtisans, ici distant, ennuyé, là appliqué (« *Ils font simplement leur métier de courtisans* »), ne me satisfait pas pleinement : quelque chose, dans ces deux visages, excède la psychologie,

1. Dans le paradigme classique des cinq sens, le troisième est l'ouïe (le premier en importance au Moyen Age) ; c'est une coïncidence heureuse, car il s'agit bien d'une *écoute* ; d'abord parce que les remarques d'Eisenstein dont on se servira ici proviennent d'une réflexion sur l'avènement de l'auditif dans le film ; ensuite parce que l'écoute (sans référence à la *phoné* unique) détient en puissance la métaphore qui convient le mieux au « textuel » : l'orchestration (mot de S.M.E.), le contrepoint, la stéréophonie.

l'anecdote, la fonction et pour tout dire le sens, sans pourtant se réduire à l'entêtement que tout corps humain met à être là. Par opposition aux deux premiers niveaux, celui de la communication et celui de la signification, ce troisième niveau — même si la lecture en est encore hasardeuse — est celui de la *signifiance* ; ce mot a l'avantage de référer au champ du signifiant (et non de la signification) et de rejoindre, à travers la voie ouverte par Julia Kristeva, qui a proposé le terme, une sémiotique du texte.

La signification et la signifiance — et non la communication — m'intéressent seules, ici. Il me faut donc nommer, aussi économiquement que possible, le deuxième et le troisième sens. Le sens symbolique (l'or versé, la puissance, la richesse, le rite impérial) s'impose à moi par une double détermination : il est intentionnel (c'est ce qu'a voulu dire l'auteur) et il est prélevé dans une sorte de lexique général, commun, des symboles ; c'est un sens qui me cherche, moi, destinataire du message, sujet de la lecture, un sens qui part de S.M.E. et qui va *au-devant de moi* : évident, certes (l'autre l'est aussi), mais d'une évidence *fermée*, prise dans un système complet de destination. Je propose d'appeler ce signe complet *le sens obvie*. *Obvius* veut dire : *qui vient au-devant*, et c'est bien le cas de ce sens, qui vient me trouver ; en théologie, nous dit-on, le sens obvie est celui « qui se présente tout naturellement à l'esprit », et c'est encore le cas : la symbolique de l'or en pluie m'apparaît depuis toujours dotée d'une clarté « naturelle ». Quant à l'autre sens, le troisième, celui qui vient « en trop », comme un supplément que mon intellection ne parvient pas bien à absorber, à la fois têtu et fuyant, lisse et échappé, je propose de l'appeler *le sens obtus*. Ce mot me vient facilement à l'esprit et, merveille, en dépliant son étymologie, il livre déjà une théorie du sens supplémentaire ; *obtusus* veut dire : *qui est émoussé, de forme arrondie* ; or les traits que j'ai indiqués (le fard, la blancheur, le postiche, etc.) ne sont-ils pas comme l'émoussement d'un sens trop clair, trop violent ? Ne donnent-ils pas au signifié obvie comme une sorte de rondeur peu préhensible, ne font-ils pas glisser ma lecture ? Un angle obtus est plus grand qu'un droit : *angle obtus de 100°*, dit le dictionnaire ; le troisième sens, lui aussi, me paraît *plus grand* que la perpendiculaire pure, droite, coupante, légale, du récit : il me paraît ouvrir le champ du sens totalement, c'est-à-dire infiniment ; j'accepte même, pour ce sens obtus, la connotation péjorative : le sens obtus semble s'éployer hors de la culture, du savoir, de l'information ; analytiquement, il a quelque chose de dérisoire ; parce qu'il ouvre à l'infini du langage, il peut paraître borné au regard de la raison analytique ; il est de la race des jeux de mots, des bouffonneries, des dépenses inutiles ; indifférent aux catégories morales ou esthétiques (le trivial, le futile, le postiche et le pastiche), il est du côté du carnaval. *Obtus* convient donc bien.

Le sens obvie

Quelques mots sur le sens obvie, bien qu'il ne soit pas l'objet de la présente recherche. Voici deux images qui le présentent à l'état pur. Les quatre figures de l'image II « symbolisent » trois âges de la vie, l'unanimité du deuil (Funérailles de Vakoulintchouk). Le poing serré de l'image IV, monté en « détail » plein, signifie l'indignation, la colère maîtrisée, canalisée, la détermination du combat ; uni métonymiquement à toute l'histoire *Potemkine*, il « symbolise » la classe ouvrière, sa puissance et sa volonté ; car, miracle d'intelligence sémantique, ce poing *vu à l'envers*, maintenu par son porteur dans une sorte de clandestinité (c'est la main qui *d'abord* pend naturellement le long du pantalon et qui *ensuite* se ferme, se durcit, *pense* à la fois son combat futur, sa patience et sa prudence) ne peut être lu comme le poing d'un bagarreur, je dirais même : d'un fasciste : il est *immédiatement* un poing de prolétaire. Par quoi l'on voit que l'« art » de S.M. Eisenstein n'est pas polysémique : il choisit le sens, l'impose, l'assomme (si la signification est débordée par le sens obtus, elle n'est pas pour cela niée, brouillée) ; le sens eisensteinien foudroie l'ambiguïté. Comment ? Par l'ajout d'une valeur esthétique, l'emphase. Le « décoratisme » d'Eisenstein a une fonction économique : il profère la vérité. Voyez l'image III : très classiquement, la douleur vient des têtes penchées, des mines de souffrance, de la main qui sur la bouche contient le sanglot ; mais tout cela une fois dit, très

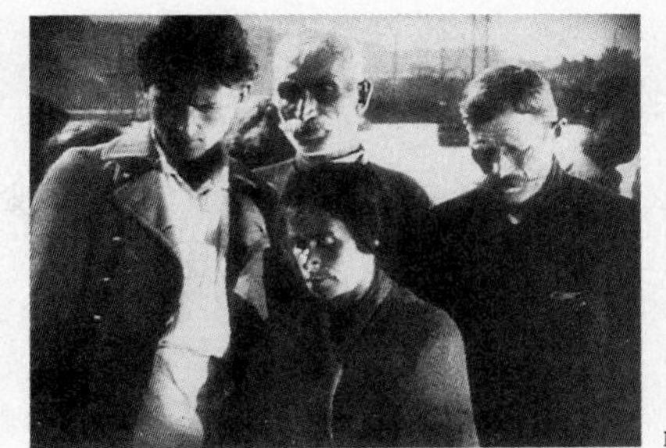

II

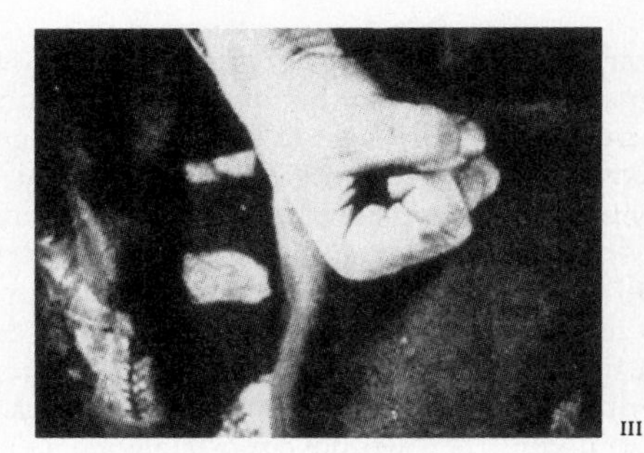

III

IV

V VI

suffisamment, un trait décoratif le redit encore : la superposition des deux mains, disposées esthétiquement dans une ascension délicate, maternelle, florale, vers le visage qui se penche ; dans le détail général (les deux femmes), un autre détail s'inscrit en abyme ; venu d'un ordre pictural comme une citation des gestes d'icônes et de *pietà*, il ne distrait pas le sens mais l'accentue ; cette accentuation (propre à tout art réaliste) a ici quelque lien avec la « vérité » : celle de *Potemkine*. Baudelaire parlait de « la vérité emphatique du geste dans les grandes circonstances de la vie » ; ici, c'est la vérité de la « grande circonstance prolétarienne » qui demande l'emphase. L'esthétique eisensteinienne ne constitue pas un niveau indépendant : elle fait partie du sens obvie, et le sens obvie, c'est toujours, chez Eisenstein, la révolution.

Le sens obtus

La conviction du sens obtus, je l'ai eue la première fois devant l'image V. Une question s'imposait à moi : qu'est-ce donc qui, dans cette vieille femme pleurante, me pose la question du signifiant ? Je me persuadais vite que ce n'étaient, quoique parfaits, ni la mine ni le gestuaire de la douleur (les paupières fermées, la bouche tirée, le poing sur la poitrine) : cela appartient à la signification pleine, au sens obvie de l'image, au réalisme et au décoratisme eisensteiniens. Je sentais que le trait pénétrant, inquiétant comme un invité qui s'obstine à rester sans rien dire là où on n'a pas besoin de lui, devait se situer dans la région du front : la coiffe, le foulard-coiffure y était pour quelque chose. Cependant, dans l'image VI, le sens obtus disparaît, il n'y a plus qu'un message de douleur. J'ai alors compris que la sorte de scandale, de supplément ou de dérive imposée à cette représentation classique de la douleur, provenait très précisément d'un rapport ténu : celui de la coiffe basse, des yeux fermés et de la bouche convexe ; ou plutôt, pour reprendre la distinction de S.M.E. lui-même entre « les ténèbres de la cathédrale » et « la cathédrale enténébrée », d'un rapport entre la « basseur » de la ligne coiffante, anormalement tirée jusqu'aux sourcils comme dans ces déguisements où l'on veut se donner un air loustic et niais, la montée circonflexe des sourcils passés, éteints, vieux, la courbe excessive des paupières baissées mais rapprochées comme si elles louchaient, et la barre de la bouche entrouverte, répondant à la barre de la coiffe et à celle des sourcils, dans le style métaphorique « comme un poisson à sec ». Tous ces traits (la coiffe loustic, la vieillarde, les paupières qui louchent, le poisson) ont pour vague référence un langage un peu bas, celui d'un déguisement assez pitoyable ; joints à la noble douleur du sens obvie, ils forment un dialogisme si ténu, qu'on ne peut en garantir l'intentionnalité. Le propre de ce troisième sens est en effet — du moins chez S.M.E. — de brouiller la limite qui sépare l'expression du déguisement, mais aussi de donner cette oscillation d'une façon succincte : une emphase elliptique, si l'on peut dire : disposition complexe, très retorse (car elle implique une temporalité de la signification), qui est parfaitement décrite par Eisenstein lui-même lorsqu'il cite avec jubilation la règle d'or du vieux K.S. Gillette : un léger demi-tour en arrière du point-limite (n° 219).

Le sens obtus a donc quelque peu à faire avec le déguisement. Voyez la barbiche d'Ivan, promue, à mon avis, au sens obtus dans l'image VII : elle se signe comme postiche, mais n'en renonce pas pour autant à la « bonne foi » de son référent (la figure historique du tsar) : un acteur qui se déguise deux fois (une fois comme acteur de l'anecdote, une fois comme acteur de la dramaturgie), sans

VII VIII

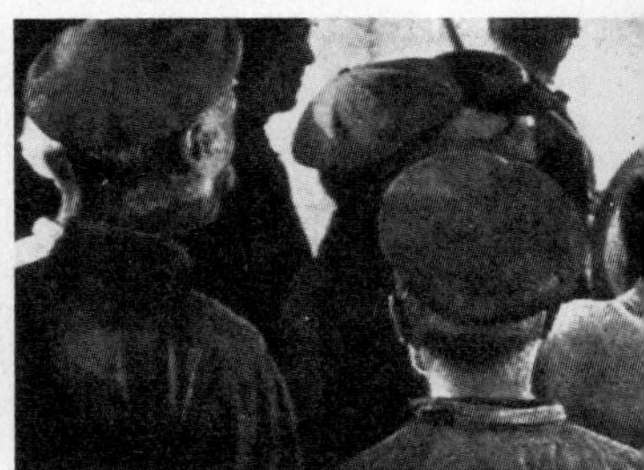

IX X

qu'un déguisement détruise l'autre ; un feuilleté de sens qui laisse toujours subsister le sens précédent, comme dans une construction géologique ; dire le contraire sans renoncer à la chose contredite : Brecht aurait aimé cette dialectique dramatique (à deux termes). Le postiche eisensteinien est à la fois postiche de lui-même, c'est-à-dire pastiche, et fétiche dérisoire, puisqu'il laisse voir sa coupure et sa suture : ce qu'on voit, dans l'image VII, c'est le rattachement, donc le détachement préalable, de la barbiche perpendiculaire au menton. Qu'un sommet de tête (partie la plus « obtuse » de la personne humaine), qu'un seul chignon (dans l'image VIII) puisse être l'*expression* de la douleur, voilà qui est dérisoire — pour l'*expression*, non pour la douleur. Il n'y a donc pas parodie : aucune trace de burlesque : la douleur n'est pas singée (le sens obvie doit rester révolutionnaire, le deuil général qui accompagne la mort de Vakoulintchouk a un sens historique), et cependant, « incarnée » dans ce chignon, elle porte une coupure, un refus de contamination ; le populisme du fichu de laine (sens obvie) *s'arrête* au chignon : ici commence le fétiche, la chevelure, et comme une *dérision non-négatrice* de l'expression. Tout le sens obtus (sa force de dérangement) se joue dans la masse excessive des cheveux ; voyez un autre chignon (celui de la femme IX) : il contredit le petit poing levé, il l'atrophie, sans que cette réduction ait la moindre valeur symbolique (intellectuelle) ; prolongé en frisettes, tirant le visage vers un modèle ovin, il donne à la femme quelque chose de *touchant* (comme peut l'être une certaine niaiserie généreuse), ou encore de *sensible* ; ces mots désuets, peu politiques, peu révolutionnaires, mystifiés s'il en fut, doivent cependant être assumés ; je crois que le sens obtus porte une certaine *émotion* ; prise dans le déguisement, cette émotion n'est jamais poisseuse ; c'est une émotion qui *désigne* simplement ce qu'on aime, ce qu'on veut défendre ; c'est une émotion-valeur, une évaluation. Tout le monde, je crois, peut convenir que l'ethnographie prolétarienne de S.M.E., fragmentée tout le long des funérailles de Vakoulintchouk, a constamment quelque chose d'amoureux (ce mot étant pris ici sans spécification d'âge ou de sexe) : maternel, cordial et viril, « sympathique » sans aucun recours aux stéréotypes, le peuple eisensteinien est essentiellement *aimable* : on savoure, on aime les deux ronds de casquette de l'image X, on entre en

XI

XII

XIII

XIV XV

complicité, en intelligence avec eux. La beauté peut sans doute jouer comme un sens obtus : c'est le cas dans l'image XI, où le sens obvie, très dense (mimique d'Ivan, niaiserie demeurée du jeune Vladimir) est amarré et/ou dérivé par la beauté de Basmanov ; mais l'érotisme inclus dans le sens obtus (ou plutôt : que ce sens prend en écharpe) ne fait pas acception d'esthétique : Euphrosinia est laide, « obtuse » (images XII et XIII), comme le moine de l'image XIV, mais cette obtusité dépasse l'anecdote, elle devient l'émoussement du sens, sa dérive : il y a dans le sens obtus un érotisme qui inclut le contraire du beau et le dehors même de la contrariété, c'est-à-dire la limite, l'inversion, le malaise et peut-être le sadisme : voyez l'innocence molle des *Enfants dans la Fournaise* (XV), le ridicule scolaire de leur cache-nez sagement haussé jusqu'au menton, ce lait tourné de la peau (des yeux, de la bouche dans la peau) que Fellini semble avoir repris dans l'androgyne du *Satyricon* : cela même dont a pu parler Georges Bataille, singulièrement dans ce texte de *Documents* qui situe pour moi l'une des régions possibles du sens obtus : *Le gros orteil de la reine* (je ne me rappelle pas le titre exact) [1].

Reprenons (si ces exemples suffisent à induire quelques remarques plus théoriques). Le sens obtus n'est pas dans la langue (même celle des symboles) : ôtez-le, la communication et la

1. Cf. depuis « Les sorties du texte », in *Bataille*, « 10/18 », Paris, 1973 (*NdE*).

signification restent, circulent, passent ; sans lui, je peux encore dire et lire ; mais il n'est pas non plus dans la parole ; il se peut qu'il y ait une certaine constante du sens obtus eisensteinien, mais alors c'est déjà une parole thématique, un idiolecte, et cet idiolecte est provisoire (simplement arrêté par un critique qui ferait un livre sur S.M.E.) ; car des sens obtus il y en a, non point partout (le signifiant est chose rare, figure d'avenir), mais *quelque part* : chez d'autres *auteurs* de films (peut-être), dans une certaine façon de lire la « vie » et donc le « réel » lui-même (ce mot s'entend ici par simple opposition au fictif délibéré) : dans cette image du *Fascisme ordinaire* (XVI), image documentaire, je lis facilement un sens obvie, celui du fascisme (esthétique et symbolique de la force, de la chasse théâtrale), mais je lis aussi un supplément obtus : la niaiserie blonde, déguisée (encore) du jeune porte-flèches, la mollesse de ses mains et de sa bouche (je ne décris pas, je n'y parviens pas, je désigne seulement un lieu), les gros ongles de Goering, sa bague de pacotille (celle-là déjà à la limite du sens obvie, comme la platitude mielleuse du sourire imbécile de l'homme à lunettes, dans le fond : visiblement, un « lécheur »). Autrement dit le sens obtus n'est pas situé structuralement, un sémantologue ne conviendra pas de son existence objective (mais qu'est-ce qu'une lecture objective ?), et s'il m'est évident (à moi), c'est peut-être *encore* (pour le moment) par la même « aberration » qui *obligeait* le seul et malheureux Saussure à entendre une voix énigmatique, inoriginée et obsédante,

XVI

celle de l'anagramme, dans le vers archaïque. Même incertitude lorsqu'il s'agit de *décrire* le sens obtus (de donner quelque idée de là où il va, là où il s'en va) ; le sens obtus est un signifiant sans signifié ; d'où la difficulté à le nommer : ma lecture reste suspendue entre l'image et sa description, entre la définition et l'approximation. Si l'on ne peut décrire le sens obtus, c'est que, contrairement au sens obvie, il ne copie rien : comment décrire ce qui ne représente rien ? Le « rendre » pictural des mots est ici impossible. La conséquence est que si, devant ces images, nous restons vous et moi au niveau du langage articulé — c'est-à-dire de mon propre texte —, le sens obtus ne parviendra pas à exister, à entrer dans le métalangage du critique. Cela veut dire que le sens obtus est en dehors du langage (articulé), mais cependant à l'intérieur de l'interlocution. Car si vous regardez ces images que je dis, vous verrez ce sens : nous pouvons nous entendre à son sujet, « pardessus l'épaule » ou « sur le dos » du langage articulé : grâce à l'image (il est vrai figée : on y reviendra), bien plus : grâce à ce qui, dans l'image, est purement image (et qui à vrai dire est très peu de chose), nous nous passons de la parole, sans cesser de nous entendre.

En somme, ce que le sens obtus trouble, stérilise, c'est le métalangage (la critique). On peut en donner quelques raisons. Tout d'abord, le sens obtus est discontinu, *indifférent* à l'histoire et au sens obvie (comme signification de l'histoire) ; cette dissociation a un effet de contre-nature ou tout au moins de distancement à l'égard du référent (du « réel » comme nature, instance réaliste). Eisenstein eût probablement assumé cette in-congruence, cette im-pertinence du signifiant, lui qui nous dit, à propos du son et de la couleur (n° 208) : « L'art commence à partir du moment où le craquement de la botte (au son) tombe sur un plan visuel différent et suscite ainsi des associations correspondantes. Il en va de même pour la couleur : la couleur commence là où elle ne correspond plus à la coloration naturelle... » Ensuite, le signifiant (le troisième sens) ne se remplit pas ; il est dans un état permanent de *déplétion* (mot de la linguistique, qui désigne les verbes vides, à tout faire, comme précisément, en français, le verbe *faire*) ; on pourrait dire aussi, à l'opposé — et ce serait tout aussi juste —, que ce même signifiant ne se vide pas (n'arrive pas à se vider) ; il se maintient en état d'éréthisme perpétuel ; en lui le désir n'aboutit pas à ce spasme du signifié, qui, d'ordinaire, fait retomber voluptueusement le sujet dans la paix des nominations. Enfin le sens obtus peut être vu comme un *accent*, la forme même d'une émergence, d'un pli (voire d'un faux pli), dont est marquée la lourde nappe des informations et des significations. S'il pouvait être décrit (contradiction dans les termes), il aurait l'être même du *haïku* japonais : geste anaphorique sans contenu significatif, sorte de balafre dont est rayé le sens (l'envie de sens) ; ainsi de l'image V :

> Bouche tirée, yeux fermés qui louchent,
> Coiffe bas sur le front,
> Elle pleure.

Cet accent (dont on a dit la nature à la fois emphatique et elliptique) ne va pas dans le sens du sens (comme le fait l'hystérie), il ne théâtralise pas (le décoratisme eisensteinien appartient à un autre niveau), il ne marque même pas un *ailleurs* du sens (un autre contenu, ajouté au sens obvie), mais le déjoue — subvertit non le contenu mais la pratique tout entière du sens. Nouvelle pratique, rare, affirmée contre une pratique majoritaire (celle de la signification), le sens obtus apparaît fatalement comme un luxe, une dépense sans échange ; ce luxe n'appartient pas *encore* à la politique d'aujourd'hui, mais cependant *déjà* à la politique de demain.

Reste à dire un mot de la responsabilité syntagmatique de ce troisième sens : quelle place a-t-il dans la suite de l'anecdote, dans le système logico-temporel, sans lequel, semble-t-il, il n'est pas possible de faire entendre un récit à la « masse » des lecteurs et des spectateurs ? Il est évident que le sens obtus est le contre-récit même ; disséminé, réversible, accroché à sa propre durée, il ne peut fonder (si on le suit) qu'un tout autre découpage que celui des plans, séquences et syntagmes (techniques ou narratifs) : un découpage inouï, contre-logique et cependant « vrai ». Imaginez de « suivre », non la machination d'Euphrosinia, ni même le personnage (comme entité diégétique ou comme figure symbolique), ni même encore le visage de la Mère Méchante, mais seulement, dans ce visage, cette tournure, ce voile noir, la matité laide et lourde : vous aurez une autre temporalité, ni diégétique ni onirique, vous aurez un autre film. Thème sans variations ni développement (le sens obvie, lui, est thématique : il y a un thème des Funérailles), le sens obtus ne peut se mouvoir qu'en apparaissant et disparaissant ; ce jeu de la présence/absence mine le personnage en en faisant un simple lieu de facettes : disjonction énoncée sur un autre point par S.M.E. lui-même : « Ce qui est caractéristique, c'est que les différentes positions d'un seul et même tsar... sont données sans passage d'une position à une autre. »

Car tout est là : l'*indifférence*, ou liberté de position du signifiant supplémentaire par rapport au récit, permet de situer assez exactement la tâche historique, politique, théorique, accomplie par Eisenstein. Chez lui, l'histoire (la représentation anecdotique, diégétique) n'est pas détruite, bien au contraire : quelle plus belle histoire que celle d'*Ivan*, que celle de *Potemkine* ? Cette stature du récit est nécessaire *pour se faire entendre* d'une société qui, ne pouvant résoudre les contradictions de l'histoire sans un long cheminement politique, s'aide (provisoirement ?) des solutions mythiques (narratives) ; le problème *actuel* n'est pas de détruire le récit, mais de le subvertir : dissocier la subversion de la destruction, telle serait aujourd'hui la tâche. S.M.E. opère, me semble-t-il, cette distinction : la présence d'un troisième sens supplémentaire, obtus — ne fût-ce que dans quelques images, mais alors comme une signature impérissable, comme un sceau qui avalise toute l'œuvre — et tout l'œuvre —, cette présence remodèle profondément le statut théorique de l'anecdote : l'histoire (la diégèse) n'est plus seulement un système fort (système narratif millénaire), mais aussi et contradictoirement un simple espace, un champ de permanences et de permutations ; elle est cette configuration, cette scène dont les fausses limites multiplient le jeu permutatif du signifiant ; elle est ce vaste tracé qui, par différence, oblige à une lecture *verticale* (le mot est de S.M.E.) ; elle est cet ordre *faux* qui permet de tourner la pure série, la combinaison aléatoire (le hasard n'est qu'un vil signifiant, un signifiant à bon marché) et d'atteindre une structuration *qui fuit de l'intérieur*. Aussi peut-on dire qu'avec S.M.E., il faut inverser le cliché qui veut que, plus le sens est gratuit, plus il apparaît comme un simple parasite de l'histoire racontée : c'est au contraire cette histoire qui devient en quelque sorte paramétrique au signifiant, dont elle n'est plus que le champ de déplacement, la négativité constitutive, ou encore : la compagne de route.

En somme, le troisième sens structure *autrement* le film, sans subvertir l'histoire (du moins chez S.M.E.) ; et par là même, peut-être, c'est à son niveau et à son niveau seul qu'apparaît enfin le « filmique ». Le filmique, c'est, dans le film, ce qui ne peut être décrit, c'est la représentation qui ne peut être représentée. Le filmique commence seulement là où cessent le langage et le métalangage articulé. Toutes les choses que l'on peut *dire* à propos d'*Ivan* ou de *Potemkine* peuvent l'être d'un texte écrit (qui s'appellerait *Ivan le Terrible* ou *le Cuirassé Potemkine*), sauf celle-ci, qui est le sens obtus ; je puis tout commenter dans Euphrosinia, sauf la qualité obtuse de sa face : le filmique est donc exactement là, dans ce lieu où le langage articulé n'est plus qu'approximatif et où commence un autre langage (dont la « science » ne pourra donc être la linguistique, bientôt larguée comme une fusée porteuse). Le troisième sens, que l'on peut situer théoriquement mais non décrire, apparaît alors comme le *passage* du langage à la signifiance, et l'acte fondateur du filmique même. Contraint d'émerger hors d'une civilisation du signifié, il n'est pas étonnant que le filmique (malgré la quantité incalculable de films au monde) soit encore rare (quelques éclats dans S.M.E. ; peut-être ailleurs ?), au point que l'on pourrait avancer que le film, pas plus que le texte, n'existe pas encore : il y a seulement « du cinéma », c'est-à-dire du langage, du récit, du poème, parfoit fort « modernes », « traduits » en « images » dites « animées » ; il n'est pas étonnant non plus qu'on ne puisse le repérer qu'après avoir traversé — analytiquement — l'« essentiel », la « profondeur » et la « complexité » de l'œuvre cinématographique : toutes richesses qui ne sont que celles du langage articulé, dont nous la constituons et croyons l'épuiser. Car le filmique est différent du film : le filmique est aussi loin du film que le romanesque du roman (je puis écrire du romanesque, sans jamais écrire de romans).

Le photogramme

C'est pourquoi, dans une certaine mesure (qui est celle de nos balbutiements théoriques), le filmique, très paradoxalement, ne peut être saisi dans le film « en situation », « en mouvement », « au naturel », mais seulement, encore, dans cet artefact majeur qu'est le photogramme. Depuis longtemps je suis intrigué par ce phénomène : s'intéresser et même s'accrocher à des photographies de film (aux portes d'un cinéma, dans les *Cahiers*), et tout perdre de ces photographies (non seulement la capture mais le souvenir de l'image elle-même) en passant dans la salle : mutation qui peut atteindre à un renversement complet des valeurs. J'ai d'abord mis ce goût du photogramme au compte de mon inculture cinématographique, de ma résistance au film ; je pensais alors être comme ces enfants qui préfèrent l'« illustration » au texte, ou comme ces clients qui ne peuvent accéder à la possession adulte des objets (trop chers) et se contentent de regarder avec plaisir un choix d'échantillons ou un catalogue de grand magasin. Cette explication ne fait que reproduire l'opinion courante qu'on a du photogramme : un sous-produit lointain du film, un échantillon, un moyen d'achalandage, un extrait pornographique et, techniquement, une réduction de l'œuvre par immobilisation de ce que l'on donne pour l'essence sacrée du cinéma : le mouvement des images.

Cependant, si le propre filmique (le filmique d'avenir) n'est pas dans le mouvement, mais dans un troisième sens, inarticulable, que ni la simple photographie ni la peinture figurative ne peuvent assumer parce qu'il leur manque l'horizon diégétique, la possibilité de configuration dont on a parlé [1], alors le « mouvement » dont on

1. Il est d'autres « arts » qui combinent le photogramme (ou du moins le dessin) et l'histoire, la diégèse : ce sont le photo-roman et la bande dessinée. Je suis persuadé que ces « arts », nés dans les bas-fonds de la grande culture, possèdent une qualification théorique et mettent en scène un nouveau signifiant (apparenté au sens obtus) ; c'est désormais reconnu pour la bande dessinée ; mais j'éprouve pour ma part ce léger trauma de la signifiance devant certains photos-romans : « *leur bêtise me touche* » (telle pourrait être une certaine définition du sens obtus) ;

fait l'essence du film n'est nullement animation, flux, mobilité, « vie », copie, mais seulement l'armature d'un déploiement permutatif, et une théorie du photogramme est nécessaire, dont il faut, pour finir, indiquer les échappées possibles.

Le photogramme nous donne le *dedans* du fragment ; il faudrait reprendre ici, en les déplaçant, les formulations de S.M.E. lui-même, lorsqu'il énonce les possibilités nouvelles du montage audiovisuel (n° 218) : « ... le centre de gravité fondamental... se transfère *en dedans* du fragment, *dans les éléments inclus dans l'image elle-même.* Et le centre de gravité n'est plus l'élément " entre les plans " — le choc, mais l'élément " dans le plan " — *l'accentuation à l'intérieur du fragment* »... Sans doute, il n'y a aucun montage audiovisuel dans le photogramme ; mais la formule de S.M.E. est générale, dans la mesure où elle fonde un droit à la disjonction syntagmatique des images, et demande une lecture *verticale* (encore un mot de S.M.E.) de l'articulation. De plus, le photogramme n'est pas un échantillon (notion qui supposerait une sorte de nature statistique, homogène, des éléments du film), mais une citation (on sait combien ce concept prend actuellement d'importance dans la théorie du texte) : il est donc à la fois parodique et disséminateur ; il n'est pas une pincée prélevée chimiquement dans la substance du film, mais plutôt la trace d'une *distribution* supérieure des traits dont le film vécu, coulé, animé, ne serait en somme qu'un texte, parmi d'autres. Le photogramme est alors fragment d'un second texte *dont l'être n'excède jamais le fragment* ; film et photogramme se retrouvent dans un rapport de palimpseste, sans qu'on puisse dire que l'un est le *dessus* de l'autre ou que l'un est *extrait* de l'autre. Enfin le photogramme lève la contrainte du temps filmique ; cette contrainte est forte, elle fait encore obstacle à ce que l'on pourrait appeler la naissance

---

il y aurait donc une vérité d'avenir (ou d'un très ancien passé) dans ces formes dérisoires, vulgaires, sottes, dialogiques, de la sous-culture de consommation. Et il y aurait un « art » (un « texte ») autonome, celui du *pictogramme* (images « anecdotisées », sens obtus placés dans un espace diégétique) ; cet art prendrait en écharpe des productions historiquement et culturellement hétéroclites : pictogrammes ethnographiques, vitraux, la *Légende de sainte Ursule* de Carpaccio, images d'Épinal, photos-romans, bandes dessinées. La novation représentée par le photogramme (par rapport à ces autres pictogrammes), ce serait que le filmique (qu'il constitue) serait *en double* avec un autre texte, le film.

adulte du film (né techniquement, parfois même esthétiquement, le film doit encore naître théoriquement). Pour les textes écrits, sauf s'ils sont très conventionnels, engagés à fond dans l'ordre logico-temporel, le temps de lecture est libre ; pour le film, il ne l'est pas, puisque l'image ne peut aller ni plus vite ni plus lentement, sauf à perdre jusqu'à sa figure perceptive. Le photogramme, en instituant une lecture à la fois instantanée et verticale, se moque du temps logique (qui n'est qu'un temps opératoire) ; il apprend à dissocier la contrainte technique (le « tournage »), du propre filmique, qui est le sens « indescriptible ». Peut-être est-ce *cet autre texte* (ici photogrammatique) dont S.M.E. réclamait la lecture, lorsqu'il disait que le film ne doit pas être simplement regardé et écouté, mais qu'il faut le *scruter* et y prêter attentivement l'oreille (n° 218). Cette écoute et ce regard ne postulent évidemment pas une simple application de l'esprit (demande alors banale, vœu pieux), mais plutôt une véritable mutation de la lecture et de son objet, texte ou film : grand problème de notre temps.

1970, *Cahiers du cinéma*.

Le théâtre grec

Vers la fin du VIIe siècle av. J.-C., le culte de Dionysos avait produit, principalement dans la région de Corinthe et de Sicyone, en pays dorien, un genre très florissant, mi-religieux, mi-littéraire, constitué par des chœurs et des danses, le dithyrambe. Ce dithyrambe aurait été introduit en Attique, vers 550 av. J.-C., par un poète lyrique, Thespis, qui organisait des représentations dithyrambiques de village en village, en transportant son matériel sur un chariot et en recrutant ses chœurs sur place. Les uns disent que ce fut Thespis qui créa la tragédie en inventant le premier acteur ; les autres que ce fut son successeur, Phrynicos. Le drame nouveau reçut très vite la consécration de la cité ; il fut pris en charge par une institution proprement civique, la compétition : le premier concours athénien de tragédie aurait eu lieu en 538, sous Pisistrate, qui souhaitait assortir sa tyrannie de fêtes et de cultes. La suite est connue : le théâtre s'installe sur un terrain consacré à Dionysos, qui reste toujours le patron du genre ; de grands poètes (il vaudrait mieux dire de grands entrepreneurs de théâtre), presque contemporains les uns des autres, donnent à la représentation dramatique sa structure adulte, son sens historique profond ; cet épanouissement coïncide avec le triomphe de la démocratie, l'hégémonie d'Athènes, la naissance de l'Histoire et la statuaire de Phidias : c'est le Ve siècle, le siècle de Périclès, le siècle classique. Puis, du IVe siècle jusqu'à la fin de l'époque alexandrine, sauf quelques résurgences de génie dont nous savons peu de chose (Ménandre et la comédie nouvelle), c'est le déclin : médiocrité des œuvres, pour cette raison disparues, abandon progressif de la structure chorale, qui a été la structure spécifique du théâtre grec.

Telle quelle, cette histoire reste quelque peu mythique. Des traits sont obscurs, du moins hypothétiques : nous ne savons rien de certain sur la façon dont il faut rattacher le théâtre grec au culte de Dionysos ; et nous avons perdu, il ne faut pas l'oublier, presque tout le répertoire : des genres entiers, le dithyrambe, la comédie sicilienne, celle d'Épicharme, le drame satyrique, dont il ne nous reste presque rien ; des œuvres par centaines : sur plusieurs générations d'auteurs dramatiques, nous ne connaissons bien que trois poètes tragiques et un poète comique : Eschyle, Sophocle, Euripide, Aristophane ; et non seulement l'œuvre de chacun de ces auteurs est anthologique (par exemple, sept tragédies sur les soixante-dix qu'Eschyle a écrites), mais encore elle est mutilée : toutes les trilogies tragiques sont incomplètes, sauf *l'Orestie* d'Eschyle ; faute de posséder le *Prométhée délivré*, nous ignorons l'issue qu'Eschyle donnait au conflit de l'homme et des dieux. D'autres traits, mieux connus, sont cependant déformés par l'image de la synchronie classique : dans sa période prestigieuse, au ve siècle, le théâtre grec ne dispose que de techniques rudimentaires : sa matérialité s'affine et s'enrichit (ou plutôt se complique), précisément lorsque les œuvres deviennent médiocres ; de plus, ce théâtre a continué d'avoir un important succès public pendant toute sa période de déclin, en sorte que si on lui appliquait des critères sociologiques, et non plus esthétiques, toute la perspective historique serait renversée.

Le mythe du ve siècle produit donc une image qui demanderait beaucoup de retouches. Cette image a du moins une vérité, elle rend compte de ceci : ce théâtre est formé d'un ensemble organisé d'œuvres, d'institutions, de protocoles et de techniques, il possède une structure. Et cette structure est ici d'autant plus importante que la spécialité de ce théâtre a été précisément la synthèse, la cohérence de codes dramatiques différents. En immobilisant le théâtre grec au ve siècle, on perd sans doute une dimension historique ; mais on gagne une vérité structurelle, c'est-à-dire une signification.

Les œuvres

A l'époque classique, le spectacle grec comporte quatre genres principaux : le dithyrambe, le drame satyrique, la tragédie, la comédie. On peut y ajouter : le cortège qui préludait à la fête, le *cômos*, survivance probable des processions (ou plus exactement des monômes dionysiaques) ; et, bien qu'il s'agisse plutôt de concerts que de représentations, les auditions thyméliques, sortes d'oratorios dont les exécutants siégeaient dans l'*orchestra*, autour de la *thymélé*, ou lieu consacré à Dionysos.

Le dithyrambe est issu de certains épisodes du culte de Dionysos, au VIIe siècle av. J.-C., probablement près de Corinthe, ville commerçante et cosmopolite. Il a eu très vite deux formes : une forme littéraire, et une forme populaire dans laquelle le texte restait (largement) improvisé. Transporté à Athènes par Thespis, le dithyrambe s'y est régularisé ; l'épanouissement du genre dramatique (tragédie et comédie) ne l'a nullement concurrencé ; les représentations dithyrambiques occupaient les deux premiers jours des Grandes Dionysies, avant les jours consacrés aux concours de tragédie et de comédie. C'était une sorte de drame lyrique, dont les sujets, mythologiques ou quelquefois historiques, rappelaient beaucoup ceux de la tragédie. La différence (capitale) était que le dithyrambe se jouait sans acteurs (même s'il y avait des soli), et surtout sans masques et sans costumes. Le chœur était nombreux : cinquante exécutants, des enfants (de moins de dix-huit ans) ou des hommes. C'était un chœur cyclique, c'est-à-dire que les danses du chœur se faisaient dans l'*orchestra* autour de la *thymélé*, et non pas de front, face au public, comme dans la tragédie. La musique usait surtout de modes orientaux, elle était de signification tumultueuse (par opposition au péan apollinien) ; cette musique prit de plus en plus le pas sur le texte, ce qui rapproche encore le dithyrambe de notre opéra. Il ne nous reste aucun de ces dithyrambes, sauf quelques fragments mutilés de Pindare.

Ignorance presque égale du drame satyrique, d'autant plus

gênante qu'il suivait obligatoirement toute trilogie tragique. De ce genre, nous n'avons que *les Limiers* de Sophocle, *le Cyclope* d'Euripide et quelques fragments d'Eschyle, qui viennent d'être retrouvés. Venu lui aussi du pays dorien, le drame satyrique aurait été introduit à Athènes par Pratinas, à peu près au moment où Eschyle commençait sa carrière ; il fut très vite incorporé au complexe tragique (trois tragédies données de suite), converti dès lors en tétralogie. Le drame satyrique est très proche de la tragédie ; il en a la structure, et son sujet est mythologique. Ce qui le différencie, et par conséquent le constitue, c'est que le chœur est obligatoirement composé de Satyres, conduits par leur chef Silène, père nourricier de Dionysos (on disait aussi, à Athènes, drame silénique). Ce chœur a une grande importance dramatique, c'est lui l'acteur principal ; il donne le ton au genre, en fait une « tragédie amusante » ; car ces Satyres sont des « vauriens », des « propres à rien », ce sont des compères qui manient la plaisanterie, jettent des lazzi (le drame satyrique finit bien) ; leurs danses ont un caractère grotesque ; ils sont costumés et masqués.

Toute œuvre, dans ce théâtre, a une structure fixe, l'alternance de ses parties est réglée, les variations d'ordre sont infimes. Une tragédie grecque comprend : un prologue, scène préparatoire d'exposition (monologue ou dialogue) ; la *parodos*, ou chant d'entrée du chœur ; des *épisodes*, assez analogues aux actes de nos pièces (quoique de longueur très variée), séparés par des chants dansés du chœur, appelés *stasima* (une moitié du chœur chantait les strophes, l'autre moitié les antistrophes) ; le dernier épisode, formé souvent par la sortie du chœur, s'appelait *exodos*. La comédie reproduit une alternance analogue de chants choraux et de récitation. Sa structure est toutefois un peu différente ; par rapport à la tragédie, elle comporte deux éléments originaux : d'abord, l'*agôn*, le combat ; cette scène, qui correspond au premier épisode de la tragédie, est obligatoirement une scène de dispute, au terme de laquelle l'acteur qui représente les idées du poète triomphe de son adversaire (car la comédie athénienne est toujours une pièce à thèse) ; et puis, surtout, la *parabase* ; ce morceau fait suite à l'*agôn* : les acteurs (provisoirement) partis, le chœur ôte ses manteaux, se retourne et s'avance vers les spectateurs ; une parabase (idéale) comprenait sept morceaux : un chant très court, le *commation* ; les *anapestes*, discours du coryphée (ou chef du chœur) au public ; le *pnîgos* (étouffement), longue période débitée sans souffler ; enfin quatre morceaux symétriques, de structure strophique. Ni dans la tragédie ni dans la comédie (encore moins dans la comédie), l'unité de lieu et l'unité de temps n'étaient nécessaires (quoiqu'on y tendît) : dans *les Femmes étnéennes*, d'Eschyle, l'action se déplaçait quatre fois.

Quelles qu'en soient les variations (historiques ou d'auteur), cette structure a une constante, c'est-à-dire un sens : l'alternance réglée du parlé et du chanté, du récit et du commentaire. Peut-être, en effet, vaut-il encore mieux dire « récit » qu'« action » ; dans la tragédie (du moins), les épisodes (nos actes) sont loin de représenter des actions, c'est-à-dire des modifications immédiates de situations ; l'action est le plus souvent réfractée à travers des modes intermédiaires d'exposition, qui la distancent en la racontant ; récits (de bataille ou de meurtre), confiés à un emploi typique, celui du Messager, ou scènes de contestation verbale, qui renvoyaient en quelque sorte l'action à sa surface conflictuelle (les Grecs aimaient beaucoup ces scènes, et il est à peu près certain qu'on en faisait des lectures publiques, en dehors de la représentation elle-même). On voit ici poindre le principe de dialectique formelle qui fonde ce théâtre : la parole exprime l'action, mais aussi elle lui fait écran : le « ce qui se passe » tend toujours au « ce qui s'est passé ».

Cette action récitée, le commentaire choral périodiquement la suspend et oblige le public à se reprendre sur un mode à la fois lyrique et intellectuel. Car si le chœur commente ce qui vient de se passer sous ses yeux, ce commentaire est essentiellement une interrogation : au « ce qui s'est passé » des récitants, répond le « qu'est-ce qui va se passer ? » du chœur, en sorte que la tragédie grecque (puisqu'il s'agit surtout d'elle) est toujours triple spectacle : d'un présent (on assiste à la transformation d'un passé en avenir), d'une liberté (que faire ?) et d'un sens (la réponse des dieux et des hommes).

Telle est la structure du théâtre grec : l'alternance organique de la chose interrogée (l'action, la scène, la parole dramatique) et de l'homme interrogeant (le chœur, le commentaire, la parole lyrique). Et cette structure « suspendue », elle est la distance même qui sépare le monde des questions qu'on lui pose. Déjà la mythologie elle-même avait été imposition d'un vaste système sémantique à la nature. Le théâtre s'empare de la réponse mythologique et s'en sert comme d'une réserve de questions nouvelles : car interroger la mythologie, c'était interroger ce qui avait été en son temps pleine réponse. Interrogation lui-même, le théâtre grec prend ainsi place entre deux autres interrogations : l'une, religieuse, la mythologie ; l'autre, laïque, la philosophie (au IVe siècle av. J.-C.). Et il est vrai que ce théâtre constitue une voie de sécularisation progressive de l'art : Sophocle est moins « religieux » qu'Eschyle, Euripide que Sophocle. L'interrogation passant à des formes de plus en plus intellectuelles, la tragédie a évolué en même temps vers ce que nous appelons aujourd'hui le drame, voire la comédie bourgeoise, fondée sur des conflits de caractères, non sur des conflits de destins. Et ce qui a marqué ce changement de fonction, c'est précisément l'atrophie progressive de l'élément interrogateur, c'est-à-dire du chœur. Même évolution dans la comédie ; abandonnant la mise en question de la société (même si cette contestation était régressive), la comédie politique (celle d'Aristophane) est devenue comédie d'intrigue, de caractère (avec Philémon et Ménandre) : tragédie et comédie ont eu alors pour objet la « vérité » humaine ; c'est dire que pour le théâtre, le temps des questions était passé.

Les institutions

Théâtre religieux ou théâtre civil ? Les deux ensemble, bien sûr : il ne pouvait en être autrement dans une société où l'idée de laïcité était inconnue. Mais les deux éléments n'ont pas la même valeur : la religion (il vaudrait mieux dire le culte) domine l'origine du théâtre grec, elle est encore présente dans les institutions qui le règlent à son époque adulte ; c'est pourtant la cité qui lui donne son sens : ses caractères acquis font son être, plus que ses caractères innés. Et si l'on veut bien laisser pour le moment de côté la question du chœur (qui est d'ailleurs un élément religieux transposé), le culte dionysiaque est présent dans les coordonnées du spectacle (temps et espace), non dans sa substance.

On le sait, les représentations théâtrales ne pouvaient avoir lieu que trois fois par an, à l'occasion des fêtes données en l'honneur de Dionysos. Il y avait par ordre d'importance : les Grandes Dionysies, les Lénéennes, les Dionysies champêtres. Les Grandes Dionysies (ou Dionysies de la Ville) étaient une grande fête athénienne (mais l'hégémonie d'Athènes lui donna rapidement un caractère panhellénique), qui avait lieu à l'entrée du printemps, à la fin du mois de mars ; cette fête durait six jours et comportait normalement trois concours (dithyrambe, tragédie, comédie) ; c'est aux Grandes Dionysies qu'eurent lieu la plupart des « premières » d'Eschyle, Sophocle et Euripide. Les Lénéennes, ou Lénées, ou plus exactement, Dionysies au Lénaion, prenaient place en janvier ; c'était une fête exclusivement athénienne, plus simple que les Grandes Dionysies ; elle ne durait que trois ou quatre jours et ne comportait pas de concours dithyrambique. Les Dionysies champêtres se tenaient à la fin du mois de décembre, dans les dèmes (bourgs) de l'Attique ; les dèmes pauvres honoraient le dieu par un simple cortège ; les dèmes plus riches organisaient des concours de tragédie et de comédie ; mais on n'y donnait que des reprises, sauf dans les dèmes très riches comme Le Pirée, où eut lieu, au dire de Socrate, une première d'Euripide.

Pour toutes ces fêtes, le théâtre (c'est-à-dire proprement : le lieu d'où l'on voit) est édifié sur un terrain dédié à Dionysos. La consécration du lieu théâtral entraînait une consécration de tout ce qui s'y passait : les spectateurs portaient la couronne religieuse, les exécutants étaient sacrés, et à l'inverse, le délit y devenait sacrilège. Dans ce lieu consacré, deux endroits témoignaient d'une façon plus précise du culte rendu au dieu : dans l'*orchestra*, probablement dominée par la statue de Dionysos qu'on y avait installée en grande pompe au début de la fête, la *thymélé* ; qu'était la thymélé ? peut-être un autel, peut-être une fosse destinée à recevoir le sang des victimes ; en tout cas un lieu sacrificiel ; et dans la *cavea*, c'est-à-dire l'ensemble des gradins, certaines places, réservées au clergé des différents cultes athéniens (clergé toujours occasionnel, on le sait, puisque la prêtrise était élue, tirée au sort ou achetée, mais jamais vocationnelle) ; le droit à ces places d'honneur s'appelait la *proédrie* : il s'étendait aux hauts dignitaires et à certains invités.

On le voit, il s'agit là d'institutions marginales : la représentation une fois lancée, aucun élément cultuel n'intervenait plus dans son déroulement (sauf peut-être certaines évocations de morts, certaines invocations divines). Pourtant, on attribue communément une origine religieuse à la substance même du spectacle grec, manifestement sécularisée à l'époque classique. Qu'en est-il exactement ? Cette origine ne prête pas à discussion ; ce qui est hypothétique, c'est le mode de filiation. L'hypothèse la plus connue est celle d'Aristote : la tragédie serait née du drame satyrique, et le drame satyrique du dithyrambe ; la comédie aurait suivi une voie différente, elle serait venue des chants phalliques ; Aristote ne traite pas du rattachement du dithyrambe au culte de Dionysos, et c'est donc ce lien que les Modernes se sont efforcés pendant longtemps d'expliquer. Mais la filiation interne des trois premiers genres est-elle exacte ? On en vient aujourd'hui à en douter ; on pense que seuls le dithyrambe, le drame satyrique et la comédie doivent être rattachés à Dionysos (la tragédie constituant un cas à part), et que la filiation, pour chaque genre, est directe : en un mot, la tragédie ne serait plus, comme le disait Aristote, la révélation progressive d'une essence (celle de l'imitation sérieuse).

Le culte de Dionysos, mêlé d'éléments orientaux, comportait, on le sait, des danses de possession véritable, dont était saisi le thiase du dieu (sa confrérie), symbole de son cortège. La danse cyclique du dithyrambe aurait reproduit les rondes collectives de possédés en proie à la *mania* divine, et l'on sait par d'autres usages, orientaux ceux-là, encore en vigueur au siècle dernier dans l'Islam, que ces rondes ou tournoiements étaient à la fois expression et exorcisme de l'hystérie collective. Quant au drame satyrique, son hérédité cultuelle serait double : d'une part ses danses, composées de bonds désordonnés, reproduiraient la *mania* individuelle (et non plus collective), qu'on a pu assimiler à la grande attaque convulsive de Charcot ; et d'autre part, son travestissement (car les Satyres sont déguisés et masqués) viendrait de carnavals très anciens, constitués par des masques chevalins (le cheval étant alors animal de l'enfer). La comédie enfin, du moins dans sa partie initiale (*parodos, agôn* et *parabase*), aurait prolongé les *cômoi*, sortes de scénarios de masques ambulants, animés par des jeunes gens masqués, qui ouvraient les cérémonies cultuelles.

On le voit, et pour résumer fortement, le lien qui unit le culte dionysiaque à ces trois genres serait d'ordre pour ainsi dire physique : c'est la possession, ou, pour être encore plus précis, l'hystérie (dont on connaît le rapport de nature avec les comportements théâtraux), dont la danse est à la fois satisfaction et délivrance. C'est peut-être dans ce contexte qu'il faut entendre la notion de *catharsis* théâtrale ; on sait que cette notion, venue d'Aristote, a servi de thème à la plupart des débats sur la finalité de la tragédie, de Racine à Lessing. La tragédie a-t-elle la charge, en somme utilitaire, de « purger » toutes les passions de l'homme, en suscitant en lui crainte et pitié, ou bien seulement de le délivrer de cette crainte et de cette pitié ? On a beaucoup discuté de la nature de ces passions, objets et fins de l'imitation théâtrale. Pourtant, c'est la notion même de *catharsis* qui reste la plus ambiguë : s'agit-il de « déraciner » la passion (selon la belle expression de Corneille) ou, plus modestement, de l'épurer, de la sublimer, en lui ôtant seulement tout excès déraisonnable (Racine) ? Il serait vain d'ôter à ce débat tout ce que l'histoire lui a donné d'authenticité ; mais d'un point de vue historique, il est sans doute quelque peu inutile ; ni Corneille, ni Racine, ni Lessing ne pouvaient avoir une idée du contexte, à la fois mystique et médical, si l'on peut dire, qui donne probablement son vrai sens à la notion de *catharsis* dramatique ; en termes médicaux, la *catharsis*, c'est à peu près le dénouement de la crise hystérique ; en termes mystiques, elle est à la fois possession et délivrance du dieu, possession en vue d'une délivrance ; ces sortes d'expériences passent mal dans le vocabulaire scientiste d'aujourd'hui, surtout lorsqu'il faut les associer à une représentation théâtrale (encore que le psychodrame et le sociodrame leur redonnent une certaine actualité) ; on peut seulement risquer que le théâtre antique, dans la mesure où il était issu du culte de Dionysos, constituait une « expérience totale », mêlant et résumant des états intermédiaires, voire contradictoires, bref une conduite concertée de « dépossession », ou, si l'on préfère un terme plus fade, mais plus moderne, de « dépaysement ».

Et la tragédie ? Paradoxalement, ce genre, le plus prestigieux des genres patronnés par Dionysos, ne devrait rien, du moins directement, au culte du dieu : par les genres proprement dionysiaques, la cité serait devenue simplement réceptive à l'égard d'une nouvelle forme dramatique, élaborée par ses poètes ; la tragédie serait, dans son essence, une création proprement athénienne, à laquelle le dieu aurait seulement, par simple voisinage, concédé son théâtre et son patronage. S'il en est ainsi, on n'a plus à imaginer un rapport de caractère entre Dionysos et la tragédie (ce rapport a toujours été forcé). Dionysos est un dieu complexe, dialectique pourrait-on dire ; c'est à la fois un dieu infernal (du monde des morts) et un dieu du renouveau ; c'est, si l'on veut, le dieu même de cette contradiction. Certes, en se civilisant, c'est-à-dire en passant au rang d'institutions civiles, les genres dionysiaques (dithyrambe, drame satyrique et comédie) ont épuré, simplifié, apaisé le caractère inquiétant du dieu : c'était là question d'accent. Mais pour la tragédie, l'autonomie est flagrante : rien, dans la tragédie, ne peut procéder de l'irrationnel dionysiaque, qu'il soit démoniaque ou grotesque.

Tout cela entraîne à marquer fortement le caractère civil du théâtre grec, surtout en ce qui concerne la tragédie : c'est la cité qui lui a donné son essence. La cité, c'est-à-dire Athènes, à la fois ville et État, municipalité et nation, société restreinte et « mondiale ». Comment le spectacle s'insère-t-il dans cette société ? Par trois institutions : la chorégie, le théôricon et le concours.

Le théâtre grec a été un théâtre offert légalement aux pauvres par les riches. La chorégie était une liturgie, c'est-à-dire une obligation officiellement imposée aux citoyens riches par l'État : le chorège devait faire instruire et équiper un chœur. Le nombre des citoyens imposables d'une liturgie en raison de leur fortune (il y en avait d'autres que la chorégie) était, à l'époque classique, d'environ douze cents, sur les quarante mille citoyens que comptait l'Attique ; c'était parmi eux que l'archonte désignait les chorèges de l'année, autant évidemment que de chœurs admis à concourir ; les charges financières étaient très lourdes : le chorège devait louer la salle des répétitions, payer l'équipement, fournir la boisson aux exécutants, prendre en charge le salaire journalier des artistes ; on a évalué à vingt-cinq mines les frais d'une chorégie tragique, à quinze mines ceux d'une chorégie comique (la mine correspondait à peu près à cent journées de salaire d'un ouvrier non spécialisé). Lorsque l'État s'appauvrit (à la fin de la guerre du Péloponnèse), on admit d'associer deux citoyens dans une seule chorégie : ce fut la synchorégie. Puis la chorégie disparaît et fait place à l'agônothésie : c'est une sorte de commissariat général aux spectacles, dont le budget est alimenté en principe par l'État mais, en fait, partiellement du moins, par le commissaire lui-même (désigné pour un an). On peut évidemment établir un rapport entre l'appauvrissement progressif des fortunes et la disparition du chœur.

En principe, l'entrée au théâtre était gratuite pour tous les citoyens ; mais comme il en résultait une très grande presse, on établit d'abord un droit d'entrée de deux oboles par jour de spectacle (le tiers d'un salaire journalier d'ouvrier non qualifié). Ce droit, peu démocratique, puisqu'il lésait les pauvres, fut très vite aboli et remplacé par une subvention de l'État aux citoyens pauvres ; cette subvention, de deux oboles par tête (diobélie), fut décidée vers 410 par Cléophon et l'institution porta le nom de théôricon.

Chorégie et théôricon assurent l'existence matérielle du spectacle. Une troisième institution — et non la moindre — va assurer le contrôle de la démocratie sur sa valeur (et il ne faut pas oublier que le contrôle d'une valeur est toujours une censure idéologique) : le concours. On connaît l'importance de l'*agôn*, de la compétition, dans la vie publique des anciens Grecs ; à peine aujourd'hui pourrait-on lui comparer nos institutions sportives. Du point de vue de la société, quelle est la fonction de l'*agôn* ? Sans doute de médiatiser les conflits sans les censurer. La compétition permet de garder la question des anciens duels (qui est le meilleur ?), mais en lui donnant un sens nouveau : qui est le meilleur par rapport aux choses, qui est le meilleur pour maîtriser, non point l'homme, mais la nature ? Ici, la nature, c'est l'art, c'est-à-dire une représentation complète de valeurs religieuses et historiques, morales et esthétiques, et ce fait reste, sinon singulier, du moins rare : l'art a été rarement soumis à un tel régime de compétition désintéressée.

La mécanique des concours dramatiques était complexe, car les Grecs étaient très sourcilleux sur la sincérité de leurs compétitions.

L'archonte, on l'a vu, désignait les chorèges ; il fixait aussi la liste des poètes admis à concourir (le poète fut d'abord auteur et acteur, puis le poète choisit lui-même ses acteurs, et un concours de tragédiens finit même par être institué aux Grandes Dionysies) ; la réunion des chorèges (et de leur chœur) d'une part, et des poètes (et de leur troupe) d'autre part, se faisait par tirage au sort, démocratiquement, c'est-à-dire à l'Assemblée du peuple. Il y avait trois concurrents pour la tragédie (chacun présentait une tétralogie) et trois (puis cinq) pour la comédie. Chaque œuvre n'était évidemment représentée qu'une fois, du moins au Ve siècle ; car plus tard, il y eut des reprises : chaque concours fut précédé par la représentation d'un classique (surtout Euripide).

Le jugement, qui suivait la fête, était confié à un jury de citoyens, désigné par le sort (il ne faut pas oublier que pour les Grecs, le sort était un signe des dieux), à deux niveaux : au moment de la constitution du jury (dix citoyens), c'est-à-dire avant les représentations, et après le vote, dont un nouveau tirage au sort ne retenait définitivement que cinq suffrages. Il y avait des prix, pour le chorège, le poète, puis plus tard pour le protagoniste (trépied ou couronne). Le concours était clos par un procès-verbal officiel gravé sur marbre.

Il est difficile d'imaginer institutions plus fortes, liens plus étroits entre une société et son spectacle. Et comme cette société était démocratique précisément au moment où l'art du spectacle atteignit son sommet, on a fait volontiers du théâtre grec le modèle même du théâtre populaire. Il faut pourtant rappeler que, pour admirable qu'elle ait été, la démocratie athénienne ne correspondait ni aux conditions ni aux exigences d'une démocratie moderne. On l'a dit, c'était une démocratie aristocratique : elle laissait à la porte les métèques et les esclaves : il n'y avait que quarante mille citoyens sur les quatre cent mille habitants de l'Attique ; ces citoyens pouvaient librement et abondamment participer aux fêtes, aux spectacles, dans la mesure où d'autres hommes travaillaient pour eux. Mais ce groupe restreint, où tout le monde se connaissait, une fois constitué — et c'est ce qui oppose encore la démocratie athénienne à la nôtre —, il y régnait une responsabilité civique d'une force peu concevable aujourd'hui ; c'est peu de dire que le citoyen athénien participait aux affaires publiques : il gouvernait, entièrement immergé dans le pouvoir grâce aux nombreuses assemblées de gestion dont il faisait partie. Et surtout — nouvelle singularité — cette responsabilité était obligatoire, c'est-à-dire constante, unanime ; elle était le cadre même de la mentalité, rien ne pouvait se faire, se sentir ou se penser hors d'un horizon civique. Théâtre populaire ? Non. Mais théâtre civique, théâtre de la cité responsable.

Les protocoles

Ce tableau des institutions, il faut nécessairement le compléter par un tableau des usages, car un spectacle ne prend son sens que dans le moment où il s'articule sur la vie matérielle de ses usagers.

Le théâtre grec est un théâtre essentiellement festif. La fête qui le suscite est annuelle et elle dure plusieurs jours. Or la solennité et l'étendue d'une telle cérémonie emportent deux conséquences : d'abord une suspension du temps ; on sait que les Grecs ne connaissaient pas le repos hebdomadaire, notion d'origine juive ; ils ne chômaient qu'à l'occasion des fêtes religieuses, il est vrai fort nombreuses. Associé au dénouement du temps laborieux, le théâtre installait un autre temps, temps du mythe et de la conscience, qui pouvait être vécu non comme un loisir, mais comme une autre vie. Car ce temps suspendu, par sa durée même, devenait un temps saturé.

Il faut ici se rappeler à quel point ces jours de fête étaient remplis. Avant la fête elle-même, il y avait le *proagôn*, sorte de parade où l'on présentait à la foule les poètes désignés et leur troupe. La première journée était consacrée à une procession destinée à extraire de son temple la statue de Dionysos et à l'installer solennellement au théâtre ; cette procession était coupée d'une hécatombe de taureaux, dont les chairs, distribuées à la foule, étaient grillées sur place. Suivaient deux jours de représentations dithyrambiques ; un *cômos* ou cortège, le soir du deuxième jour ; puis trois jours de représentations dramatiques : une tétralogie chaque matin (trois tragédies et un drame satyrique, séparés par une demi-heure d'entracte) et une comédie chaque après-midi. Avant la représentation elle-même, d'autres solennités, c'est-à-dire d'autres spectacles : l'entrée des personnages honorés de la proédrie ; l'exposition dans l'*orchestra* du tribut d'or versé par les villes alliées ; le défilé des « pupilles de la nation », en armure complète ; la proclamation d'honneurs décernés à certains citoyens ; une lustration, faite du sang d'un jeune porc ; et le coup de trompette qui annonçait le début du spectacle proprement dit. Ces festivals de la Grèce antique étaient donc de véritables « sessions » (les Grandes Dionysies duraient six jours et chaque matinée tragique environ six heures, de l'aube à midi, et l'on recommençait l'après-midi), pendant lesquelles la cité vivait théâtralement, du masque que l'on revêtait pour assister à la procession inaugurale, jusqu'à la *mimesis* du spectacle lui-même.

Car ici, contrairement à notre théâtre bourgeois, pas de rupture physique entre le spectacle et ses spectateurs ; cette continuité était assurée par deux éléments fondamentaux, que notre théâtre a essayé récemment de retrouver : la circularité du lieu scénique et son ouverture.

L'*orchestra* du théâtre grec était parfaitement circulaire (de vingt mètres environ de diamètre). Les gradins, eux, adossés en général au flanc d'une colline, formaient un peu plus d'un hémicycle. Au fond, un bâti dont l'intérieur sert de coulisse et le mur frontal de support aux décors : la *skéné*. Où jouaient les exécutants ? Au début, toujours dans l'*orchestra*, chœur et acteurs mêlés (peut-être seulement les acteurs disposaient d'une estrade basse, de quelques marches, placée devant la *skéné*) ; puis, plus tard (vers la fin du IVe siècle), on plaça devant la *skéné* un *proskénion*, étroit mais haut, où l'action reflua, en même temps que le chœur perdait de son importance. Tout l'édifice fut d'abord en bois, le sol de l'*orchestra* en terre battue ; les premiers théâtres de pierre datent du milieu du IVe siècle. On le voit, ce que nous appelons aujourd'hui la scène (ensemble de la *skéné* ou du *proskénion*) n'a pas eu dans le théâtre grec de fonction véritablement organique : comme socle de l'action, c'est un appendice tardif. Or la scène, dans nos théâtres, c'est toute la frontalité de l'action, la distribution fatale du spectacle en envers et endroit. Dans le théâtre antique, rien de tel :

l'espace scénique est volumineux : il y a analogie, communauté d'expérience entre le « dehors » du spectacle et le « dehors » du spectateur : ce théâtre est un théâtre liminaire, il se joue au seuil des tombes et des palais : cet espace conique, évasé vers le haut, ouvert au ciel, a pour fonction d'amplifier la nouvelle (c'est-à-dire le destin) et non d'étouffer l'intrigue.

La circularité constitue ce que l'on pourrait appeler une dimension « existentielle » du spectale antique. En voici une autre : le plein air. Ce théâtre du matin, ce théâtre de l'aurore, on a tenté d'en imaginer le pittoresque : la foule bariolée (les spectateurs étaient en habits de fête, la tête couronnée comme à toute cérémonie religieuse), la pourpre et l'or des costumes de scène, l'éclat du soleil, le ciel de l'Attique (encore ici faudrait-il nuancer : les fêtes de Dionysos sont d'hiver ou de fin d'hiver, plus que de printemps). C'est oublier que le sens du plein air, c'est sa fragilité. Dans le plein air, le spectacle ne peut être une habitude, il est vulnérable, donc irremplaçable : la plongée du spectateur dans la polyphonie complexe du plein air (soleil qui bouge, vent qui se lève, oiseaux qui s'envolent, bruits de la ville, courants de fraîcheur) restitue au drame la singularité d'un événement. De la salle obscure au plein air, il ne peut y avoir le même imaginaire : le premier est d'évasion, le second de participation.

Quant au public qui couvre les gradins — fait bien connu aujourd'hui dans les spectacles sportifs —, il est lui-même transformé par sa masse ; le nombre des places est considérable, surtout par rapport au total, modeste, des citoyens : quatorze mille places environ à Athènes (notre salle du palais de Chaillot n'en contient que de deux à trois mille). Cette masse était structurée, à la différence de nos salles ou de nos stades modernes : outre les sièges proédriques, qui pouvaient exister au-delà du premier rang, les places communes elles-mêmes étaient souvent réservées par lots à certaines catégories de citoyens : aux membres du Sénat, aux éphèbes, aux étrangers, aux femmes (assises, en général, sur les gradins du haut). Ainsi s'établissait une double cohésion : massive, à l'échelle du théâtre entier ; particulière, à celle de groupes homogènes par l'âge, le sexe, la fonction, et l'on sait combien l'intégration d'un groupe fortifie ses réactions et structure son affectivité : il y avait une véritable « installation » du public dans le théâtre ; à quoi il faut ajouter le dernier des protocoles de possession : la nourriture ; on mangeait, on buvait au théâtre, et les chorèges généreux faisaient circuler du vin et des gâteaux.

Les techniques

La technique fondamentale du théâtre grec est une technique de synthèse : c'est la *choréia*, ou union consubstantielle de la poésie, de la musique et de la danse. Notre théâtre, même lyrique, ne peut donner une idée de la *choréia* ; car la musique y prédomine au détriment du texte et de la danse, reléguée dans des intermèdes (ballets) ; or ce qui définit la *choréia*, c'est l'égalité absolue des langages qui la composaient : tous sont, si l'on peut dire, « naturels », c'est-à-dire issus du même cadre mental, formé par une éducation qui, sous le nom de « musique », comprenait les lettres et le chant (les chœurs étaient naturellement composés d'amateurs, et l'on n'avait aucune peine à les recruter). Peut-être, pour approcher une image véridique de la *choréia*, faut-il se reporter au sens de l'éducation grecque (tel du moins que l'a défini Hegel) : par une représentation complète de sa corporéité (chant et danse), l'Athénien manifeste sa liberté : celle précisément de transformer son corps en organe de l'esprit.

De la poésie, ou plutôt de la parole elle-même, car il ne s'agit ici que de définir une technique, nous savons qu'elle se distribuait entre trois modes de débit : une expression dramatique, parlée, monologue ou dialogue, composée en trimètres ïambiques (c'était la *catalogué*) ; une expression lyrique, chantée, écrite en mètres variés (le *mélos*, ou chant) ; enfin, une expression intermédiaire, la *paracatalogué*, composée en tétramètres : plus emphatique que le parlé, mais nullement mélodique comme le chant, la *paracatalogué* était probablement une déclamation mélodramatique, sur un ton élevé, mais *recto tono*, soutenue (comme le *mélos*) par la flûte.

La musique était monodique, chantée à l'unisson ou à l'octave, avec le seul accompagnement (lui-même à l'unisson) de l'*aulos*, sorte de flûte à deux tuyaux et à anches, jouée par un musicien assis sur la *thymélé*. Le rythme — et c'était là l'un des aspects notables de la *choréia* — était absolument calqué sur le mètre poétique : chaque mesure correspondait à un pied, chaque note à une syllabe, du moins à l'époque classique ; car Euripide use déjà d'un style fleuri à vocalises, qui obligera bientôt le poète à prendre un compositeur professionnel. Ce qu'il faut dire de cette musique (qui nous est presque entièrement perdue : nous n'avons qu'un fragment de chœur de l'*Oreste* d'Euripide), ce qui la distingue de la nôtre, c'est que son expressivité est codifiée, on le sait, par tout un lexique de modes musicaux : la musique grecque était éminemment, ouvertement signifiante, d'une signification fondée moins sur l'effet naturel que sur la convention.

Dans la *choréia*, c'est la danse que nous imaginons le plus mal. Danses véritables ou simples évolutions rythmées ? On sait seulement qu'il fallait distinguer les pas (*phorai*) et les figures (*schemata*) ; ces figures pouvaient sans doute atteindre à la pantomime : il y avait des pantomimes des mains et des doigts (chironomie) : l'une était célèbre : celle que le chef de chœur de Pratinas avait inventée pour *les Sept contre Thèbes* et qui racontait la bataille « comme si on y était ». Ici encore, ce qui est notable, c'est l'expressivité, c'est-à-dire la constitution d'un véritable système sémantique, dont chaque spectateur connaissait parfaitement les éléments : on « lisait » une danse : sa fonction intellective était au moins aussi importante que sa fonction plastique ou émotive.

Tels étaient les différents « codes » de la *choréia* (on a vu combien l'élément sémantique y était important). Étaient-ils confiés à des exécutants appropriés ? Nullement. Sans doute le chœur ne récitait jamais (contrairement à ce qu'on lui fait faire dans nos reconstitutions modernes), il chantait toujours ; mais les acteurs et le coryphée, quoique dialoguant principalement, pouvaient très bien chanter, et même, à partir d'Euripide, danser ; en tout cas ils usaient communément de la *paracatalogué* ; c'est que, il ne faut pas l'oublier, les « personnages » (notion d'ailleurs moderne, puisque Racine appelait encore les siens des « acteurs ») sont sortis peu à peu d'une masse indifférenciée, le chœur. La fonction du chef de chœur (*exarchôn*) préparait à l'institution d'un acteur ; Thespis ou Phrynicos franchirent ce seuil et inventèrent le premier acteur, transformant le récit en imitation : l'illusion théâtrale était née. Eschyle créa le second acteur et Sophocle le troisième (tous deux restant sous la dépendance du protagoniste) ; le nombre des personnages excédant souvent celui des acteurs, un même acteur devait jouer des rôles successifs : ainsi, dans *les Perses* d'Eschyle, un acteur jouait la Reine et Xerxès, l'autre jouait le Messager et l'ombre de Darios ; c'est en raison de cette économie particulière que le théâtre grec est volontiers articulé sur des scènes de nouvelles ou de contestation, où deux personnages seulement sont nécessaires.

Quant au chœur, sa masse n'a pas varié pendant l'époque classique : de douze à quinze choreutes pour la tragédie, vingt-quatre pour la comédie, y compris le coryphée. Puis son rôle (sinon tout de suite sa masse) a diminué d'importance : au début, il dialogue avec l'acteur par la voix du coryphée, il l'entoure physiquement, le soutient ou l'interroge, il participe sans agir mais en commentant, bref il est pleinement la collectivité humaine affrontée à l'événement, et cherchant à le comprendre ; toutes ces fonctions se sont peu à peu atrophiées et les parties chorales n'ont plus été un jour que des intermèdes sans lien organique avec la pièce elle-même ; il y a là un triple mouvement convergent : dépérissement des fortunes et du zèle civique (on l'a vu), c'est-à-dire réticence des riches à assumer la chorégie ; réduction de la fonction chorale à de simples interludes ; développement du nombre et du rôle des acteurs, évolution de l'interrogation tragique vers la vérité psychologique.

Sauf dans le dithyrambe, tous ces exécutants, chœur et acteurs, étaient masqués. Les masques sont faits de chiffons stuqués, recouverts de plâtre, coloriés, et prolongés par une perruque et éventuellement par une barbe postiche ; le front en est souvent d'une hauteur démesurée : c'est l'*onkos*, haute proéminence frontale. L'expression de ces masques a une histoire, qui est celle-là même du réalisme antique ; à l'époque d'Eschyle, le masque n'a pas d'expression déterminée ; c'est une surface neutre, à peine barrée d'un pli léger au front ; au contraire, à l'époque hellénistique, dans la tragédie, le masque est outrancièrement pathétique, les traits en sont démesurément convulsés ; et par d'autres traits (couleur des cheveux, ou teint), surtout dans la comédie, les masques sont classés par types, dont chacun correspond évidemment à un emploi, à un âge ou à une disposition : ce sont alors des masques de caractère. A quoi servaient les masques ? On peut énumérer des usages superficiels : donner à voir les traits de loin, cacher la différence des sexes réels, puisque les rôles de femmes étaient tenus par des hommes. Mais leur fonction profonde a sans doute changé selon les époques : dans le théâtre hellénistique, par sa typologie, le masque sert une métaphysique des essences psychologiques ; il ne cache pas, il affiche ; c'est vraiment l'ancêtre du fard actuel. Mais auparavant, à l'époque classique, sa fonction est, semble-t-il, toute contraire : il dépayse ; d'abord en censurant la mobilité du visage, nuances, sourires, larmes, sans la remplacer par aucun signe, même général ; puis en altérant la voix, rendue profonde, caverneuse, étrange, comme venue d'un autre monde : mélange d'inhumanité et d'humanité emphatique, il est alors une fonction capitale de l'illusion tragique, dont la mission est de donner à lire la communication des dieux et des hommes.

Même fonction pour le costume de scène, à la fois réel et irréel. Réel, parce que sa structure est celle du vêtement grec : tunique, manteau, chlamyde ; irréel, du moins dans sa version tragique, parce que ce costume est le vêtement même du dieu (Dionysos), ou du moins de son grand prêtre, d'une richesse (couleurs et broderies) évidemment inconnue dans la vie (l'irréalité du costume comique est moindre : c'est une tunique, simplement raccourcie de façon à laisser voir le phallos de cuir qu'exhibaient les personnages masculins). Outre ce costume de base, il y avait quelques « emblèmes » particuliers, c'est-à-dire l'ébauche d'un code vestimentaire : le manteau pourpre des rois, le long tricot de laine des devins, les haillons de la misère, la couleur noire du deuil et du malheur. Quant au cothurne, du moins dans son sens de chaussure à haute semelle, c'est un appendice tardif, de l'époque hellénistique ; la surélévation de l'acteur entraîna alors un accroissement factice de sa corpulence : faux ventre, fausse poitrine, tenus sous la robe par un collant, exagération de l'*onkos*.

L'effort réaliste — puisque c'est la question que nous autres, modernes, posons à ces techniques — a été beaucoup plus rapide pour le décor. Au début, ce n'est qu'un bâti en bois, signalant d'une façon rudimentaire un autel, un tombeau ou un rocher. Mais

Sophocle, suivi par Eschyle dans ses dernières pièces, introduit le décor peint sur une toile mobile qui pendait le long de la *skéné* : peinture plate, mais confiée très vite à des dessinateurs spécialisés, les scénographes. A ce décor central (et frontal), on ajouta, vers la fin du ve siècle, deux décors latéraux, les périactes : c'étaient des prismes tournants, montés sur pivot et dont telle face venait se raccorder au décor central, selon les besoins de la cause. A partir de la Comédie nouvelle, le décor de gauche (par rapport au spectateur) prolongea conventionnellement l'étranger lointain (c'était, à Athènes, le côté de la campagne attique), et celui de droite, le voisinage immédiat (c'était la direction du Pirée). Naturellement, comme pour les masques, il y eut rapidement une typologie sommaire des lieux figurés : paysage sylvestre pour le drame satyrique, maison d'habitation pour la comédie, temple, palais, tente guerrière, paysage rustique ou marin pour la tragédie. Devant ces décors, point de rideau, avant le théâtre romain, sinon parfois peut-être un écran mobile destiné à la préparation de certaines scènes.

Cette vaste poussée réaliste se complique de génération en génération ; elle s'aide d'une technique précieuse : la machinerie. A l'époque hellénistique, ces machines étaient fort compliquées ; il y en avait une pour extérioriser les scènes intérieures de meurtre, c'était l'*ekkykléma*, plate-forme roulante qui amenait les cadavres hors des portes du palais, à la vue des spectateurs ; une autre, la *méchané*, servait aux dieux et aux héros à voler dans les airs : c'était une grue dont on peignait le câble porteur en gris pour le rendre invisible ; au repos, dans leur habitacle, les dieux apparaissaient au-dessus de la *skéné*, dans le *théologeion*, ou parloir des dieux ; la distégie (ou « second étage ») était un praticable qui permettait aux acteurs de communiquer avec les toits ou l'étage supérieur de l'édifice du fond (surtout dans le théâtre d'Euripide et d'Aristophane) ; enfin des trappes, des escaliers souterrains et même des ascenseurs servaient à l'apparition des dieux infernaux et des morts. En dépit de sa diversité, cette machinerie a un sens général : « faire voir l'intérieur », celui des enfers, des palais ou de l'Olympe ; elle force un secret, épaissit l'analogie, supprime une distance entre le spectacle et le spectateur ; il est donc logique qu'elle se soit développée concurremment à l'« embourgeoisement » du drame antique : sa fonction n'a pas été seulement réaliste (au début) ou féerique (à la fin), mais aussi psychologique.

Théâtre réaliste ? Il en a porté très vite les germes ; dès Eschyle, il y tendait, bien que ce premier théâtre tragique comportât encore de nombreux traits de distancement : impersonnalité du masque, convention du costume, symbolisme du décor, rareté des acteurs, importance du chœur ; mais de toute manière, le réalisme d'un art ne peut se définir en dehors du degré de crédulité de ses spectateurs : il renvoie fatalement aux cadres mentaux qui l'accueillent. Des techniques allusives jointes à une crédulité forte font ce que l'on pourrait appeler un « réalisme dialectique », dans lequel l'illusion théâtrale suit un va-et-vient incessant entre un symbolisme intense et une réalité immédiate ; on dit que les spectateurs de *l'Orestie* s'enfuirent terrifiés à l'arrivée des Érinnyes, parce qu'Eschyle, rompant avec la tradition de la *parodos*, les avait fait apparaître une à une ; ce mouvement rappelle assez, comme on l'a remarqué, le recul des premiers spectateurs de cinéma à l'entrée de la locomotive en gare de La Ciotat : dans un cas comme dans l'autre, ce que le spectateur consomme, ce n'est ni la réalité ni sa copie ; c'est, si l'on veut, une « surréalité », le monde doublé de ses signes. Ce fut là, sans doute, le réalisme du premier théâtre grec, celui d'Eschyle, peut-être encore de Sophocle. Mais des techniques analogiques très poussées (expressivité des masques, complexité de la machinerie, atrophie du chœur) jointes à une crédulité sinon affaiblie, du moins dressée, font un réalisme tout autre ; ce fut probablement celui d'Euripide et de ses successeurs : ici le signe ne renvoie plus au monde, mais à une intériorité ; la matérialité même du spectacle devient dans son ensemble un décor, et dans le moment même où la *choréia* se dissout, ses éléments deviennent de simples « illustrations », auxquelles on demande d'être plausibles : ce qui se passe sur la scène n'est plus le signe de la réalité, c'en est la copie ; on comprend que ce soit avec Euripide que Racine ait renoué le dialogue, et que l'académisme théâtral du XIXe siècle se soit senti plus proche de Sophocle que d'Eschyle.

Car, quoi qu'on y ait trouvé, ce théâtre n'a cessé de nous concerner depuis quatre siècles. Dès la Renaissance, les musiciens, les poètes et les amateurs de la Camera Bardi, à Florence, s'inspirent des principes de la *choréia* pour créer l'opéra. Au XVIIe siècle et au XVIIIe siècle, on le sait, l'œuvre dramatique des anciens Grecs est la source principale où puisent nos dramaturges : non seulement les textes, mais les principes mêmes de l'art tragique, ses fins et ses moyens ; on sait que Racine annota soigneusement les passages de la *Poétique* d'Aristote consacrés à la tragédie, et que, plus tard, la querelle de la *catharsis* reprit avec Lessing. Ce qu'Aristote apportait au théâtre moderne, c'était moins une philosophie tragique qu'une technique de composition fondée en raison (c'est le sens des arts poétiques de l'époque) : une sorte de *praxis* tragique se dégageait de la poétique aristotélicienne, accréditait l'idée d'un artisanat dramatique : la tragédie grecque devenait le modèle, l'exercice et l'ascèse, pourrait-on dire, de toute création poétique. Au XIXe et au XXe siècle, c'est la matérialité même du théâtre grec, négligée par nos classiques, qui cristallise le plus de réflexions ; d'abord, sur le plan de la philosophie et de l'ethnologie, de Nietzsche à George Thomson, on s'interroge passionnément sur l'origine et la nature de ce théâtre, à la fois religieux et démocratique, primitif et raffiné, surréel et réaliste, exotique et classique ; puis, sur la scène même, on recommence (dès le milieu du XIXe siècle) à le jouer, d'abord comme un théâtre bourgeois plus pompeux (ce sont les premières « reconstitutions » de la Comédie-Française), puis dans un style à la fois plus barbare et plus historique, dont il faut dire un mot pour finir, car depuis certaines méditations de Copeau au Vieux-Colombier et la représentation des *Perses* par les étudiants du Groupe de théâtre antique de la Sorbonne, en 1936, les expériences contemporaines sont nombreuses, fondées sur des principes souvent contradictoires.

Car on ne parvient jamais à décider complètement si ce théâtre, il faut le reconstituer ou l'adapter. Alors qu'on joue aujourd'hui communément Shakespeare sans s'inquiéter des conventions élisabéthaines, ou Racine sans plus jamais recourir à la dramaturgie classique, l'ombre de la célébration antique est toujours là, elle fascine : nostalgie d'un spectacle total, violemment physique, à la fois démesuré et humain, trace d'une réconciliation inouïe entre le théâtre et la cité. Une chose pourtant est claire : cette reconstitution est impossible ; d'abord parce que l'archéologie nous livre des renseignements incomplets, notamment en ce qui concerne la fonction plastique du chœur qui est la pierre d'achoppement de toutes les mises en scène modernes ; et puis surtout, parce que les faits exhumés par l'érudition n'étaient jamais que les fonctions d'un système total, qui était le cadre mental de l'époque, et que sur le plan de la totalité, l'Histoire est irréversible : ce cadre manquant, les fonctions disparaissent, les faits isolés deviennent des essences, ils sont pourvus, qu'on le veuille ou non, d'une signification imprévue, et le fait littéral devient très vite un contresens. Par exemple : la musique grecque était monodique, les Grecs n'en connaissaient point d'autre ; mais pour nous, modernes, dont la musique est polyphonique, toute monodie devient exotique : voilà une signification fatale, que n'avaient certes pas voulue les anciens Grecs. Il y a donc dans le spectacle grec, tel que nous le livre l'archéologie, des faits dangereux, propres au contresens : ce sont précisément les faits littéraux, les faits substantiels : la forme d'un masque, le ton d'une mélodie, le son d'un instrument.

Mais il y a aussi des fonctions, des rapports, des faits de structure : par exemple, la distinction rigoureuse du parlé, du chanté et du déclamé ou la plastique frontale, massive, du chœur (Claudel parlait justement de chantres derrière des lutrins), sa fonction essentiellement lyrique. Ce sont ces oppositions que nous devons, que nous pouvons, me semble-t-il, retrouver. Car ce théâtre nous concerne non par son exotisme, mais par sa vérité, non seulement par son esthétique mais par son ordre. Et cette vérité elle-même ne peut être qu'une fonction, le rapport qui joint notre regard moderne à une société très ancienne : ce théâtre nous concerne par sa distance. Le problème n'est donc pas plus de l'assimiler que de le dépayser : c'est de le faire comprendre.

Extrait d'*Histoire des spectacles*, publié sous la direction de Guy Dumur, Encyclopédie de la Pléiade.

Diderot, Brecht, Eisenstein

à André Téchiné

Imaginons qu'une affinité, de statut et d'histoire, lie, dès les anciens Grecs, la mathématique et l'acoustique ; imaginons que cet espace, proprement pythagoricien, ait été quelque peu refoulé pendant deux ou trois millénaires (Pythagore est bien le héros éponyme du Secret) ; imaginons enfin qu'à partir de ces mêmes Grecs, une autre liaison se soit installée en face de la première, qu'elle en ait triomphé, prenant continûment le devant dans l'histoire des arts : la liaison de la géométrie et du théâtre : le théâtre est bien en effet cette pratique qui calcule la place *regardée* des choses : si je mets le spectacle ici, le spectateur verra cela ; si je le mets ailleurs, il ne le verra pas, et je pourrai profiter de cette cache pour jouer d'une illusion : la scène est bien cette ligne qui vient barrer le faisceau optique, dessinant le terme et comme le front de son épanouissement : ainsi se trouverait fondée, contre la musique (contre le texte), la *représentation*.

La représentation ne se définit pas directement par l'imitation : se débarrasserait-on des notions de « réel », de « vraisemblable », de « copie », il restera toujours de la « représentation », tant qu'un sujet (auteur, lecteur, spectateur ou voyeur) portera son *regard* vers un horizon et y découpera la base d'un triangle dont son œil (ou son esprit) sera le sommet. L'Organon de la Représentation (qu'il devient possible aujourd'hui d'écrire, parce que *autre chose* se devine), cet Organon aura pour double fondement la souveraineté du découpage et l'unité du sujet qui découpe. Peu importera donc la substance des arts ; certes, théâtre et cinéma sont des expressions directes de la géométrie (à moins qu'ils ne procèdent à quelque recherche rare sur la voix, la stéréophonie), mais le discours littéraire classique (lisible), lui aussi, abandonnant depuis longtemps la prosodie, la musique, est un discours représentatif, géométrique, en tant qu'il découpe des morceaux pour les peindre : discourir (auraient dit les classiques) n'est que « peindre le tableau qu'on a dans l'esprit ». La scène, le tableau, le plan, le rectangle découpé, voilà la *condition* qui permet de penser le théâtre, la peinture, le cinéma, la littérature, c'est-à-dire tous les « arts » autres que la musique et que l'on pourrait appeler : *arts dioptriques*. (Épreuve contraire : rien ne permet de repérer dans le texte musical le moindre tableau, sauf à l'asservir au genre dramatique ; rien ne permet de découper en lui le moindre fétiche, sauf à l'abâtardir par l'usage de la rengaine.)

Toute l'esthétique de Diderot, on le sait, repose sur l'identification de la scène théâtrale et du tableau pictural : la pièce parfaite est une succession de tableaux, c'est-à-dire une galerie, un salon : la scène offre au spectateur « autant de tableaux réels qu'il y a dans l'action de moments favorables au peintre ». Le tableau (pictural, théâtral, littéraire) est un découpage pur, aux bords nets, irréversible, incorruptible, qui refoule dans le néant tout son entour, innommé, et promeut à l'essence, à la lumière, à la vue, tout ce qu'il fait entrer dans son champ ; cette discrimination démiurgique implique une haute pensée : le tableau est intellectuel, il veut dire quelque chose (de moral, de social), mais aussi il dit qu'il sait comment il faut le dire ; il est à la fois significatif et propédeutique, impressif et réflexif, émouvant et conscient des voies de l'émotion. La scène épique de Brecht, le plan eisensteinien sont des tableaux ; ce sont des *scènes mises* (comme on dit : *la table est mise*), qui répondent parfaitement à l'unité dramatique dont Diderot a donné la théorie : très découpées (n'oublions pas la tolérance de Brecht à l'égard de la scène à l'italienne, son mépris pour les théâtres vagues : plein air, théâtre en rond), exhaussant un sens, mais manifestant la production de ce sens, accomplissant la coïncidence du découpage visuel et du découpage idéel. Rien ne sépare le plan eisensteinien du tableau greuzien (sinon, bien sûr, le projet, ici moral, là social) ; rien ne sépare la scène épique du plan eisensteinien (sinon que, chez Brecht, le tableau est offert à la critique du spectateur, non à son adhésion).

Le tableau (puisqu'il surgit d'un découpage) est-il un objet fétiche ? Oui au niveau du sens idéel (le Bien, le Progrès, la Cause, l'avènement de la bonne Histoire), non au niveau de sa composition. Ou, plus exactement, c'est la *composition* même qui permet de déplacer le terme fétiche et de reporter plus loin l'effet amoureux de la découpe. Diderot, une fois encore, est ici le théoricien de cette dialectique du désir ; dans l'article « Composition », il écrit : « Un tableau bien composé est un tout renfermé sous un seul point de vue, où les parties concourent à un même but et forment par leur correspondance mutuelle un ensemble aussi réel que celui des membres dans un corps animal ; en sorte qu'un morceau de peinture fait d'un grand nombre de figures jetées au hasard, sans proportion, sans intelligence et sans unité, ne mérite non plus le nom de *véritable composition*, que des études éparses de jambes, de nez, d'yeux, sur un même carton, ne méritent celui de *portrait* ou même de *figure humaine*. » Voilà le corps expressément introduit dans l'idée de tableau, mais tout le corps ; les organes, groupés et comme aimantés par la découpe, fonctionnent au nom d'une transcendance, celle de la *figure*, qui reçoit toute la charge fétiche et devient le substitut sublime du sens : c'est ce sens qui est fétichisé. (On n'aurait sans doute aucun mal à repérer, dans le théâtre post-brechtien et dans le cinéma post-eisensteinien, des mises en scène marquées par la dispersion du tableau, le dépiècement de la « composition », la promenade des « organes partiels » de la figure, bref l'enrayement du sens métaphysique de l'œuvre, mais aussi de son sens politique — ou du moins le report de ce sens vers une *autre* politique.)

*

Brecht a bien indiqué que, dans le théâtre épique (qui procède par tableaux successifs), toute la charge, signifiante et plaisante, porte sur chaque scène, non sur l'ensemble ; au niveau de la pièce, pas de développement, pas de mûrissement, un sens idéel, certes (à même chaque tableau), mais pas de sens final, rien que des découpes dont chacune détient une puissance démonstrative suffisante. Même chose chez Eisenstein : le film est une contiguïté d'épisodes, dont chacun est absolument signifiant, esthétiquement parfait ; c'est un cinéma à vocation anthologique : il tend lui-même, en pointillés, au fétichiste, le morceau que celui-ci doit découper et emporter pour en jouir (ne dit-on pas qu'au *Cuirassé*

Potemkine de quelque cinémathèque il manque un bout de pellicule — la scène de la poussette, bien sûr —, coupée et dérobée par quelque amoureux, à la façon d'une tresse, d'un gant ou d'un dessous de femme ?). La puissance primaire d'Eisenstein tient à ceci : *chaque image n'est pas ennuyeuse*, on n'est pas obligé d'attendre la suivante pour comprendre et s'enchanter : aucune dialectique (ce temps de la patience nécessaire à certains plaisirs), mais une jubilation continue, faite d'une sommation d'instants parfaits.

Cet instant parfait, Diderot, bien sûr, y avait pensé (et l'avait pensé). Pour raconter une histoire, le peintre ne dispose que d'un instant : celui qu'il va immobiliser sur la toile ; cet instant, il doit donc bien le choisir, lui assurant à l'avance le plus grand rendement de sens et de plaisir : nécessairement total, cet instant sera artificiel (irréel : cet art n'est pas réaliste), ce sera un hiéroglyphe où se liront d'un seul regard (d'une seule saisie, si nous passons au théâtre, au cinéma) le présent, le passé et l'avenir, c'est-à-dire le sens historique du geste représenté. Cet instant crucial, totalement concret et totalement abstrait, c'est ce que Lessing appellera (dans *Laocoon*) l'*instant prégnant*. Le théâtre de Brecht, le cinéma d'Eisenstein sont des suites d'instants prégnants : lorsque Mère Courage mord dans la pièce que lui tend le sergent recruteur et par ce temps très court de méfiance laisse échapper son fils, elle démontre à la fois son passé de commerçante et l'avenir qui l'attend : tous ses enfants morts par l'effet de son aveuglement mercantile. Lorsque (dans *la Ligne générale*) la paysanne laisse déchirer son jupon, dont l'étoffe servira à réparer le tracteur, c'est d'une histoire que ce geste est gros : la prégnance rassemble la conquête passée (le tracteur âprement conquis sur l'incurie bureaucratique), la lutte présente et l'efficacité de la solidarité. L'instant prégnant, c'est bien la présence de toutes les absences (souvenirs, leçons, promesses), au rythme desquelles l'Histoire devient à la fois intelligible et désirable.

Chez Brecht, c'est le *gestus social* qui reprend l'idée de l'instant prégnant. Qu'est-ce qu'un *gestus social* (la critique réactionnaire a-t-elle assez ironisé sur cette notion brechtienne, l'une des plus intelligentes et des plus claires que la réflexion dramaturgique ait jamais produite !) ? C'est un geste, ou un ensemble de gestes (mais jamais une gesticulation), où peut se lire toute une situation sociale. Tous les *gestus* ne sont pas sociaux : rien de social dans les mouvements que fait un homme pour se débarrasser d'une mouche ; mais si ce même homme, mal vêtu, se débat contre des chiens de garde, le *gestus* devient social ; le geste par lequel la cantinière vérifie la monnaie qu'on lui tend est un *gestus* social ; le graphisme excessif dont le bureaucrate de *la Ligne générale* signe ses paperasses est un *gestus* social. Jusqu'où peut-on trouver des *gestus* sociaux ? Très loin : dans la langue elle-même : une langue peut être gestuelle, dit Brecht, lorsqu'elle indique certaines attitudes que l'homme qui parle adopte envers les autres : « Si ton œil te fait mal, arrache-le » est plus gestuel que « Arrache l'œil qui te fait mal », parce que l'ordre de la phrase, l'asyndète qui l'emporte, renvoient à une situation prophétique et vengeresse. Des formes rhétoriques peuvent donc être gestuelles : en quoi il est bien vain de reprocher à l'art d'Eisenstein (comme à celui de Brecht) d'être « formalisant » ou « esthétique » : la forme, l'esthétique, la rhétorique peuvent être socialement responsables, si elles sont maniées d'une façon délibérée. La représentation (puisque c'est d'elle qu'il s'agit ici) doit inéluctablement compter avec le *gestus* social : dès lors que l'on « représente » (que l'on découpe, que l'on clôt le tableau et que l'on discontinue l'ensemble), il faut décider si le geste est social ou s'il ne l'est pas (s'il renvoie, non à telle société, mais à l'Homme).

Dans le tableau (la scène, le plan), que fait l'acteur ? Puisque le tableau est présentation d'un sens idéel, l'acteur doit présenter le savoir même du sens, car le sens ne serait pas idéel s'il n'emportait pas sa propre machination ; mais le savoir que, par un supplément insolite, l'acteur doit mettre en scène n'est ni son savoir humain (ses pleurs ne doivent pas renvoyer simplement à l'état d'âme du Malheureux), ni son savoir d'acteur (il ne doit pas montrer qu'il sait bien jouer). L'acteur doit prouver qu'il n'est pas asservi au spectateur (empoissé dans la « réalité », dans l'« humanité »), mais qu'il conduit le sens vers son idéalité. Cette souveraineté de l'acteur, maître du sens, est bien visible chez Brecht, puisqu'il l'a théorisée sous le nom de « distanciation » ; elle ne l'est pas moins chez Eisenstein (du moins chez l'auteur de *la Ligne générale* auquel je me réfère ici), non par l'effet d'un art cérémoniel, rituel

— celui que demandait Brecht —, mais par l'insistance du *gestus* social, qui empreint sans relâche tous les gestes de l'acteur (poings qui se ferment, mains qui saisissent un outil de travail, présentation des paysans au guichet du bureaucrate, etc.). Cependant, il est vrai, chez Eisenstein comme chez Greuze (peintre exemplaire aux yeux de Diderot), l'acteur prend parfois l'expression du plus haut pathétique, et ce pathétique peut paraître bien peu « distancé » ; mais la distanciation est un procédé proprement brechtien, nécessaire à Brecht parce qu'il représente un tableau qui doit être critiqué par le spectateur ; chez les deux autres, l'acteur n'a pas forcément à distancer ; ce qu'il doit présenter, c'est une valeur idéale ; il suffit donc que l'acteur « détache » la production de cette valeur, la rende sensible, visible intellectuellement, par l'excès même de ses versions : l'expression signifie alors une idée — ce pour quoi elle est excessive —, non une nature ; nous sommes loin des mines de l'Actor's Studio, dont la « retenue » tant vantée n'a d'autre sens que la gloire personnelle du comédien (je renvoie pour exemple aux mines de Brando dans *le Dernier Tango à Paris*).

*

Le tableau a-t-il un « sujet » (anglais : *topic*) ? Nullement ; il a un sens, non un sujet. Le sens commence au *gestus* social (à l'instant prégnant) ; hors du *gestus*, il n'y a que du vague, de l'insignifiant. « D'une certaine manière, dit Brecht, les sujets ont toujours quelque chose de naïf, ils sont un peu sans qualités. Vides, ils se suffisent en quelque sorte à eux-mêmes. Seul le *gestus* social (la critique, la ruse, l'ironie, la propagande, etc.) introduit l'élément humain » ; et Diderot ajoute (si l'on peut dire) : la création du peintre ou du dramaturge n'est pas dans le choix d'un sujet, elle est dans le choix de l'instant prégnant, du tableau. Peu importe, après tout, qu'Eisenstein ait pris ses « sujets » dans le passé de la Russie et de la Révolution, et non, « comme il aurait dû » (lui disent ses censeurs actuels), dans le présent de la construction socialiste (sauf pour *la Ligne générale*), peu importent le cuirassé ou le tsar, ce ne sont que des « sujets », vagues et vides, seul compte le *gestus*, la démonstration critique du geste, l'inscription de ce geste, à quelque temps qu'il appartienne, dans un texte dont la machination sociale est visible ; le sujet n'ajoute ni ne retire rien. Combien de films, aujourd'hui, « sur » la drogue, dont la drogue est le « sujet » ? Mais c'est un sujet creux ; sans *gestus* social, la drogue est insignifiante, ou plutôt sa signifiance est celle d'une nature vague et vide, éternelle : « la drogue rend impuissant » (*Trash*), « la drogue rend suicidaire » (*Absences répétées*). Le sujet est une fausse découpe : pourquoi ce sujet plutôt qu'un autre ? L'œuvre ne commence qu'au tableau, lorsque le sens est mis dans le geste et dans la coordination des gestes. Prenez *Mère Courage* : soyez sûr d'un contresens si vous pensez que son « sujet » est la guerre de Trente ans, ou même la dénonciation générale de la guerre ; son *gestus* n'est pas là : il est dans l'aveuglement de la commerçante qui croit vivre de la guerre et qui en meurt ; bien plus, il est dans la *vue* que j'ai, moi, spectateur, de cet aveuglement.

Au théâtre, au cinéma, dans la littérature traditionnelle, les choses sont toujours vues *de quelque part*, c'est le fondement géométrique de la représentation : il faut un sujet fétichiste pour découper ce tableau. Ce lieu d'origine est toujours la Loi : loi de la société, loi de la lutte, loi du sens. Tout art militant ne peut être dès lors que représentatif, légal. Pour que la représentation soit réellement privée d'origine et excède sa nature géométrique sans cesser d'être représentation, le prix à payer est énorme : ce n'est rien moins que la mort. Dans *Vampyr* de Dreyer, me fait remarquer un ami, la caméra se promène de la maison au cimetière et capte *ce que voit le mort* : tel est le point limite où la représentation est déjouée : le spectateur ne peut plus occuper aucune place, car il ne peut identifier son œil aux yeux fermés du mort ; le tableau est sans départ, sans appui, c'est une béance. Tout ce qui se passe en deçà de cette limite (et c'est le cas de Brecht, d'Eisenstein) ne peut être que légal : c'est en fin de compte la Loi du Parti qui découpe la scène épique, le plan filmique, c'est cette Loi qui regarde, cadre, centre, énonce. Et ici encore Eisenstein et Brecht rejoignent Diderot (promoteur de la tragédie domestique et bourgeoise, comme ses deux successeurs le furent d'un art socialiste). Diderot distinguait en effet, dans la peinture, des pratiques majeures, de portée cathartique, visant à l'idéalité du sens, et des pratiques mineures, purement imitatives, anecdotiques ; d'un côté Greuze, de l'autre Chardin ; autrement dit, en période ascendante, toute physique de l'art (Chardin) doit se couronner d'une métaphysique (Greuze). Dans Brecht, dans Eisenstein, Chardin et Greuze coexistent (plus retors, Brecht laisse à son public le soin d'être le Greuze du Chardin qu'il lui met sous les yeux) : dans une société qui n'a pas encore trouvé son repos, comment l'art pourrait-il cesser d'être métaphysique, c'est-à-dire : significatif, lisible, représentatif ? Fétichiste ? A quand la musique, le Texte ?

*

Brecht, semble-t-il, ne connaissait guère Diderot (à peine, peut-être, le *Paradoxe*). C'est pourtant lui-même qui autorise, d'une façon toute contingente, la conjonction tripartite qui vient d'être proposée. Vers 1937, Brecht eut l'idée de fonder une Société Diderot, lieu de rassemblement d'expériences et d'études théâtrales, sans doute parce qu'il voyait en Diderot, outre la figure d'un grand philosophe matérialiste, celle d'un homme de théâtre dont la théorie visait à dispenser également le plaisir et l'enseignement. Brecht établit le programme de cette Société ; il en fit un tract qu'il projeta d'adresser à qui ? A Piscator, à Jean Renoir, à Eisenstein.

1973, *Revue d'esthétique.*

L'esprit de la lettre

Le livre de Massin est une belle encyclopédie, d'informations et d'images. Est-ce la Lettre qui en est le sujet ? Oui, sans doute : la lettre occidentale, prise dans son environnement, publicitaire ou pictural, et dans sa vocation de métamorphose figurative. Seulement, il se trouve que cet objet, apparemment simple, facile à identifier et à dénombrer, est quelque peu diabolique : il s'en va partout, et principalement à son contraire même : c'est ce qu'on appelle un signifiant contradictoire, un énantiosème. Car d'une part la Lettre édicte la Loi au nom de quoi peut être réduite toute extravagance (« Tenez-vous-en, je vous prie, à la lettre du texte »), mais d'autre part, depuis des siècles, comme le montre Massin, elle libère inlassablement une profusion de symboles ; d'une part, elle « tient » le langage, tout le langage écrit, dans le carcan de ses vingt-six caractères (pour nous Français) et ces caractères ne sont eux-mêmes que l'agencement de quelques droites et de quelques courbes ; mais d'autre part, elle donne le départ d'une imagerie vaste comme une cosmographie ; elle signifie d'une part l'extrême censure (Lettre, que de crimes on commet en ton nom !), et d'autre part l'extrême jouissance (toute la poésie, tout l'inconscient sont retour à la lettre) ; elle intéresse à la fois le graphiste, le philologue, le peintre, le juriste, le publicitaire, le psychanalyste et l'écolier. *La lettre tue et l'esprit vivifie ?* Ce serait simple s'il n'y avait précisément un esprit de la lettre, qui vivifie la lettre ; ou encore : si l'extrême symbole ne se retrouvait être la lettre elle-même. C'est ce trajet circulaire de la lettre et de la figure que Massin nous permet d'entrevoir. Son livre, comme toute encyclopédie réussie (et celle-ci est d'autant plus précieuse qu'elle est faite d'un bon millier d'images), nous permet, nous fait une obligation de redresser quelques-uns de nos préjugés : c'est un livre heureux (puisqu'il y est question du signifiant), mais c'est aussi un livre critique.

Tout d'abord, à parcourir ces centaines de lettres figurées, venues de tous les siècles, des ateliers de copie du Moyen Age au *Sous-Marin jaune* des Beatles, il est assez évident que la lettre n'est pas le son ; toute la linguistique fait sortir le langage de la parole, dont l'écriture ne serait qu'un aménagement ; le livre de Massin proteste : le de-venir et l'à-venir de la lettre (d'où elle vient et où il lui reste, infiniment, inlassablement, à aller) sont indépendants du phonème. Ce foisonnement impressionnant de lettres-figures dit que le mot n'est pas le seul entour, le seul résultat, la seule transcendance de la lettre. Les lettres servent à faire des mots ? Sans doute, mais aussi autre chose. Quoi ? des abécédaires. L'alphabet est un système autonome, ici pourvu de prédicats suffisants qui en garantissent l'individualité : alphabets « grotesques, diaboliques, comiques, nouveaux, enchantés », etc. ; bref, c'est un objet que sa fonction, son lieu technique n'épuisent pas : c'est une chaîne signifiante, un syntagme hors du sens, mais non hors du signe. Tous les artistes cités par Massin, moines, graphistes, lithographes, peintres, ont barré la route qui semble aller naturellement de la première à la seconde articulation, de la lettre au mot, et ont pris un *autre* chemin, qui est le chemin, non du langage, mais de l'écriture, non de la communication mais de la signifiance : aventure qui se situe en marge des prétendues finalités du langage et par là même au centre de son jeu.

Second objet de méditation (et non des moindres), suscité par le livre de Massin : la métaphore. Ces vingt-six lettres de notre alphabet, animées, comme dit Massin, par des centaines d'artistes de tous siècles, sont mises dans un rapport métaphorique avec *autre chose* que la lettre : des animaux (oiseaux, poissons, serpents, lapins, les uns mangeant parfois les autres pour dessiner un D, un E, un K, un L, etc.), des hommes (silhouettes, membres, postures), des monstres, des végétaux (fleurs, pousses, troncs), des instruments (ciseaux, serpes, faux, lunettes, trépieds, etc.) : tout un catalogue des produits naturels et humains vient doubler la courte liste de l'alphabet : le monde entier s'incorpore à la lettre, la lettre devient une image dans le tapis du monde.

Certains traits constitutifs de la métaphore sont ainsi illustrés, éclairés, redressés. Tout d'abord l'importance de ce que Jakobson appelle le diagramme, qui est une sorte d'analogie minimale, un rapport simplement proportionnel, et non exhaustivement analogique, entre la lettre et le monde. Ainsi, en général, des calligrammes ou poèmes en forme d'objets, dont Massin nous donne une collection précieuse (parce qu'on en parle toujours mais qu'on ne connaît jamais que ceux d'Apollinaire). Ensuite la nature polysémique (on devrait pouvoir dire pansémique) du signe-image : libérée de son rôle linguistique (faire partie d'un mot singulier), une lettre peut tout dire : dans cette région baroque où le sens est détruit sous le symbole, une même lettre peut signifier deux contraires (la langue arabe connaît, paraît-il, ces signifiants contradictoires, ces *ad'dâd* auxquels J. Berque et J.P. Charnay ont consacré un livre important) : Z, pour Hugo, c'est l'éclair, c'est Dieu, mais pour Balzac, c'est la lettre mauvaise, la lettre de la déviance. Je regrette un peu que Massin ne nous ait pas donné quelque part une récapitulation de tout le paradigme, mondial et séculaire, d'une seule lettre (il en avait les moyens) : toutes les figures du M, par exemple, qui va ici des trois Anges du Maître gothique aux deux pics neigeux de Megève — dans une publicité —, en passant par la fourche, l'homme couché, cuisses levées, cul offert, le peintre et son chevalet, et les deux ménagères qui s'apprêtent à étirer un drap.

Car — et c'est le troisième chapitre de cette leçon en images sur la métaphore — il est évident qu'à force d'extra-vagances, d'extra-versions, de migrations et d'associations, la lettre n'est plus, n'est pas l'origine de l'image : *toute métaphore est inoriginée*, dès qu'on passe de l'énoncé à l'énonciation, de la parole à l'écriture ; le rapport analogique est circulaire, sans précellence ; les termes qu'il saisit sont flottants : dans les signes présentés, qui *commence* ? l'homme ou la lettre ? Massin entre dans la métaphore par la lettre : il faut bien, hélas, donner un « sujet » à nos livres ; mais on pourrait aussi y entrer par l'autre bout, et faire de la lettre une *espèce* d'homme, d'objet, de végétal. La lettre n'est en somme qu'une tête de pont paradigmatique, arbitraire, parce qu'il faut que le discours *commence* (contrainte qui n'a pas encore été bien explorée), mais cette tête peut être aussi une sortie, si l'on conçoit par exemple, tels les poètes et les mystagogues, que la lettre (l'écriture) fonde le monde. Assigner une origine à l'expansion métaphorique est toujours une option, métaphysique, idéologique. D'où l'importance des renversements d'origine (tel celui que la psychanalyse opère sur la lettre elle-même). En fait, Massin nous le dit sans cesse par ses images, il n'y a que des chaînes flottantes de signifiants, qui passent, se traversent les unes les autres : l'écriture est *en l'air*. Voyez le rapport de la lettre et de la figure : toute la logique s'y épuise : 1) la lettre *est* la figure, cet I est un sablier ; 2) la figure est dans la lettre, glissée tout entière dans sa gaine, comme ces deux acrobates lovés dans un O (Erté a fait un grand usage de cette imbrication, dans son précieux alphabet, que Massin ne cite malheureusement pas) ; 3) la lettre est dans la figure (c'est le cas de tous les rébus) : puisqu'on n'arrête pas le symbole, c'est qu'il est réversible : I peut renvoyer à un couteau, mais le couteau n'est à son tour qu'un départ, au terme duquel (la psychanalyse l'a montré) vous pouvez retrouver I (pris dans tel mot qui importe à votre inconscient) : il n'y a jamais que des *avatars*.

Tout cela dit combien le livre de Massin apporte d'éléments à l'approche actuelle du signifiant. L'écriture est faite de lettres, soit. Mais de quoi sont faites les lettres ? On peut chercher une réponse historique — inconnue en ce qui concerne notre alphabet ; mais on peut aussi se servir de la question pour déplacer le problème de l'origine, amener une conceptualisation progressive de l'*entre-deux*, du rapport flottant, dont nous déterminons l'ancrage d'une façon toujours abusive. En Orient, dans cette civilisation idéographique, c'est ce qui est *entre* l'écriture et la peinture qui est tracé, sans que l'on puisse référer l'un à l'autre ; ceci permet de déjouer cette loi scélérate de filiation, qui est notre Loi, paternelle, civile, mentale, scientifique : loi ségrégative en vertu de laquelle nous expédions d'un côté les graphistes et de l'autre les peintres, d'un côté les romanciers et de l'autre les poètes ; mais l'écriture est *une* : le discontinu qui la fonde partout fait de tout ce que nous écrivons, peignons, traçons, un seul texte. C'est ce que me montre le livre de Massin. A nous de ne pas censurer ce champ matériel en réduisant la somme prodigieuse de ces lettres-figures à une galerie d'extravagances et de rêves : la *marge* que nous concédons à ce qu'on peut appeler le baroque (pour nous faire comprendre des humanistes) est le lieu même où l'écrivain, le peintre et le graphiste, en un mot le performateur de texte, doit travailler.

1970, *La Quinzaine littéraire*.

Erté
ou
A la lettre

La vérité

Pour être connus, les artistes doivent passer par un petit purgatoire mythologique : il faut qu'on puisse les associer machinalement à un objet, à une école, à une mode, à une époque dont ils sont, dit-on, les précurseurs, les fondateurs, les témoins ou les symboles ; en un mot, il faut qu'on puisse les *classer* à moindres frais, les assujettir à un nom commun, comme une espèce à son genre.

Le purgatoire de Erté, c'est la Femme. Certes, des femmes, Erté en a dessiné beaucoup, il n'a même, à vrai dire, dessiné que cela, comme s'il ne pouvait jamais s'en séparer (âme ou accessoire, obsession ou commodité ?), comme si la Femme signait plus sûrement chacun de ses cartons que la fine graphie de son nom. Voyez quelque grande composition de Erté (il y en a quelques-unes) : le fouillis décoratif, l'exubérance précise et baroque, la transcendance abstraite qui entraînent les lignes, vous disent cependant, à la façon d'un rébus : *Cherchez la Femme.* On la trouve toujours ; elle est là, minuscule au besoin, étendue au centre d'un motif qui, dès lors qu'il est repéré, fait basculer et converger tout l'espace vers l'autel où elle est adorée (sinon suppliciée). Cette pratique constante de la figure féminine résulte sans doute de la vocation modéliste de Erté ; mais cette vocation elle-même augmente la consistance mythologique de l'artiste, car la Mode est l'un des meilleurs lieux où l'on croit pouvoir lire l'esprit de la modernité, ses expériences plastiques, érotiques, oniriques ; or Erté a occupé continûment pendant un demi-siècle le territoire de la Mode (et du Spectacle, qui bien souvent l'inspire ou en dépend) ;

et ce territoire constitue de droit, institutionnellement (c'est-à-dire en bénéficiant de la bénédiction et de la reconnaissance de la société tout entière), une sorte de parc national, de réserve zoologique, où se conserve, se transforme et s'affine, au gré d'expériences surveillées, l'espèce *Femme*. Rarement, en somme, la situation d'un artiste (combinat de pratique, de fonction et de talent) a été plus claire : Erté est un personnage pur et complet, historiquement simple, entièrement et harmonieusement incorporé à un monde homogène, fixé en ses points cardinaux par les grandes activités de son époque, l'Aventure, la Mode, le Cinéma et la Presse, elles-mêmes résumées sous le nom de leurs médiateurs les plus prestigieux, Mata Hari, Paul Poiret, Hollywood, le Harper's Bazaar ; et ce monde a pour centre l'une des dates les plus fortement individualisées de l'histoire des styles : 1925. La mythologie de Erté est si pure, si pleine, qu'on ne sait plus (on ne pense plus à se demander) s'il a créé la Femme de son époque, ou s'il l'a génialement captée, s'il est témoin ou fondateur d'une histoire, héros ou mythologue.

Et pourtant : est-ce de la Femme qu'il s'agit dans cette figuration obsessionnelle de la Femme ? La Femme est-elle l'objet premier et dernier (puisque tout espace signifiant est circulaire) du récit mené par Erté, de carton en carton, depuis plus de cinquante ans, de l'atelier de Paul Poiret (vers 1913) à la télévision new-yorkaise (1968) ? Un trait de style rend pensif : Erté ne *cherche* pas la Femme ; il la donne, tout de suite, répétée et comme dupliquée dans la perspective d'un miroir exact qui multiplierait la même figure à l'infini ; à travers ces milliers de femmes, nul travail de *variation* portant sur le corps féminin, qui en attesterait la densité et l'énigme symboliques. La Femme de Erté est-elle au moins une essence ? Nullement : le modèle de Mode, d'où est dérivée l'iconographie de Erté (et ceci n'est pas la diminuer), n'est pas une idée, fondée en nature ou en raison, ce n'est pas un secret perçu et imagé au terme d'une longue recherche philosophique ou d'un drame de création, mais seulement une marque, une inscription, issue d'une technique et normalisée par un code. La Femme de Erté n'est pas non plus un symbole, l'expression renouvelée d'un corps qui préserverait dans ses formes les mouvements fantasmatiques de son créateur ou de son lecteur (comme il arrive à la

Femme romantique des peintres et des écrivains) : c'est seulement un chiffre, un signe, renvoyant à une féminité conventionnelle (enjeu d'un pacte social), parce qu'elle est pur objet de communication, information claire, passage vers l'intelligible et non pas expression du sensible : ces femmes innombrables ne sont pas les portraits d'une idée, les essais d'un fantasme, mais, tout à l'opposé, le retour d'un morphème identique, qui vient prendre place dans la langue d'une époque et, constituant notre mémoire linguistique, nous permet de parler cette époque (ce qui est un grand bienfait) : pourrions-nous parler sans une mémoire des signes ? Et n'avons-nous pas besoin d'un signe de la Femme, de la Femme comme signe, pour parler d'autre chose ? Erté doit être honoré comme fondateur de signe, créateur de langage, à l'égal du Logothète que Platon comparait à un dieu.

La silhouette

Ce signe féminin, pour le construire, il faut bien sacrifier quelque chose d'énorme, qui est le corps (comme secret, lieu fondateur de l'inconscient). Naturellement, il est impossible d'abstraire complètement (de transformer en signe pur) une représentation du corps humain : l'enfant parvient à rêver même devant les planches anatomiques d'un dictionnaire. Aussi, en dépit de sa chasteté élégante (mais continue), la sémantique de Erté, ce que l'on pourrait appeler sa somatographie, comporte quelques lieux-fétiches (à vrai dire rares) : le doigt, coupé du corps (c'est le propre du fétiche) et par conséquent désigné par le bijou qui le chausse en son bout (au lieu de l'anneler, comme il est fait usuellement), à la façon d'un pansement phallique (castrateur), dans l'étonnant *Bijou pour un doigt* (le cinquième doigt : originairement fouisseur, puis promu symboliquement au rang d'emblème social pour signifier la classe supérieure, chez les peuples qui laissent démesurément pousser l'ongle auriculaire, lequel ne doit être cassé par aucun travail manuel) ; le pied, bien sûr, désigné une seule fois mais exemplairement (faire d'un objet le *sujet* d'une peinture, n'est-ce pas toujours le fétichiser ?) par le délicieux soulier, tout à la fois sage et raffiné, aigu et voluté, oblique et d'aplomb, qui est présenté seul, profilé comme un navire ou une maison, aussi doux que celle-ci, aussi élégant que celui-là ; la croupe enfin, emphatisée par le bouillonnement de traîne qui en part (dans la lettre R de l'alphabet écrit par Erté), mais le plus souvent esquivée (et donc sur-signifiée) par le déplacement dénégateur que l'artiste impose à cette même traîne en la rattachant, non plus aux reins, mais aux épaules, comme dans la Femme-*Guadalquivir.* Ce sont là des fétiches très ordinaires, signalés en passant, pourrait-on dire, par l'artiste ; mais ce qui est à coup sûr fétiche, pour Erté, qui en a fait la spécialité de son œuvre, c'est un lieu du corps qui échappe à la collection classique des organes-fétiches, un lieu ambigu, c'est une limite de fétiche, symbole à regret, beaucoup plus franchement signe, produit de l'art bien plus que de la nature : fétiche sans doute, puisqu'il permet au lecteur de manier fantasmatiquement le corps de la femme, de le tenir à discrétion, de l'imaginer au futur, pris dans une scène adaptée à son désir et dont il serait le sujet bénéficiaire, et cependant dénégation du fétiche, puisque au lieu de résulter d'un découpage du corps (le fétiche est par définition un *morceau*), il est la forme globale, totale de ce corps. Ce lieu (cette forme) intermédiaire entre le fétiche et le signe, visiblement privilégié par Erté qui en donne une représentation constante, c'est la *silhouette.*

La silhouette, ne serait-ce que par son étymologie (du moins en français), est un objet étrange, à la fois anatomique et sémantique : c'est le corps devenu explicitement dessin, très cerné d'une part, tout à fait vide de l'autre. Ce corps-dessin est essentiellement (par fonction) un signe social (c'était bien le sens que les dessinateurs du Contrôleur général des Finances Silhouette donnèrent à leur dessin) ; toute sexualité (et ses substituts symboliques) en est absente ; une silhouette, même substitutivement, n'est jamais nue : on ne peut pas la déshabiller, non par excès de secret, mais parce que, contrairement au vrai dessin, elle n'est que trait (signe). Les silhouettes de Erté (nullement esquissées, crayonnées, mais d'une finitude admirable) sont à la limite du genre : elles sont *adorables* (on peut encore les désirer) et cependant déjà entièrement *intelligibles* (ce sont des signes admirablement précis). Disons qu'elles renvoient à un rapport nouveau du corps et du vêtement. Hegel a noté que le vêtement assure le passage du sensible (le corps) au signifiant ; la silhouette ertéenne (infiniment plus pensée que la figurine de Mode) engage le mouvement contraire (beaucoup plus rare) : elle rend le vêtement sensible et le corps signifiant : le corps est là (signé par la silhouette) pour que le vêtement existe ; car il n'est pas possible de penser un vêtement sans corps (sans silhouette) : le vêtement vide, sans tête et sans membres (fantasme schizophrénique), c'est la mort, non point l'absence neutre du corps, mais le corps décapité, mutilé.

Chez Erté, ce n'est pas le corps féminin qui est vêtu (robes, fourreaux, crinolines, traînes, basques, voiles, bijoux et mille colifichets baroques, dont l'agrément est inépuisable, autant que l'invention), c'est le vêtement qui est prolongé en corps (non point *rempli* par lui, car les figures de Erté, à bon droit irréalistes, sont indifférentes à leurs dessous : tout s'invente, se substitue, se développe poétiquement en surface). Telle est la fonction de la silhouette chez Erté : poser et proposer un objet (un concept, une forme) qui soit unitaire, un mixte indissociable de corps et de vêtement, en sorte qu'on ne puisse ni déshabiller le corps ni abstraire le vêtement : Femme entièrement socialisée par sa parure, parure obstinément corporéifiée par le contour de la Femme.

La chevelure

Pourquoi cet objet (que l'on a appelé, faute de mieux, une silhouette) ? Où conduit cette invention d'une Femme-Vêtement qui n'est cependant plus, et de loin, la Femme de Mode ? Avant de le savoir (et pour le savoir), il faut dire comment Erté traite cet élément du corps féminin qui est précisément, dans sa nature et son histoire même, comme une promesse de vêtement, à savoir la chevelure. On en connaît le symbolisme très riche.

Anthropologiquement, par une métonymie très ancienne, venue du fond des âges, puisque la religion prescrit aux Femmes de la cacher (de la désexualiser) en entrant à l'église, la chevelure est la Femme elle-même, dans sa différence fondatrice. Poétiquement,

c'est une substance totale, proche du grand milieu vital, marin ou végétal, océan ou forêt, par excellence l'objet-fétiche en quoi l'homme s'absorbe (Baudelaire). Fonctionnellement, elle est, du corps, ce qui peut devenir tout de suite vêtement, non point tellement en ce qu'elle peut couvrir le corps, mais parce qu'elle accomplit sans préparation la tâche névrotique de tout vêtement, qui doit, pareil à la rougeur qui empourpre un visage honteux, tout à la fois cacher et afficher le corps. Symboliquement enfin, elle est « ce qui peut être tressé » (comme les poils du pubis) : fétiche que Freud place à l'origine du tissage (institutionnellement dévolu aux femmes) : la tresse se substitue au pénis manquant (c'est la définition même du fétiche), en sorte que « couper la natte (la tresse) », soit amusement de la part des petits garçons à l'égard de leurs sœurs, soit agression sociale chez les Anciens Chinois pour qui la natte était l'apanage phallique des maîtres et envahisseurs mandchous, est un acte castrateur. Or, de chevelures, il n'y en a pour ainsi dire pas dans les gynécographies de Erté. La plupart de ses femmes — trait d'époque — ont les cheveux courts, plaqués à la garçonne, calotte noire, aimablement serpentine ou méphistophélique, simple signature graphique de la tête ; et ailleurs, s'il s'en trouve, les cheveux sont immédiatement transformés en *autre chose* : en plumes, s'extravasant au-dessus de la ligne basse des personnages pour former tout un rideau de panaches, en perles (du diadème quatre fois annelé de *Dalila* ruissellent traîne, guimpe, bracelets et juqu'à la double chaîne qui tient accroupi Samson), en stèles, dans le jeu alterné des Brunes et des Blondes (Rideau pour *Manhattan Mary*) qui n'offrent au public que le front de leurs tresses ondulées. Erté sait bien cependant ce qu'est (symboliquement) une chevelure : dans l'un de ses dessins, du seul visage endormi d'une femme, dérive et déborde une chute de larges boucles, doublée (et c'est là le *sens* de l'objet) d'une gaine de

volutes noires, comme si la chevelure était ici rétablie dans son milieu naturel, le bouillonnement, la vie (la chevelure ne reste-t-elle pas intacte sur le cadavre qui, lui, s'effrite et disparaît ?) ; mais pour Erté, dans l'intérêt de son système (que l'on essaye ici de décrire), visiblement la chevelure doit faire place à un appendice moins symbolique et plus sémantique (ou du moins dont le symbolisme n'est plus végétal, organique) : la coiffure.

La coiffure (en tant qu'appendice vestimentaire, et non en tant qu'arrangement capillaire) est traitée par Erté d'une façon, si l'on peut dire, implacable : pareil à Jean-Sébastien Bach *épuisant* un motif en toutes ses inventions, canons, fugues, ricercari et variations possibles, Erté fait partir de la tête de ses belles toutes les dérivations imaginables : voiles horizontaux tendus à bout de bras au-dessus de la tête, gros tubes de tissu (ou de cheveux ?) rejoignant en volutes la taille puis le sol, cimiers, panaches, diadèmes multiples, auréoles de toutes forme et de toutes dimensions, appendices extravagants (mais élégants) déjouant le modèle historique dont ils sont la réminiscence baroque et démesurée (colback, chaperon, fontange, peigne sévillan, chapska, pschent, etc.), ce sont moins des coiffures (on n'imagine pas un instant qu'on puisse les porter, c'est-à-dire les enlever ; on n'imagine pas non plus comment elles pourraient « tenir ») que des membres supplémentaires destinés à former un nouveau corps inscrit sans le désharmoniser dans la forme essentielle du premier. Car le rôle de ces coiffures chimériques est d'assujettir le corps féminin à quelque idée nouvelle (que nous nommerons bientôt) et par conséquent de le *dé-former* (en ôtant à ce mot tout sens péjoratif), soit que la coiffure, sorte de fleur mi-végétale mi-solaire, se répète au bas du corps et irréalise ainsi le sens ordinaire de la figure humaine, soit que, beaucoup plus fréquemment, elle prolonge la stature de toute sa hauteur, pour doubler son pourvoir d'extension et d'articulation ; le visage n'est alors que le proscenium impassible de cette coiffure démesurément haute où se situent le possible infini des formes et, par un déplacement paradoxal, l'expressivité même de la figure : si la femme de *l'Annonciation* a pour ainsi dire « les cheveux dressés sur la tête », c'est parce qu'ils sont *aussi* le surplis de l'ange qui s'éploie tout en haut de la composition, dans une apothéose d'ailes. La duplication supérieure de la figure par la coiffure intéresse Erté au point qu'il en fait la cellule d'un mouvement infini : sur le haut pschent de *la Pharaonne* se peint en abîme une autre Pharaonne ; installée au sommet d'une pyramide d'adorateurs, *la Courtisane* triomphante est coiffée d'une tiare élevée, mais cette tiare est à son tour une femme : la femme et sa coiffure (on devrait pouvoir dire : la coiffure et sa femme) modulent ainsi sans cesse l'une vers l'autre, l'une par l'autre. Ce goût des constructions ascensionnelles (outre les coiffures en échafaudage, il faut voir *la princesse Boudour al Badour* perchée sur son palanquin et surmontée d'un motif infiniment aérien, ou *la du Barry,* dont deux anges supérieurs soutiennent et enlèvent les colliers) mériterait peut-être une psychanalyse, comme celles que faisait Bachelard ; mais la vérité de notre artiste, comme on l'a dit, n'est pas de ce côté-là du symbole ; le thème ascensionnel est avant tout, pour Erté, la désignation d'un espace *possible* de la ligne où, partie du corps, elle puisse en multiplier le pouvoir de signification. La coiffure, accessoire majeur (elle a ses substituts mineurs dans les écharpes, traînes, colliers et bracelets, tout ce qui *part* du corps), est cela même par quoi l'artiste *essaye* sur le corps féminin les transformations dont il a besoin pour élaborer, tel un alchimiste, un objet nouveau, ni corps ni vêtement, participant néanmoins de l'un et de l'autre.

La lettre

Cet objet nouveau que Erté fait naître, telle une chimère composée par moitié de Femme et par moitié de coiffure (ou de traîne), cet objet est la Lettre (ce mot doit s'entendre *à la lettre*).

L'alphabet de Erté est, je crois, célèbre. On sait que chacune de nos vingt-six lettres, sous sa forme majuscule, y est composée (à peu d'exceptions près, dont on parlera pour finir) d'une femme ou de deux, dont la posture et la parure s'inventent en fonction de la lettre (ou du chiffre) qu'elles doivent figurer et à laquelle cette femme (ou ces femmes) s'asservit. Qui a vu l'alphabet de Erté ne peut l'oublier. Non seulement cet alphabet force notre mémoire d'une façon assez mystérieuse (qui nous pousse à nous souvenir avec insistance de ces Femmes-Lettres ?), mais encore, par une métonymie naturelle (inévitable), il imprègne finalement de son sens toute l'œuvre de Erté : nous voyons se profiler derrière toute femme de Erté (figurine de Mode, maquette de théâtre) une sorte d'esprit de la Lettre, comme si l'alphabet était le lieu naturel, originaire et comme domestique du corps féminin et que la femme n'en sortît, pour occuper la scène de théâtre ou le carton de mode, que provisoirement et par un congé temporaire, après quoi elle doive réintégrer son abécédaire natif : voyez *Samson et Dalila :* rien à voir avec un alphabet ; et cependant les deux corps ne se logent-ils pas dans le même espace comme deux initiales entremêlées ? Hors l'alphabet qu'il a conçu, les femmes de Erté restent des lettres ; tout au plus sont-elles alors des lettres inconnues, les lettres d'une langue inouïe que notre particularisme nous empêcherait de parler ; la série des peintures de tôle découpée (œuvre peu connue) n'a-t-elle pas l'homogénéité, la richesse de variation et l'esprit formel d'un alphabet inédit, qu'on aurait envie d'épeler ? Ces peintures sont, comme on dit, non figuratives, et c'est en cela qu'elles sont vouées à l'alphabet (fût-il inconnu), car la lettre est le lieu où convergent toutes les abstractions graphiques.

Dans l'alphabet généralisé de Erté, il y a échange dialectique : la Femme semble prêter à la Lettre sa figure ; mais en retour, et beaucoup plus sûrement, la Lettre donne à la Femme son abstraction : en *figurant* la lettre, Erté *infigure* la femme (si l'on permet ce barbarisme, nécessaire puisque Erté ôte à la femme sa figure — ou du moins l'évapore — sans la défigurer) : un glissement incessant saisit les figures de Erté, transforme les lettres en femmes, mais aussi (notre langue même a justement reconnu leur parenté) les *jambes* en *jambages.* On comprend maintenant l'importance de la *silhouette* dans l'art de Erté (on a dit son sens ambigu : symbole et signe, fétiche et message) : la silhouette est un produit essentiellement graphique : elle fait du corps humain une lettre en puissance, elle demande à être *lue*.

Cet œcuménisme de la lettre chez Erté, qui fut à l'origine un dessinateur de Mode, entraîne salutairement à rectifier une opinion courante : que la Mode (la figuration stylisée des novations du vêtement féminin) appelle naturellement une certaine philosophie de la Femme : tout le monde pense (modélistes et journalistes) que la Mode est au service de la Femme éternelle, comme une prêtresse qui donnerait sa voix à une religion. Les couturiers ne sont-ils pas des poètes qui écrivent d'année en année, de strophe en strophe, le chant de gloire du corps féminin ? Le rapport *érotique* de la Femme et de la Mode ne va-t-il pas de soi ? Aussi, chaque fois que la Mode change notablement (passant par exemple du long au court), voit-on les courriéristes s'empresser d'interroger les psychologues, les sociologues pour savoir quelle Femme nouvelle va naître de la mini-jupe ou de la robe-sac. Peine à vrai dire perdue : nul ne peut répondre : hors de stéréotypes, aucun discours ne peut être tenu sur la Mode, dès lors qu'on la tient pour l'*expression* symbolique du corps : elle s'y refuse, obstinément, et c'est normal : choisissant de produire le *signe* de la Femme (ou la Femme comme signe), elle ne peut parcourir, approfondir, décrire sa capacité symbolique ; contrairement à ce qu'on veut nous faire croire (et à moins d'en avoir une idée peu exigeante), la Mode n'est pas érotique ; elle cherche la clarté, non la volupté ; la cover-girl n'est pas un bon objet de fantasme : elle est trop occupée à se constituer en signe : impossible de vivre (imaginairement) avec elle, il faut seulement la *déchiffrer*, ou plus exactement (car il n'y a en elle aucun secret) la placer dans le système général des signes qui nous rend notre monde intelligible, c'est-à-dire vivable.

C'est donc un peu une illusion de croire que la Mode est obsédée du corps. La Mode est obsédée de cette autre chose que Erté a découverte, avec la lucidité dernière de l'artiste, et qui est la Lettre, l'inscription du corps dans un espace systématique de signes. Il se peut que Erté ait fondé une Mode (celle de 1925), au sens contingent du terme ; mais ce qui est beaucoup plus important, c'est qu'il a (dans son œuvre, et même si, sur ce point, comme tout vrai novateur, il est peu suivi) réformé l'idée de Mode, en négligeant l'illusion féministe où se complaît l'opinion courante (celle, par exemple, de la culture de masse) et en déplaçant tendanciellement le champ symbolique, de la Femme à la Lettre. Certes, la Femme est présente dans l'œuvre de Erté (et même omniprésente) ; mais elle n'est que le *thème* de cette œuvre, non son lieu symbolique. Interroger les Femmes de Erté ne servirait à rien ; elles ne diraient rien de plus qu'elles-mêmes, n'étant guère plus loquaces (symboliquement) qu'un lexique qui donne la définition (somme toute tautologique) d'un mot, et non son avenir poétique. Le propre du signifiant, c'est d'être un *départ* (d'autres signifiants) ; et le lieu du départ signifiant, chez Erté, ce n'est pas la Femme (elle ne devient rien, sinon sa propre coiffure, elle est le simple chiffre de la féminité mythique), c'est la Lettre.

La Lettre, l'Esprit, la Lettre

Pendant longtemps, d'après un aphorisme célèbre de l'Évangile, on a opposé la Lettre (qui tue) à l'Esprit (qui vivifie). De cette Lettre (qui tue), sont nées dans notre civilisation un grand nombre de censures meurtrières (combien de morts, dans notre histoire, à commencer par celle de notre religion, pour *un* sens ?), que l'on pourrait grouper, en l'étendant un peu, sous le nom générique de philologie ; gardienne sévère du sens « vrai » (univoque, canonique), cette Lettre a toutes les fonctions du sur-moi, dont la première tâche, dénégatrice, est évidemment de refuser tout symbolisme ; celui qui pratique cette Lettre meurtrière est lui-même frappé d'une maladie mortelle du langage, l'asymbolie (mutilé de toute activité symbolique, l'homme mourrait bientôt ; et si l'asymboliste survit, c'est que la dénégation dont il se fait le prêtre est elle aussi une activité symbolique qui n'ose pas dire son nom).

C'était donc, en son temps, une mesure vitale que d'opposer à cette lettre meurtrière les droits de l'*esprit.* L'esprit n'est pas ici l'espace du symbole, mais seulement celui du sens : l'esprit d'un phénomène, d'une parole, c'est simplement son droit à *commencer* de signifier (alors que la littéralité est précisément refus de s'engager dans un procès de signification) : l'*esprit* (opposé à la *lettre*) est donc devenu la valeur fondamentale des idéologies libérales ; le droit à l'interprétation est certes placé au service d'une vérité spirituelle, mais cette vérité se conquiert *contre* son apparence (contre l'*être-là* de la chose), *au-delà* de cette apparence, vêtement qu'il faut dépouiller sans plus en tenir compte.

Par un second renversement cependant, la modernité revient à la lettre — qui n'est évidemment plus celle de la philologie. D'une part, rectifiant un postulat de la linguistique qui, ordonnant tout le langage à sa forme parlée, fait de la lettre la simple transcription du son, la philosophie (avec Jacques Derrida, auteur d'un livre qui s'appelle précisément *De la grammatologie*) oppose à la parole un être de l'écriture : la lettre, dans sa matérialité graphique, devient alors une idéalité irréductible, liée aux expériences les plus profondes de l'humanité (comme cela se voit bien en Orient, où le graphisme détient un véritable pouvoir de civilisation). D'autre part, la psychanalyse (dans ses recherches les plus récentes) montre bien que la lettre (comme trait graphique, fût-il d'origine sonore) est un grand carrefour de symboles (vérité pressentie par toute une littérature baroque et par l'art entier de la calligraphie), départ et rassemblement de métaphores innombrables. Cette nouvelle lettre, cette seconde lettre (opposée à la lettre littérale, celle qui tue), son empire est encore à décrire : depuis que l'humanité écrit, de quels jeux la lettre n'a-t-elle pas été le départ ! Prenez une lettre : vous verrez son secret s'approfondir (et ne jamais se fermer) le long d'associations (de métonymies) infinies où vous retrouverez tout, du monde : son histoire, la vôtre, ses grands symboles, la philosophie de votre propre nom (par ses initiales), etc. Avant Erté (mais c'est une époque neuve, tant elle est oubliée), le Moyen Age a déposé un trésor d'expériences, de rêves, de sens, dans le travail de ses onciale ; et l'art graphique, si nous pouvions secouer le joug empiriste de notre société, qui réduit le langage à un simple instrument de communication, devrait être l'art majeur, en qui se dépasse l'opposition futile du figuratif et de l'abstrait : car une lettre, tout à la fois, veut dire et ne veut rien dire, n'imite pas et cependant symbolise, congédie en même temps l'alibi du réalisme et celui de l'esthétisme.

R.T.

Saussure est connu par son *Cours de linguistique générale,* d'où est sortie une bonne partie de la linguistique moderne. On commence à deviner cependant, par quelques publications fragmentaires, que le grand dessein du savant genevois n'était nullement de fonder une linguistique nouvelle (il estimait peu, dit-on, son *Cours*), mais de développer et d'imposer aux autres savants (fort sceptiques) une découverte qu'il avait faite et qui obséda sa vie (beaucoup plus que la linguistique structurale) : à savoir qu'il existe, tressé dans le vers des anciennes poésies (védique, grecque, latine) quelque nom (de dieu, de héros) placé là par le poète d'une façon quelque peu ésotérique — et cependant régulière, ce nom s'entendant par sélection successive de quelques lettres privilégiées. La découverte de Saussure, c'est, en somme, que la poésie est double : fil sur fil, lettre sur lettre, mot sur mot, signifiant sur signifiant. Ce phénomène anagrammatique, Saussure, l'ayant perçu, a cru en effet le retrouver partout ; il en était assiégé ; il ne pouvait lire un vers sans entendre dans le bruissement du premier sens un nom solennel, formé par la fédération de quelques lettres apparemment dispersées le long du vers. Partagé entre sa raison de savant et la certitude de cette seconde écoute, Saussure fut très tourmenté : il craignait de passer pour fou. Cependant, quelle admirable vérité symbolique ! Le sens n'est jamais simple (sauf en mathématiques) et les lettres qui forment un mot, quoique chacune d'elles soit *rationnellement* insignifiante (la linguistique nous a assez dit que les sons forment des unités distinctives, et non des unités signifiantes, à l'inverse des mots), cherchent en nous, sans cesse, leur liberté, qui est de signifier autre chose. Ce ne peut être par hasard si, au seuil de sa carrière, Erté a pris les initiales de ses deux noms et en a fait un troisième, qui est devenu son nom d'artiste : comme Saussure, il n'a fait qu'*écouter* ce double, tressé sans qu'il le sache dans l'énoncé courant, mondain, de son identité ; par ce procédé annonciateur, il désignait déjà l'objet permanent de son œuvre, la lettre : la lettre, où qu'elle soit (à plus forte raison dans notre nom), fait toujours signe, comme cette femme qui, tenant un bel oiseau à chaque main et levant inégalement ses bras, opère le F de l'alphabet ertéen : la femme fait le signe et le signe fait signe : une sorte d'art scriptural est fondé, où le signe peut infiniment se décrocher.

L'alphabet

Erté a composé un alphabet. Prise dans l'alphabet, la lettre y devient primordiale (elle y est ordinairement majuscule) ; donnée sous son état *princeps*, elle y renforce son essence de lettre : c'est ici la lettre pure, à l'abri de toute tentation qui l'enchaînerait et la dissoudrait dans le mot (c'est-à-dire dans un sens contingent). Claudel disait de la lettre chinoise qu'elle possédait un être schématique, une personne scripturale. Par son travail poétique, Erté fait de chacune de nos lettres occidentales un idéogramme, c'est-à-dire un graphisme qui se suffit à lui-même, il congédie le mot : qui aurait envie d'écrire un mot avec les lettres de Erté ? Ce serait comme un contresens : le seul mot, le seul syntagme composé par Erté avec ses lettres, c'est son propre nom, c'est-à-dire encore deux lettres. Il y a dans l'alphabet de Erté un choix qui dénie la phrase, le discours. Claudel, ici encore, nous aide à secouer cette paresse qui nous laisse croire que les lettres ne sont que les éléments inertes d'un sens qui ne naîtrait que par combinaisons et accumulations de formes neutres ; il nous aide à comprendre ce que peut être une lettre solitaire (dont l'alphabet nous garantit la solitude) : « La lettre est par essence analytique : tout mot qu'elle constitue est une énonciation successive d'affirmations que l'œil et la voix épellent : à l'unité elle ajoute sur une même ligne l'unité, et le vocable précaire dans une perpétuelle variation se fait et se modifie. » La lettre de Erté est une affirmation (fût-elle pleine d'aménité), elle se pose antérieurement au *précaire* du mot (qui se défait de combinaisons en combinaisons) : seule, elle cherche à se développer non vers ses sœurs (le long de la phrase) mais vers la métaphore sans fin de sa forme individuelle :

voie proprement poétique, qui ne mène pas au discours, au *logos*, à la *ratio* (toujours syntagmatique), mais au symbole infini. Tel est le pouvoir de l'alphabet : retrouver une sorte d'état naturel de la lettre. Car la lettre, si elle est seule, est innocente : la faute, les fautes commencent lorsqu'on *aligne* les lettres pour en faire des mots (quel meilleur moyen de mettre fin au discours de l'autre que de défaire le mot et de le faire revenir à la lettre primordiale comme il est bien dit dans la locution populaire : *n, i, ni, c'est fini*).

Qu'on permette ici une brève digression personnelle. L'auteur de ces lignes a toujours éprouvé un vif mécontentement de lui-même à ne pouvoir s'empêcher de faire toujours les mêmes fautes de frappe en recopiant un texte à la machine. Ces fautes sont banalement des omissions ou des additions : diabolique, la lettre est *en trop* ou *en moins* ; la faute la plus retorse (déformant le mot de la façon la plus perfide), la plus fréquente aussi, c'est la métathèse : combien de fois (animé sans doute d'une irritation inconsciente contre des mots qui m'étaient familiers et dont par conséquent je me sentais prisonnier) n'ai-je pas écrit *sturcture* (au lieu de *structure*), *susbtituer* (pour *substituer*) ou *trasncription* (pour *transcription*) ? Chacune de ces fautes, à force de se répéter, prend une physionomie bizarre, personnelle, malveillante, elle me signifie qu'il y a quelque chose en moi qui résiste au mot et le châtie en le défigurant. D'une certaine façon, avec le mot, avec la suite intelligible de lettres, c'est le mal qui commence. Aussi, antérieur ou extérieur au mot, l'alphabet accomplit-il une sorte d'état adamique du langage : c'est le langage avant la faute, parce que c'est le langage avant le discours, avant le syntagme, et cependant, déjà, par la richesse substitutive de la lettre, entièrement ouvert sur les trésors du symbole. Voilà pourquoi, outre leur grâce, leur invention, leur qualité esthétique, ou plutôt à travers ces propriétés mêmes, que ne vient ternir aucune intention de sens (de discours), les lettres de Erté sont des objets *heureux*. Semblable à la bonne fée qui touchant l'enfant de sa baguette, à titre de don gracieux, faisait tomber des roses de sa bouche en même temps qu'il parlait (au lieu des crapauds suscités par sa vilaine rivale), Erté nous apporte en don la lettre pure, qui n'est encore compromise dans aucune association et n'est dès lors touchée par aucune possibilité de faute : gracieuse et incorruptible.

La sinueuse

La matière dont Erté fait la lettre, on l'a dit, est un mixte de femme et de parure ; le corps et le vêtement se supplémentent l'un l'autre ; l'appendice vestimentaire évite à la femme toute posture acrobatique et la transforme en lettre sans qu'elle perde rien de sa féminité, comme si la lettre était « naturellement » féminine. Les opérateurs de lettres sont nombreux et divers : ailes, queues, cimiers, panaches, cheveux, écharpes, fumées, ballons, traînes, ceintures, voiles ; ces « mutants » (ils assurent la mutation de la Femme en Lettre) n'ont pas seulement un rôle formateur (par leurs compléments, leurs corrections, ils aident à créer géométriquement la lettre) mais aussi conjuratoire : ils permettent, par le rappel d'un objet gracieux ou culturel (familier), d'exorciser la mauvaise lettre (il y en a) : T est un signe funeste : c'est un gibet, une croix, un supplice ; Erté en fait une nymphe printanière, florale, le corps nu, la tête couverte d'un voile léger ; là où l'alphabet littéral dit : *les bras en croix,* l'alphabet symbolique de Erté dit : *les bras offerts,* engagés dans un geste à la fois pudique et favorable. C'est que Erté fait avec la lettre ce que le poète fait avec le mot : un jeu. Le jeu de mots repose sur un mécanisme sémantique très simple : un seul et même signifiant (un mot) prend simultanément deux signifiés différents, en sorte que l'écoute du mot est divisée : c'est, bien nommée, la *double entente.* Installé dans le champ symbolique, Erté pratique, si l'on peut dire, la *double vision* : vous percevez, à votre gré, la femme ou la lettre, et, supplémentairement, l'agencement de l'une et de l'autre. Voyez le chiffre 2 : c'est une femme agenouillée, c'est un long panache en point d'interrogation, c'est 2 ; la lettre est une forme totale et immédiate, qui perdrait son sens propre si on l'analysait (conformément à la théorie de la Gestalt), mais c'est en même temps une charade, c'est-à-dire un combinat analytique de parties dont chacune a déjà un sens. Comme celui des poètes baroques ou des peintres surimpressifs, tel Arcimboldo, le procédé de Erté est retors : il fait fonctionner le sens à des

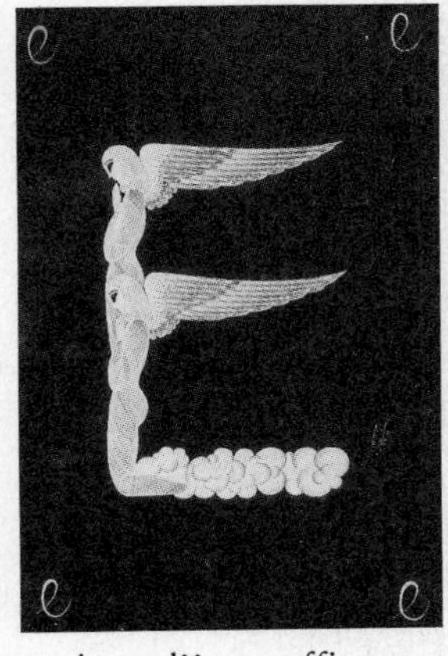

niveaux rationnellement contradictoires (parce que apparemment indépendants) : celui du tout et celui de chaque partie ; Erté a, si l'on peut dire, ce *coup d'esprit* (comme on dit : un *coup de patte*) qui ouvre d'un seul geste le monde du signifiant, le monde du jeu.

Ce jeu se fait à partir de quelques formes simples, des arché-formes (toute lettre les suppose). Relisons Claudel : « Toute écriture commence par le trait ou ligne qui, un, dans sa continuité, est le signe pur de l'individu. Ou donc la ligne est horizontale, comme toute chose qui, dans le seul parallélisme à son principe, trouve une raison d'être suffisante ; ou, verticale comme l'arbre et l'homme, elle indique l'acte et pose l'affirmation ; ou, oblique, elle marque le mouvement et le sens. » En regard de cette analyse, Erté apparaîtra peu claudelien (on pouvait s'y attendre). Il y a dans son alphabet très peu d'horizontales (à peine deux traits d'ailes ou d'oiseaux, dans le E et le F, un envol de chevelure dans le 7, une jambe dans l'A) ; Erté est peu tellurien, peu fluvial, les arcanes de la cosmogonie religieuse ne l'inspirent pas, le *principe* extra-humain n'est pas son fort. Quant aux verticales, elles n'ont pas chez lui le sens optimiste, volontariste, humaniste que le poète catholique donnait à cette ligne, marquée pour lui d'une « inviolable rectitude ». Voyez le 1 : cette fille toute droite dans son bocal a bien, semble-t-il, quelque chose de primordial, comme si naître, c'était s'incarner d'abord dans la simplicité première de la droite ; mais complétez ce 1 par le I qui en est tout proche, la femme y est décapitée, la boule de l'I séparée de son tronc : aux lettres droites et nues, trop simples, dirait-on, il manque la rondeur de la vie ; ce sont, tendanciellement, des lettres mortes ; ce sens est corroboré par deux allégories explicites : *la Tristesse* et *l'Indifférence* sont pour Erté des verticales excessives, paroxystiques : ce qui est triste et qui rebute, c'est d'être trop droit, exclusivement droit : bonne

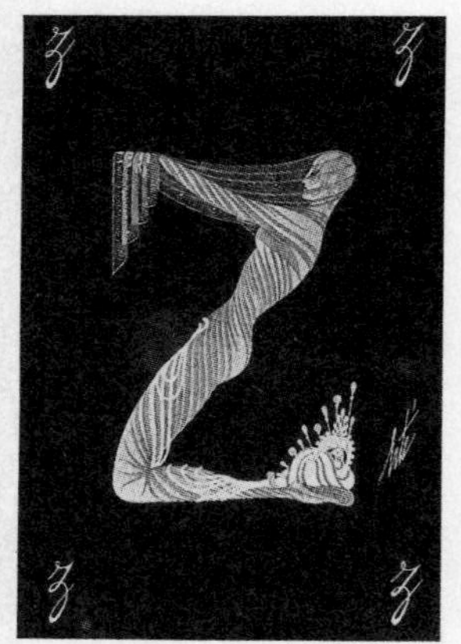

intuition psychologique : la droite verticale est ce qui coupe, c'est le fil, le tranchant, ce qui opère la fente séparatrice (*schizein* veut dire en grec : *fendre*) dont est marqué (et défini) le schizophrène, triste et indifférent. Des obliques, il y en a dans l'alphabet de Erté (comment faire des lettres sans barres ?) ; l'obliquité amène Erté à des inventions inattendues : voile transversal du N, corps rejeté en arrière du Z, corps cassé et expulsé du K ; mais cette ligne, dont Claudel faisait le symbole naturel du mouvement et du sens, n'est pas celle que préfère Erté. Alors ? Deux lignes indifférentes (l'horizontale et l'oblique) et une mauvaise (la verticale) : où est donc le *bonheur* de Erté (et le nôtre) ? La structure répond, corroborant l'évidence : on sait qu'en linguistique le paradigme idéal comporte quatre termes : deux termes polaires (A s'oppose à B), un terme mixte (à la fois A et B) et un terme neutre ou zéro (ni A ni B) ; les lignes primordiales de l'écriture se rangent facilement sous ce paradigme : les deux termes polaires sont l'horizontale et la verticale ; le terme mixte est l'oblique, compromis des deux premières ; mais le quatrième terme, le terme neutre, la ligne qui refuse à la fois l'horizontale et la verticale ? C'est celle que préfère Erté, c'est la sinueuse ; elle est visiblement pour lui l'emblème de la vie, non point de la vie brute, première, notion métaphysique étrangère à l'univers de Erté, mais la vie fine, civilisée, socialisée, que le thème féminin permet de « chanter » (comme on disait de l'ancienne poésie ; ce qui veut dire : dont la Femme permet de parler, qu'elle ouvre à la parole graphique) : comme valeur culturelle (et non plus « naturelle »), la féminité est sinueuse : l'arché-forme du S permet d'écrire l'Amour, la Jalousie, la dialectique même du sentiment vital, ou, si l'on préfère un terme plus psychologique (et cependant toujours matériel) : la *duplicité*. Cette philosophie de la sinuosité s'exprime dans le Masque (*le Mystère du Masque*, dit une composition de Erté) : outre que la

Femme est, si l'on peut dire, *sur* le Masque (son corps ponctue le pincement du nez, ses ailes sont les bajoues et elle se loge aussi dans l'embrasure des yeux), tout le Masque est comme une étoffe où s'écrit, à la manière chinoise, un S double, symétrique et inversé, dont les quatre volutes terminales vous regardent encore (ne dit-on pas : l'*œil* de la volute ?) : car le regard n'est droit que par une abstraction optique : regarder, c'est être aussi regardé, c'est poser un circuit, un *retour*, ce que disent à la fois le S de l'œil et le Masque, écran qui vous regarde.

Départs

Les lettres de Erté sont « poétiques ». Qu'est-ce que cela veut dire ? Le « poétique » n'est pas quelque impression vague, une sorte de valeur indéfinissable, à quoi l'on se référerait commodément par soustraction du « prosaïque ». Le « poétique » est très exactement la capacité symbolique d'une forme ; cette capacité n'a de valeur que si elle permet à la forme de « partir » dans un très grand nombre de directions et de manifester ainsi en puissance le cheminement *infini* du symbole, dont on ne peut jamais faire un signifié dernier et qui est en somme toujours le signifiant d'un autre signifiant (ce pour quoi le véritable antonyme du poétique n'est pas le prosaïque mais le stéréotypé). Il est donc vain de vouloir établir une liste canonique des symboles libérés par une œuvre : seules les banalités sont justiciables d'un inventaire, car elles seules sont *finies*. On n'a pas à reconstituer une thématique de Erté ; il suffit d'affirmer la puissance de *départ* de ses formes — qui est aussi bien une puissance de retour, puisque la voie symbolique est circulaire et que ce *vers quoi* nous entraîne Erté est peut-être cela même *à partir de quoi* l'invention de la lettre s'établit : le O est une bouche, bien sûr, mais les deux acrobates sens dessus dessous qui le forment y ajoutent le signe même de l'effort, c'est-à-dire de l'ouverture qui est ce dont l'homme supplémente la ligne fermée de ses lèvres, lorsqu'il veut vivre ; quant au zéro, autre O, c'est bien

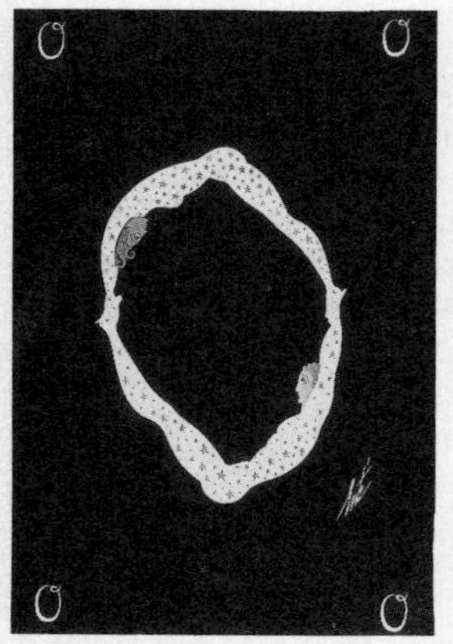

encore la bouche, mais cette bouche tient une cigarette et elle peut de la sorte se couronner métonymiquement d'une autre bouche, courant de fumée bleue qui s'échappe d'une commissure et rejoint l'autre : deux départs pour, au fond, la même forme ; K, occlusive, fait partir les deux jambages obliques de son graphisme d'une sorte de *claque*, que la barre rigide de sa première ligne impose, par ricochet, au postérieur de la femme (c'est ici le phonétisme de la lettre qui est exploité, puisque la *claque* est un mot onomatopéïque : vérité linguistique, car nous savons maintenant qu'il existe un symbolisme phonétique, et même, pour certains mots, une sémantique des sons) ; L, c'est le *lien* (ou la liane), femme tenant en laisse une panthère couchée, femme-panthère, mythe de l'asservissement fatal ; D, c'est Diane, nocturne, lunaire, musicale et chasseresse ; plus subtilement, dans le N, qui est la lettre spéculaire par excellence, puisque, vue dans un miroir, son trait oblique serait inversé sans que sa figure générale soit modifiée et sans qu'elle cesse d'être lisible, deux stèles, deux bustes symétriques échangent un voile médiateur : l'un se dévêt de ce dont l'autre se couvre, mais ce pourrait être le contraire. Ainsi vont les lettres de Erté, à la fois femmes, parures, coiffures, gestes et lignes : chacune est à la fois sa propre essence (pour imager une lettre, il faut saisir son archétype) et le départ d'une aventure symbolique, dont le lecteur (ou l'amateur) doit laisser en lui se développer le jeu.

M

Cependant, on le sait, lâcher des symboles n'est jamais un acte spontané ; l'affirmation poétique s'appuie sur des dénégations, des démentis imprimés par l'artiste au sens platement culturel de la forme : la création symbolique est un combat contre les stéréotypes. Erté défait le sens premier de certaines lettres. Voyez son E (important puisqu'il fait partie de son nom écrit) ; cette lettre est graphiquement réputée ouverte, par ses trois branches, vers la suite du mot ; elle va, comme on dit, de l'avant ; sans la défigurer, Erté retourne son tropisme ; l'arrière de la lettre devient son front ; la lettre regarde vers la gauche (région dépassée, selon le sens de notre écriture), elle s'effiloche vers son avant, comme si la traîne et les ailes de ses deux femmes étaient prises dans un vent contraire. Voyez encore le Q, lettre inévitablement malsonnante en français, et par conséquent quelque peu *tabou* : c'est l'une des plus gracieuses que Erté ait imaginée : deux oiseaux forment cercle, de leurs becs joints jusqu'à l'extrémité de leurs longues queues qui s'entrecroisent pour former cette virgule de la lettre qui la différencie du O. Au-delà de ces accentuations euphoriques, Erté prend ses distances à l'égard de toute une mythologie de la lettre qui, pour être superbement poétique, n'en est pas moins un peu trop connue : celle que Rimbaud nous a léguée dans son sonnet des « Voyelles » : A n'est pas pour Erté un « golfe d'ombre », un « noir corset velu », mais c'est l'arqueboutement jaune de deux corps face à face, dont les jambes en équerre tirent de leur acrobatie une idée de tension constructive ; E, angélique et féminin, n'est pas « la lance des glaciers fiers » ; I, si sa tête décollée de son corps sage et modeste confère à sa rectitude, comme on l'a dit, un soupçon d'inquiétude, n'est nullement pourpre (il n'y a jamais de sang dans l'œuvre de Erté) ; U, dont les deux branches enferment, comme celles de deux vases communicants, deux femmes fauves, n'est pas la marque cyclique imprimée par l'alchimie aux grands fronts studieux ; et le O de Erté, ligne dessinée dans l'air comme la figure de deux acrobates, n'est en rien le « suprême clairon plein de strideurs étranges », ce n'est pas l'Oméga, foyer du « Rayon violet de Ses Yeux », mais seulement la bouche, ouverte pour sourire, embrasser ou parler. C'est que pour Erté, il faut y insister encore, l'espace de l'alphabet, même si la lettre se souvient de son phonétisme, n'est pas sonore, mais graphique ; il s'agit principalement d'un symbolisme des lignes, non des sons : c'est la lettre qui « part », non le phonème ; ou du moins ce quelque chose qui avant de s'identifier à un son clair est un geste musculaire marqué en nous par des mouvements d'occlusion, de concentration et de détente (c'est le travail de l'acrobate, figuré dans le O, dans le A, dans le X, dans le Y, dans le 4), Erté le cherche toujours du côté de la ligne, du trait, unité graphique ; son symbolisme est contenu, mais du moins s'empare-t-il d'un art délaissé par notre grande culture et qui est l'art typographique. Enracinée dans cet art, la lettre, détachée du son, ou du moins le soumettant, l'incorporant à ses lignes, libère un symbolisme propre dont le corps féminin devient le médiateur. Finissons par quatre lettres de Erté qui accomplissent exemplairement ce développement métaphorique, où se tressent le son et la ligne. R est, phonétiquement, une valeur *grasse* (ce n'est que par exception que les Parisiens d'abord, les Français ensuite, l'escamotent) : R est un son rural, terrien, matériel : R roule (pour Cratyle, le dieu logothète en avait fait un son fluvial) ; d'une femme nue, offerte sur ses talons hauts, en dépit du geste méditatif de sa main levée, s'épanouit postérieurement tout un large canal d'étoffe (ou de chevelure : on sait qu'on ne peut et qu'il ne faut pas distinguer), dont la courbe grasse, prenant appui sur les fesses, à la façon des anciennes tournures, forme les deux volutes du R, comme si la femme désignait abondamment par-derrière ce qu'elle semble réserver par-devant. Même matérialité (qui ne cesse jamais d'être élégante) dans le S : c'est une femme sinueuse, lovée dans le contournement de la lettre, fait lui-même d'un bouillonnement rose ; on dirait que le jeune corps nage dans quelque substance primordiale, effervescente et lisse tout à la fois, et que la lettre dans son entier est une sorte d'hymne printanier à l'excellence de la sinuosité, ligne de vie. Tout autre est une lettre voisine, sœur jumelle et pourtant ennemie du S : le Z ; Z n'est-il pas un S inversé et angulé, c'est-à-dire *démenti* ?

Pour Erté, c'est une lettre dolente, crépusculaire, voilée, bleutée, dans laquelle la femme inscrit à la fois sa soumission et sa supplication (pour Balzac aussi, c'était une lettre mauvaise, comme il l'explique dans sa nouvelle *Z. Marcas*).

Il est enfin dans cette cosmographie alphabétique de Erté une lettre singulière, la seule, je crois, qui ne doive rien à la Femme ou à ses substituts favoris, l'ange et l'oiseau. Cette lettre inhumaine (puisqu'elle n'est plus anthropomorphe) est faite de flammes fauves : c'est une porte qui brûle, dévorée de mèches : la lettre de l'amour et de la mort (du moins dans nos langues latines), la lettre populaire du noir Souci, flamboie seule, au milieu de tant de Femmes-Lettres (comme on dit : des Filles-Fleurs), comme l'absence mortelle de ce corps dont Erté a fait le plus bel objet qu'on puisse imaginer : une écriture.

Erté

Arcimboldo
ou
Rhétoriqueur et Magicien

Officiellement, Arcimboldo était le portraitiste de Maximilien. Son activité, cependant, excéda de beaucoup la peinture : il composa des blasons, des armes ducales, des cartons de vitraux, de tapisserie, il décora des buffets d'orgue et proposa même une méthode colorimétrique de transcription musicale, selon laquelle « une mélodie pouvait être représentée par de petites taches de couleur sur un papier » ; mais surtout il fut un amuseur de princes, un montreur de tours : il organisa et mit en scène des divertissements, inventa des carrousels (*giostre*). Ses têtes composées, qu'il fabriqua pendant vingt-cinq ans à la cour des empereurs d'Allemagne, avaient en somme la fonction d'un jeu de salon. Dans mon enfance, au jeu des Familles, chacun des joueurs, tenant des cartons illustrés dans sa main, devait demander à l'un de ses partenaires, l'une après l'autre, les figures de la famille qu'il devait réunir : le Charcutier, la Charcutière, leur fils, leur fille, leur chien, etc. ; devant une tête composée d'Arcimboldo, je suis appelé de la même façon à reconstituer la famille de l'Hiver : je demande ici une souche, là un lierre, un champignon, un citron, un paillasson, jusqu'à ce que j'aie sous les yeux tout le thème hivernal, toute la « famille » des produits de saison morte. Ou encore, avec Arcimboldo, nous jouons à ce jeu qu'on appelle le « portrait chinois » : quelqu'un sort de la pièce, l'assemblée décide d'un personnage qu'il faudra deviner, et lorsque l'enquêteur revient, il doit résoudre l'énigme par le jeu patient des métaphores et des métonymies : Si c'était une joue, que serait-ce ? — Une pêche. — Si c'était une collerette ? — Des épis de blé mûr. — Si c'était un œil ? — Une cerise. — J'ai trouvé : c'est l'Été.

*

Dans la figure de *l'Automne*, l'œil (terrible) est fait d'une petite prune. Autrement dit (en français, du moins), la « prunelle » (botanique) devient la « prunelle » (oculaire). On dirait que, tel un poète baroque, Arcimboldo exploite les « curiosités » de la langue, joue de la synonymie et de l'homonymie. Sa peinture a un fond langagier, son imagination est proprement poétique : elle ne crée pas les signes, elle les combine, les permute, les dévoie — ce que fait exactement l'ouvrier de la langue.

*

L'un des procédés du poète Cyrano de Bergerac consiste à prendre une métaphore bien banale de la langue et à en exploiter infiniment le sens littéral. Si la langue dit « mourir de chagrin », Cyrano imagine l'histoire d'un condamné à qui les bourreaux font entendre des airs si lugubres qu'il finit par mourir du chagrin de sa propre mort. Arcimboldo agit de la même façon que Cyrano. Si le discours commun compare (ce qu'il fait souvent) une coiffure à un plat renversé, Arcimboldo prend la comparaison à la lettre, il en fait une identification : le chapeau devient un plat, le plat devient un casque (une « salade », *celata*). Le procédé opère en deux temps : au moment de la comparaison, il reste de pur bon sens, posant la chose la plus banale du monde, une analogie ; mais dans un second temps, l'analogie devient folle, parce qu'elle est exploitée radicalement, poussée jusqu'à se détruire elle-même comme analogie : la comparaison devient métaphore : le casque n'est plus *comme* un plat, il *est* un plat. Toutefois, par une dernière subtilité, Arcimboldo maintient séparés les deux termes de l'identification, le casque et le plat : d'un côté je lis une tête, de l'autre le contenu d'un plat ; l'identité des deux objets ne tient pas à la simultanéité de la perception, mais à la rotation de l'image, présentée comme réversible. La lecture tourne, sans cran d'arrêt ; seul le titre vient la fixer, fait du tableau le portrait d'un *Cuisinier*, parce que, du plat, on infère métonymiquement à l'homme dont il est l'ustensile professionnel. Et puis, nouvelle retombée du sens : pourquoi ce cuisinier a-t-il l'air farouche d'un reître au teint cuivré ? C'est que le métal du plat oblige à l'armure, au casque, et la cuisson des viandes au rouge basané des métiers de grand air.

Singulier reître, d'ailleurs, dont le revers du casque s'orne d'une délicate rondelle de citron. Et ainsi de suite : la métaphore tourne sur elle-même, mais selon un mouvement centrifuge : il y a des éclaboussures de sens à l'infini.

*

C'est le plat qui fait le chapeau, et c'est le chapeau qui fait l'homme. Curieusement cette dernière proposition sert de titre à un collage de Max Ernst (1920), où les silhouettes humaines résultent d'un entassement articulé de couvre-chefs. Ici encore, la représentation baroque tourne autour de la langue et de ses formules. Sous le tableau bruit vaguement la musique des phrases toutes faites : *le style, c'est l'homme ; le style, c'est le tailleur* (Max Ernst) ; *à l'œuvre on connaît l'ouvrier, au plat on connaît le cuisinier,* etc. A ces peintures apparemment fantaisistes, voire surréalistes, la langue sert discrètement de repère sage. L'art d'Arcimboldo n'est pas extravagant ; il se tient toujours en lisière du bon sens, au bord du proverbe ; il fallait que les princes, à qui étaient destinés ces amusements, à la fois s'en étonnent et s'y reconnaissent ; d'où un merveilleux enraciné dans des propositions usuelles : *le cuisinier prépare des plats.* Tout s'élabore dans le champ des métonymies banales.

*

Il y a un rapport de ces images à la langue, mais aussi au discours : au conte populaire, par exemple : c'est le même procédé de description. Mme d'Aulnay dit de Laideronnette, impératrice des Pagodes (« petites figures grotesques à tête mobile ») : « Elle se déshabilla et se mit dans le bain. Aussitôt, pagodes et pagodines se mirent à chanter et à jouer des instruments : tels avaient des théorbes faits d'une coquille de noix ; tels avaient des violes faites d'une coquille d'amande ; car il fallait bien proportionner les instruments à leur taille. » Les Têtes Composées d'Arcimboldo participent ainsi du conte de fées : de ses personnages allégoriques, on pourrait dire : tel avait un champignon en guise de lèvres, un citron en guise de pendentif ; tel autre avait une courgette en guise de nez ; le cou d'un troisième était fait d'une génisse allongée, etc. Ce qui tourne vaguement derrière l'image, comme un souvenir, l'insistance d'un modèle, c'est un récit merveilleux : je crois entendre Perrault décrire la métamorphose des paroles qui sortent de la bonne et de la mauvaise fille, après que l'une et l'autre ont rencontré la fée : la cadette, à chaque phrase, ce sont deux roses, deux perles et deux gros diamants qui sortent de ses lèvres, et l'aînée, ce sont deux vipères et deux crapauds. Les parties du langage sont transmutées en objets ; de la même façon, ce qu'Arcimboldo peint, ce ne sont pas tellement des choses, mais plutôt la description parlée qu'un conteur merveilleux en donnerait : il illustre ce qui est au fond, déjà, la copie langagière d'une histoire surprenante.

*

Qu'on veuille bien se rappeler, une fois de plus, la structure du langage humain : il est articulé deux fois : la suite du discours peut être découpée en mots, et les mots peuvent être découpés à leur tour en sons (ou en lettres). Il y a cependant une grande différence entre ces deux articulations : la première produit des unités dont chacune a déjà un sens (ce sont les mots) ; la seconde produit des unités insignifiantes (ce sont les phonèmes : un phonème, en soi, ne signifie rien). Cette structure, on le sait, ne vaut pas pour les arts visuels ; il est bien possible de décomposer le « discours » du tableau en formes (lignes et points), mais ces formes ne signifient rien avant d'être assemblées ; la peinture ne connaît qu'une articulation. De là, on peut bien comprendre le paradoxe structural des compositions arcimboldesques.

Arcimboldo fait de la peinture une véritable langue, il lui donne une double articulation : la tête de *Calvin* se découpe une première fois en formes qui sont *déjà* des objets nommables — autrement dit des *mots* : une carcasse de poulet, un pilon, une queue de poisson, des liasses écrites : ces objets à leur tour se décomposent en formes, qui, elles, ne signifient rien : on retrouve la double échelle des mots et des sons. Tout se passe comme si Arcimboldo déréglait le système pictural, le dédoublait abusivement, hypertrophiait en lui la virtualité signifiante, analogique, produisant ainsi une sorte de monstre structural, source d'un malaise subtil (parce que intellectuel), encore plus pénétrant que si l'horreur venait d'une simple exagération ou d'un simple mélange des éléments : c'est parce que tout signifie, *à deux niveaux*, que la peinture d'Arcimboldo fonctionnne comme un déni quelque peu terrifiant de la langue picturale.

*

En Occident (contrairement à l'Orient), la peinture et l'écriture ont eu peu de rapports ; la lettre et l'image n'ont communiqué entre elles que dans les marges un peu folles de la création, hors du classicisme. Sans recourir à aucune lettre, Arcimboldo côtoie pourtant sans cesse l'expérience graphique. Son ami et admirateur, le chanoine Comanini, voyait dans les Têtes Composées une écriture emblématique (ce qu'est après tout l'idéographie chinoise) ; il y a entre les deux niveaux du langage arcimboldesque (celui de la figure et celui des traits signifiants qui la composent) le même rapport de *friction*, de grincement, que l'on trouve chez Léonard de Vinci, entre l'ordre des signes et celui des images : dans le *Trattato della Pittura*, l'écriture renversée est parfois entrecoupée de têtes de vieillards ou de couples de vieilles femmes : écriture et peinture sont fascinées, happées l'une par l'autre. De la même façon, devant une tête composée d'Arcimboldo, on a toujours un peu l'impression qu'elle est *écrite*. Et pourtant, nulle lettre. Cela vient de la double articulation. Comme pour Léonard, il y a duplicité des graphes : ils sont volontiers à moitié images, à moitié signes.

*

Une tête composée est faite avec des « choses » (des fruits, des poissons, des enfants, des livres, etc.). Mais les « choses » qui servent à composer la tête ne sont pas détournées d'un autre usage (sauf peut-être dans le *Cuisinier*, où l'animal qui, retourné, donne le visage de l'homme, est fait pour être mangé). Ce sont des choses qui sont là en tant que choses, comme si elles venaient, non d'un espace ménager, usuel, mais d'une table où les objets seraient définis par leur analogon figuratif : voici la Souche, voici le Lierre, voici le Citron, voici le Paillasson, etc. Les « choses » sont présentées didactiquement, comme dans un livre pour enfants. La tête est composée d'unités lexicographiques qui viennent d'un dictionnaire, mais ce dictionnaire est d'images.

*

La rhétorique et ses figures : ce fut la façon dont l'Occident médita sur le langage, pendant plus de deux mille ans : il ne cessa d'admirer qu'il pût y avoir dans la langue des transferts de sens (des métaboles) et que ces métaboles pussent être codées au point de pouvoir être classées et nommées. A sa manière, Arcimboldo est lui aussi un rhétoricien : par ses Têtes, il jette dans le discours de l'Image tout un paquet de figures rhétoriques : la toile devient un vrai laboratoire de tropes.

Un coquillage vaut pour une oreille, c'est une *Métaphore*. Un amas de poissons vaut pour *l'Eau* — dans laquelle ils habitent —, c'est une *Métonymie*. *Le Feu* devient une tête flamboyante, c'est une *Allégorie*.

Énumérer les fruits, les pêches, les poires, les cerises, les framboises, les épis pour faire entendre *l'Eté*, c'est une *Allusion*. Répéter le poisson pour en faire ici un nez et là une bouche, c'est une *Antanaclase* (je répète un mot en le faisant changer de sens). Évoquer un nom par un autre qui a même sonorité (« Tu es Pierre, et sur cette pierre... »), c'est une *Annomination* : évoquer une chose par une autre, qui a même forme (un nez par la croupe d'un lapin), c'est faire une annomination d'images, etc.

*

Rabelais a beaucoup pratiqué les langages cocasses, artificiellement — mais systématiquement — élaborés : ce sont les *forgeries* : des parodies du langage lui-même, en quelque sorte. Il y avait, par exemple, le *baragouin*, ou chiffrage d'un énoncé par substitution d'éléments : il y avait le *charabia*, ou chiffrage par transposition (Queneau, aujourd'hui, en a tiré des effets comiques, écrivant par exemple : *Kékcékça* pour « Qu'est-ce que c'est que ça ? ») ; il y avait enfin, plus fou que les autres, le *lanternois*, magma de sons absolument indéchiffrables, cryptogramme dont la clef est perdue. Or, l'art d'Arcimboldo est un art de forgerie. Soit un message à délivrer : Arcimboldo veut signifier la tête d'un cuisinier, d'un paysan, d'un réformateur ou encore l'été, l'eau, le feu ; ce message, il le chiffre : chiffrer veut dire à la fois cacher et ne pas cacher ; le message est caché en ce que l'œil est détourné du sens d'ensemble par le sens de détail ; je ne vois d'abord que les fruits ou les animaux qui sont entassés devant moi ; et c'est par un effort de distance, en changeant le niveau de perception, que je reçois un autre message, un appareil hypermétrope qui, à la façon d'une grille de décryptage, me permet de percevoir tout à coup le sens global, le sens « vrai ».

Arcimboldo impose donc un système de substitution (une pomme vient se substituer à une joue, comme, dans un message chiffré, une lettre ou une syllabe viennent masquer une autre lettre ou une autre syllabe), et, de la même manière, un système de transposition (tout l'ensemble est en quelque sorte tiré en arrière vers le détail). Cependant, et c'est là le propre d'Arcimboldo, ce qu'il y a de remarquable dans les Têtes Composées, c'est que le tableau hésite entre le cryptage et le décryptage : car, quand bien même on a déplacé l'écran de la substitution et de la transposition pour mieux percevoir la tête composée comme un *effet*, on garde dans l'œil l'entrelacs des sens primitifs qui a servi à produire cet effet. Autrement dit, d'un point de vue langagier — qui, en fait, est le sien —, Arcimboldo parle une langue double, à la fois claire et embrouillée ; il fabrique du « baragouin » et du « charabia », mais ces forgeries restent parfaitement intelligibles. En somme, la seule bizarrerie qu'Arcimboldo ne fabrique pas, c'est une langue totalement incompréhensible comme l'est le « lanternois » : son art n'est pas fou.

*

Règne triomphant de la métaphore : tout est métaphore chez Arcimboldo. Rien n'est jamais *dénoté*, puisque les traits (lignes, formes, volutes) qui servent à composer une tête ont *déjà* un sens, et que ce sens est détourné vers un autre sens, jeté en quelque sorte au-delà de lui-même (c'est ce que veut dire, étymologiquement, le mot « métaphore »). Souvent les métaphores d'Arcimboldo sont *sages*. Entendons pas là qu'entre les deux termes de la transposition, il subsiste un trait commun, un « pont », une certaine *analogie* : les dents ressemblent « spontanément », ou « communément » (puisque d'autres qu'Arcimboldo auraient pu le dire) à des clochettes de fleurs, à des petits pois dans leur cosse ; ces objets différents ont des formes en commun : ce sont des parcelles de matière, découpées, égales et rangées — casées — sur une même ligne ; le nez ressemble à un épi, par sa forme oblongue et bombée ; la bouche, charnue, ressemble à une figue entrouverte, dont l'intérieur blanchâtre éclaire l'échancrure rouge de la pulpe. Cependant, même analogique, la métaphore arcimboldesque est, si l'on peut dire, à sens unique : Arcimboldo nous fait croire que le nez ressemble *naturellement* à un épi, les dents à des graines, la chair du fruit à celle des lèvres : mais personne ne dirait *naturellement* le contraire : l'épi n'est pas un nez, les graines ne sont pas des dents, la figue n'est pas une bouche (si ce n'est à passer par l'intermédiaire d'un autre organe, celui-là féminin, comme l'atteste une métaphore populaire que l'on retrouve dans bien des langues). En somme, même fondée, la métaphore arcimboldesque tient du coup de force. L'art d'Arcimboldo n'est pas indécis, il va dans un sens déterminé : cette langue est très affirmative.

*

Souvent aussi, le travail métaphorique est si audacieux (comme celui d'un poète très précieux ou très moderne) qu'il n'y a aucun rapport « naturel » entre la chose représentée et sa représentation : comment des fesses ou des jambes d'enfants peuvent-elles donner à lire une oreille (*Hérode*) ? Comment un vulgaire rat de cave peut-il représenter le front d'un homme (*le Feu*) ? Il faut en tout cas au procédé des relais d'une grande sophistication ; le lien analogique s'exténue (il devient rare, précieux) : c'est la couleur jaune de la cire qui rappelle la peau tendue du front, partie de la chair humaine qu'aucun sang abondant ne vient irriguer, ou l'empilement des volutes du cordon qui rappelle à la rigueur le froncement des rides humaines. On peut dire que dans ces métaphores extrêmes, les deux termes de la métabole ne sont pas dans un rapport d'équivalence (d'être), mais véritablement de *faire* : la chair du petit corps nu *fait* (fabrique, produit) l'oreille du tyran. Arcimboldo alerte ainsi sur le caractère *productif*, transitif, des métaphores ; les siennes, en tout cas, ne sont pas de simples constats d'affinités, elles n'enregistrent pas des analogies virtuelles qui existeraient dans la nature et que le poète aurait à charge de manifester : elles défont des objets familiers pour en produire de nouveaux, étranges, par un véritable coup de force (encore un), qu'est le *travail* du visionnaire (et non seulement son aptitude à capter des ressemblances).

*

Peut-être, cependant, la plus grande audace n'est-elle pas dans ces métaphores improbables, mais dans celles que l'on pourrait appeler *désinvoltes*. La désinvolture consiste ici à ne point métaphoriser l'objet, mais seulement à le changer de place : lorsque Arcimboldo remplace les dents du personnage qui figure l'eau par les dents d'un squale, il ne touche pas à l'objet (ce sont toujours des dents), mais il le fait sauter sans prévenir d'un règne à l'autre ; la métaphore n'est ici que l'exploitation d'une identité, voire d'une tautologie (*des dents sont des dents*), qui a simplement glissé et changé de point d'appui (de contexte). Ce léger déséquilibre produit la plus forte des étrangetés. Magritte l'a bien compris, qui appelle l'une de ses compositions, dont le procédé s'apparente au « saut » arcimboldesque, le *Viol* (1934) : il s'agit aussi d'une image duplice, à la fois — et selon le *tour* du regard — tête et/ou buste de femme : les seins venant, si le lecteur en décide ainsi, à la place des yeux et le nombril à la place de la bouche. Ici encore les objets ne font que changer de place, quittant le règne de la nudité pour gagner celui de la cérébralité — et cela suffit pour créer un objet surnaturel, à l'égal de l'androgyne aristophanesque.

*

Comme « poète », c'est-à-dire fabricant, ouvrier de langage, la verve d'Arcimboldo est continue ; les synonymes sont jetés sans relâche sur la toile. Arcimboldo emploie sans cesse des formes différentes pour dire la même chose. Veut-il dire le nez ? Sa réserve de synonymes lui offre une branche, une poire, une courge, un épi, un calice de fleur, un poisson, une croupe de lapin, une carcasse de poulet. Veut-il dire l'oreille ? Il n'a qu'à puiser dans un catalogue hétéroclite d'où il extrait une souche d'arbre, le revers d'un champignon ombellé, l'inflorescence d'un épi, une rose, un œillet, une pomme, une conque, une tête d'animal, la potence d'une lampe à huile. Est-ce une barbe qu'il veut donner à son personnage ? Voici une queue de poisson, des antennes de crevette. Ce répertoire est-il infini ? Non, si l'on s'en tient aux allégories somme toute peu nombreuses qui nous sont parvenues ; il s'agit presque toujours de fruits, de plantes, de comestibles, parce qu'il s'agit principalement des figures saisonnières de la Terre-Mère ; mais seul le contexte limite le message ; l'imagination, elle, est bien infinie, d'une acrobatie dont la maîtrise est telle qu'on la sent prête à s'emparer de tous les objets.

*

Ce fut une mode de l'époque que de fabriquer des images réversibles : renversés, le pape devenait un bouc, Calvin un fou à grelots ; ces sortes de jeux servaient de caricatures aux partisans ou aux adversaires de la Réforme. On connaît d'Arcimboldo un réversible, cuisinier dans un sens, simple plat de viande dans l'autre. Cette figure, en rhétorique, s'appelle un palindrome ; le palindrome vrai ne change rien au message, qui seulement, par jeu, se lit identique, dans un sens et dans l'autre : *Roma tibi subito motibus ibit amor*, dit Quintilien ; mettez un miroir (truqué) à la queue du vers, vous le retrouverez intact en le parcourant en sens inverse ; de même pour les figures du jeu de cartes : le miroir (virtuel) coupe, répète, il ne dénature pas. Au contraire, lorsque vous renversez l'image arcimboldesque, vous retrouvez certes du sens (et c'est en cela qu'il y a palindrome), mais ce sens, dans le mouvement d'inversion, a changé : le plat devient cuisinier. « Tout est toujours identique », dit le palindrome vrai ; que vous preniez les choses dans un sens ou dans l'autre, la vérité demeure. « Tout peut prendre un sens contraire », dit le palindrome d'Arcimboldo ; c'est-à-dire : tout a toujours un sens, de quelque façon qu'on lise, mais ce sens n'est jamais le même.

*

Tout signifie et cependant tout est surprenant. Arcimboldo fait du fantastique avec du très connu : la somme est d'un autre effet que l'addition des parties : on dirait qu'elle en est le reste. Il faut comprendre ces mathématiques bizarres : ce sont des mathématiques de l'*analogie*, si l'on veut bien se rappeler qu'étymologiquement *analogia* veut dire *proportion* : le sens dépend du niveau auquel vous vous placez. Si vous regardez l'image de près, vous ne voyez que des fruits et des légumes ; si vous vous éloignez, vous ne voyez plus qu'un homme à l'œil terrible, au pourpoint côtelé, à la fraise hérissée (*l'Été*) : l'éloignement, la proximité sont fondateurs de sens. N'est-ce pas là le grand secret de toute sémantique vivante ? Tout vient d'un *échelonnement* des articulations. Le sens naît d'une combinatoire d'éléments insignifiants (les phonèmes, les lignes) ; mais il ne suffit pas de combiner ces éléments à un premier degré pour épuiser la création du sens : ce qui a été combiné forme des agrégats qui peuvent de nouveau se combiner entre eux, une seconde, une troisième fois. J'imagine qu'un artiste ingénieux pourrait prendre toutes les Têtes Composées d'Arcimboldo, les disposer, les combiner en vue d'un nouvel effet de sens, et, de leur arrangement, faire surgir par exemple un paysage, une ville, une forêt : reculer la perception, c'est engendrer un nouveau sens : pas d'autre principe, peut-être, au défilé historique des formes (agrandir 5 cm^2 de Cézanne, c'est en quelque sorte « déboucher » sur une toile de Nicolas de Staël), et à celui des sciences humaines (la

science historique a changé le sens des événements en les combinant *à un autre niveau* : les batailles, les traités et les règnes — niveau auquel s'arrêtait l'histoire traditionnelle —, soumis à un recul qui en diminuait le sens, n'ont plus été que les signes d'une nouvelle langue, d'une nouvelle intelligibilité, d'une nouvelle histoire).

*

En somme, la peinture d'Arcimboldo est *mobile* : elle dicte au lecteur, par son projet même, l'obligation de s'approcher ou de s'éloigner, lui assurant que dans ce mouvement il ne perdra aucun sens et qu'il restera toujours dans un rapport vivant avec l'image. Pour obtenir des compositions mobiles, Calder articulait librement des volumes ; Arcimboldo obtient un résultat analogue en restant à même la toile : ce n'est pas le support, c'est le sujet humain auquel il est demandé de se déplacer. Ce choix, pour être « amusant » (dans le cas d'Arcimboldo), n'en est pas moins audacieux, ou tout au moins très « moderne », car il implique une relativisation de l'espace du sens : incluant le regard du lecteur dans la structure même de la toile, Arcimboldo passe virtuellement d'une peinture newtonienne, fondée sur la fixité des objets représentés, à un art einsteinien, selon lequel le déplacement de l'observateur fait partie du statut de l'œuvre.

*

Arcimboldo est animé d'une énergie de déplacement si grande que, lorsqu'il donne plusieurs versions d'une même tête, il produit encore là des changements signifiants : de version en version, la tête prend des sens différents. Nous sommes ici en pleine musique : il y a bien un thème de base (l'Été, l'Automne, Calvin), mais chaque variation est d'un effet différent. Ici l'Homme saisonnier vient de mourir, l'hiver est encore roux d'un automne tout proche ; il est déjà exsangue, mais les paupières, encore gonflées, viennent de se fermer ; là (et si cette seconde version a précédé la première, peu importe), l'Homme-Hiver n'est plus qu'un cadavre avancé, en voie de décomposition ; le visage est crevassé, gris ; à la place de l'œil, même fermé, il n'y a plus qu'une cavité sombre ; la langue est blafarde. De la même façon, il y a deux *Printemps* (l'un est encore timide, décoloré ; l'autre, plus sanguin, affirme l'été proche) et deux *Calvin* : le Calvin de Bergame est arrogant, celui de Suède est hideux : on dirait que de Bergame à Stockholm (peu importe s'il s'agit de l'ordre réel de composition), l'horrible figure s'est délabrée, affaissée, engrisaillée ; les yeux, d'abord méchants, deviennent morts, stupides ; le rictus de la bouche s'accentue ; les liasses qui servent de collerette passent du parchemin jauni au papier livide ; l'impression est d'autant plus dégoûtante que cette tête est formée de substances comestibles : elle devient alors, à la lettre, immangeable : le poulet et le poisson tournent au déchet de poubelle, ou pire : ce sont les rebuts d'un mauvais restaurant. Tout se passe comme si, à chaque fois, la tête tremblait entre la vie merveilleuse et la mort horrible. Ces têtes composées sont des têtes qui se décomposent.

*

Reprenons une fois de plus le procès du sens — car après tout, c'est bien là ce qui intéresse, fascine et inquiète chez Arcimboldo. Les « unités » d'une langue sont là sur la toile ; contrairement aux phonèmes du langage articulé, elles ont déjà un sens : ce sont des choses nommables : des fruits, des fleurs, des branches, des poissons, des gerbes, des livres, des enfants, etc. ; combinées, ces unités produisent un sens unitaire ; mais ce sens second, en fait, se dédouble : d'une part, je lis une tête humaine (lecture suffisante puisque je peux *nommer* la forme que je perçois, lui faire rejoindre

une langue transformée à une autre (légumes → tête humaine)

le lexique de ma propre langue, où existe le mot « tête »), mais d'autre part, je lis aussi et en même temps un tout autre sens, qui vient d'une région différente du lexique : « Été », « Hiver », « Automne », « Printemps », « Cuisinier », « Calvin », « Eau », « Feu » ; or, ce sens proprement allégorique, je ne puis le concevoir qu'en me référant au sens des premières unités : ce sont les fruits qui font l'Été, les souches de bois mort qui font l'Hiver, les poissons qui font l'Eau. Voilà donc déjà trois sens dans une même image ; les deux premiers sont, si l'on peut dire, dénotés, car, pour se produire, ils n'impliquent rien d'autre que le travail de ma perception, en tant qu'elle s'articule immédiatement sur un lexique (le sens dénoté d'un mot est le sens donné par le dictionnaire, et le dictionnaire suffit à me faire lire, selon le niveau de ma perception, ici des poissons, là une tête). Tout autre est le troisième sens, le sens allégorique : pour lire ici la tête de *l'Été* ou de Calvin, il me faut une autre culture que celle du dictionnaire ; il me faut une culture métonymique, qui me fait associer certains fruits (et non d'autres) à l'Été, ou, plus subtilement encore, la hideur austère d'un visage au puritanisme calviniste ; et dès lors que l'on quitte le dictionnaire des mots pour une table des sens culturels, des associations d'idées, bref pour une encyclopédie des idées reçues, on entre dans le champ infini des connotations. Les connotations d'Arcimboldo sont simples, ce sont des stéréotypes. la connotation, cependant, ouvre un procès du sens ; à partir du sens allégorique, d'autres sens sont possibles, non plus « culturels », ceux-là, mais surgissant des mouvements (attractifs ou répulsifs) du corps. Au-delà de la perception et de la signification (elle-même lexicale ou culturelle), se développe tout un monde de la *valeur* : devant une tête composée d'Arcimboldo, j'en viens à dire, non seulement : *je lis, je devine, je trouve, je comprends,* mais aussi : *j'aime, je n'aime pas.* Le malaise, l'effroi, le rire, le désir entrent dans la fête.

*

Sans doute l'affect lui-même est-il culturel : les masques dogons nous font un effet panique, parce qu'ils sont marqués pour nous, Occidentaux, d'exotisme, c'est-à-dire d'inconnu ; nous ne percevons rien de leur symbolisme, nous ne leur sommes pas *reliés* (nous ne sommes pas *religieux*) ; ils produisent sans doute sur les

Dogons eux-mêmes un tout autre effet. Ainsi des têtes d'Arcimboldo : c'est à l'intérieur de notre propre culture qu'elles suscitent le sens affectif, que l'on devrait appeler, en bonne étymologie, le sens pathétique ; car on ne peut trouver certaines de ces têtes « méchantes et bêtes », sans se référer, par un dressage du corps — du langage —, à toute une socialité : comme « expressions », la bêtise et la méchanceté font partie d'un certain système de valeurs historiques : on peut douter que devant une tête d'Arcimboldo, tel aborigène d'Australie éprouve le vague effroi que cette tête me donne.

*

Les effets remués en nous par l'art d'Arcimboldo sont souvent répulsifs. Voyez *l'Hiver* : ce champignon entre les lèvres semble un organe hypertrophié, cancéreux, hideux : je vois le visage d'un homme qui vient de mourir, une poire d'angoisse enfoncée jusqu'à l'asphyxie dans la bouche. Ce même Hiver, composé d'écorces mortes, a le visage couvert de pustules, de squames ; on le dirait atteint d'une maladie de peau dégoûtante, pityriasis ou psoriasis. Le visage d'un autre (*l'Automne*) n'est qu'une addition de tumeurs : la face est turgescente, vineuse : c'est un immense organe enflammé, dont le sang, brun, tourne à l'engorgement. La chair arcimboldesque est toujours *excessive* : ou ravagée, ou écorchée (*Hérode*), ou enflée, ou plate, morte. Quoi, pas une tête gracieuse ? Le Printemps, lui, au moins, n'appelle-t-il pas une composition heureuse ? Certes, *le Printemps* est tapissé de fleurs ; mais on peut dire qu'Arcimboldo démystifie la fleur, dans la mesure même (scandale logique) où il ne la prend pas à la lettre ; sans doute voir une fleur, ou un bouquet, ou une prairie, c'est là une jouissance toute printanière ; mais réduite à une surface, l'étendue florale devient facilement l'efflorescence d'un état plus trouble de la matière ; la décomposition produit des pulvérulences (« fleurs » de soufre) et des moisissures qui ressemblent à des fleurs ; les maladies de la peau font souvent penser à des fleurs tatouées. Aussi le Printemps d'Arcimboldo en vient-il à s'incarner dans une grande figure blafarde, frappée d'une maladie sophistiquée. Ce qui voue de la sorte les têtes d'Arcimboldo à un effet de malaise, c'est précisément qu'elles sont « composées » : plus la forme de la chose semble venue d'un premier jet, plus elle est euphorique (on sait que toute une part de l'art oriental a favorisé la facture *alla prima*) ; il y a dans la forme immédiate et si l'on peut dire incomposée, la jouissance d'une unité surnaturelle ; certains musicologues ont mis en rapport la mélodie romantique, caractérisée précisément par sa belle venue unitaire, avec le monde de la Mère, où s'épanouit, pour l'enfant, la jouissance de fusion : on pourrait attribuer le même effet symbolique à la « belle forme » prélevée par l'artiste sur le papier, la toile, du premier coup, *alla prima*. L'art d'Arcimboldo est un déni de ce bonheur : non seulement la tête figurée vient d'un travail, mais encore la *complication* et, partant, la durée de ce travail sont représentées : car avant de « dessiner » *le Printemps,* il faut « dessiner » chacune des fleurs qui vont le composer. C'est donc le procédé même de la « composition » qui vient troubler, désagréger, détraquer le surgissement unitaire de la forme. Thématiquement, par exemple, quoi de plus uni que l'Eau ? L'Eau est toujours un thème maternel, la fluidité est un bonheur ; mais pour donner l'allégorie de l'Eau, Arcimboldo imagine des formes contraires : *l'Eau,* pour lui, ce sont des poissons, des crustacés, tout un entassement de formes dures, discontinues, acérées ou bombées : l'Eau est proprement monstrueuse.

*

Les têtes d'Arcimboldo sont monstrueuses parce qu'elles renvoient toutes, quelle que soit la grâce du sujet allégorique (l'Été, le Printemps, Flore, l'Eau) à un malaise de substance : le *grouillement*. La mêlée des choses vivantes (végétaux, animaux, enfants), disposées dans un désordre serré (avant de rejoindre l'intelligibilité de la figure finale) évoque toute une vie larvaire, l'embrouillement des êtres végétatifs, vers, fœtus, viscères, qui sont à la limite de la vie, pas encore nés et cependant déjà putrescibles.

*

Pour le siècle d'Arcimboldo, le monstre est une merveille. Les Habsbourg, patrons du peintre, avaient des cabinets d'art et de curiosités (*Kunst und Wunderkammern*), où étaient déposés des objets étranges : accidents de la nature, effigies de nains, de géants, d'hommes et de femmes velus : toute chose « qui étonnait et faisait réfléchir » ; ces cabinets, a-t-on dit, participaient des laboratoires de Faust et de Caligari. Or la « merveille » — ou le « monstre » — c'est essentiellement ce qui transgresse la séparation des règnes, mêle l'animal et le végétal, l'animal et l'humain ; c'est *l'excès*, en tant qu'il change la qualité des choses auxquelles Dieu a assigné un nom : c'est la *métamorphose*, qui fait basculer d'un ordre dans un autre ; bref, d'un autre mot, c'est la *transmigration* (on dit qu'à l'époque d'Arcimboldo, circulaient en Europe des miniatures indiennes, représentant des animaux fantastiques dont le corps était fait « d'une mosaïque des formes humaines et animales entrelacées : musiciens, chasseurs, amoureux, renards, lions, singes, lapins » ; chaque animal ainsi composé — chameau, éléphant, cheval — figurait le regroupement simultané d'incarnations successives : l'hétéroclite apparent renvoyait en fait à la doctrine hindoue de l'unité intérieure des êtres). Les têtes d'Arcimboldo ne sont, à tout prendre, que l'espace visible d'une transmigration qui conduit sous nos yeux du poisson à l'eau, du fagot au feu, du citron au pendentif, et, pour finir, de toutes les substances à la figure humaine (à moins que vous ne préfériez prendre ce chemin en sens inverse et descendre de l'Homme-Hiver au végétal qui lui est associé). Le principe des « monstres » arcimboldesques est en somme que *la Nature ne s'arrête pas*. Prenez le Printemps ; il est normal, après tout, qu'on le représente sous la forme d'une femme coiffée d'un chapeau de fleurs (ces chapeaux ont existé dans la mode) ; mais Arcimboldo *continue* ; les fleurs descendent de l'objet au corps, elles envahissent la peau, elles *font* la peau : c'est une lèpre de fleurs qui gagne le visage, le cou, le buste.

Or, l'exercice d'une telle imagination ne relève pas seulement de l'« art », mais aussi du savoir : surprendre des métamorphoses (ce que fit à plusieurs reprises Léonard de Vinci) est un acte de connaissance ; tout savoir est lié à un ordre classificateur ; agrandir ou simplement changer le savoir, c'est expérimenter, par des opérations audacieuses, ce qui subvertit les classifications auxquelles nous sommes habitués : telle est la fonction noble de la magie, « somme de la sagesse naturelle » (Pic de La Mirandole).

Ainsi va Arcimboldo, du jeu à la grande rhétorique, de la rhétorique à la magie, de la magie à la sagesse.

La peinture est-elle un langage ?

Depuis que la linguistique a pris l'extension que l'on sait, en tout cas depuis que l'auteur de ces lignes a dit son intérêt pour la sémiologie (voici maintenant une douzaine d'années), combien de fois lui a-t-on fait cette question : la peinture est-elle un langage ? Cependant, jusqu'à présent, nulle réponse : on n'arrivait pas à établir ni le lexique ni la grammaire générale de la peinture, à mettre d'un côté les signifiants du tableau, de l'autre ses signifiés, et à systématiser leurs règles de substitution et de combinaison. La sémiologie, comme science des signes, ne parvenait pas à mordre sur l'art : blocage malheureux, puisqu'il renforçait par carence la vieille idée humaniste selon laquelle la création artistique ne peut être « réduite » à un système : le système, on le sait, est réputé ennemi de l'homme et de l'art.

A vrai dire, se demander si la peinture est un langage est *déjà* une question morale, qui appelle une réponse mitigée, une réponse morte, sauvegardant les droits de l'individu créateur (l'artiste) et ceux d'une universalité humaine (la société). Comme tout novateur, Jean-Louis Schefer ne répond pas aux questions truquées de l'art (de sa philosophie ou de son histoire) ; il leur substitue une question apparemment marginale, mais dont la distance l'amène à constituer un champ inédit où la peinture et sa *relation* (comme on dit : une relation de voyage), la structure, le texte, le code, le système, la représentation et la figuration, tous ces termes hérités de la sémiologie, sont distribués selon une topologie nouvelle, qui constitue « une nouvelle façon de sentir, une nouvelle façon de penser ». Cette question est à peu près la suivante : quel est le rapport du tableau et du langage dont fatalement on se sert pour le lire — c'est-à-dire pour (implicitement) l'écrire ? *Ce rapport n'est-il pas le tableau lui-même ?*

Il ne s'agit évidemment pas de restreindre l'écriture du tableau à la critique professionnelle de peinture. Le tableau, quiconque l'écrit, il n'existe que dans le *récit* que j'en donne ; ou encore : dans la somme et l'organisation des lectures que l'on peut en faire : un tableau n'est jamais que sa propre description plurielle. Cette traversée du tableau par le texte dont je le constitue, on voit comment elle est à la fois proche et distante d'une peinture supposée langage ; comme dit Jean-Louis Schefer : « *L'image n'a pas de structure a priori, elle a des structures textuelles... dont elle est le système* » ; il n'est donc plus possible (et c'est là où Schefer fait sortir la sémiologie picturale de son ornière) de concevoir la description dont est constitué le tableau, comme un état neutre, littéral, dénoté, du langage ; mais non plus comme une pure élaboration mythique, le lieu infiniment disponible d'investissements subjectifs : le tableau n'est ni un objet réel ni un objet imaginaire. Certes, l'identité de ce qui est « représenté » est sans cesse renvoyée, le signifié toujours déplacé (car il n'est qu'une suite de nominations, comme dans un dictionnaire), l'analyse est sans fin ; mais cette fuite, cet infini du langage est précisément le système du tableau : l'image n'est pas l'expression d'un code, elle est la variation d'un travail de codification : elle n'est pas dépôt d'un système, mais génération de systèmes. Paraphrasant un titre célèbre, Schefer aurait pu intituler son livre : *l'Unique et sa Structure* ; et cette structure, c'est la structuration même.

On voit l'incidence idéologique : tout l'effort de la sémiotique classique tendait à constituer ou à postuler, face à l'héréroclite des œuvres (tableaux, mythes, récits), un Modèle, par rapport auquel chaque produit pourrait être défini en termes d'écarts. Avec Schefer, qui prolonge sur ce point fondamental le travail de Julia Kristeva, la sémiologie sort encore un peu plus de l'ère du Modèle, de la Norme, du Code, de la Loi — ou si l'on préfère : de la théologie.

Cette *déviation*, ou ce retournement, de la linguistique saussurienne oblige à modifier le discours même de l'analyse, et cette conséquence extrême est peut-être la meilleure preuve de sa validité et de sa nouveauté. Schefer ne pouvait énoncer le déplacement de la structure à la structuration, du Modèle lointain, figé, extatique, au travail (du système), qu'en analysant *un seul* tableau ; il a choisi *Une partie d'échecs* du peintre vénitien Paris Bordone (ce qui nous vaut d'admirables « transcriptions », d'un bonheur d'écriture qui font enfin passer le critique du côté de l'écrivain) ; son discours rompt exemplairement avec la dissertation ; l'analyse ne donne pas ses « résultats », induits ordinairement d'une somme de prélèvements statistiques ; elle est continûment *en acte de langage*, puisque le principe de Schefer est que la pratique même du tableau est sa propre théorie. Le discours de Schefer met au jour, non point le secret, la vérité de cette *Partie d'échecs*, mais seulement (et nécessairement) l'activité par laquelle elle se structure : le travail de la lecture (qui définit le tableau) s'identifie radicalement (jusqu'à la racine) avec le travail de l'écriture : il n'y a plus de critique, ni même d'écrivain parlant peinture ; il y a le *grammatographe*, celui qui écrit l'écriture du tableau.

Ce livre constitue, dans l'ordre de ce qu'on appelle communément l'esthétique ou la critique d'art, un travail *princeps* ; mais il faut bien voir que ce travail, il n'a pu le faire qu'en subvertissant le cadre de nos disciplines, le rangement des objets qui définissent notre « culture ». Le texte de Schefer ne relève en aucune façon de ce fameux « inter-disciplinaire », tarte à la crème de la nouvelle culture universitaire. Ce ne sont pas les disciplines qui doivent s'échanger, ce sont les objets : il ne s'agit pas d'« appliquer » la linguistique au tableau, d'injecter un peu de sémiologie dans l'histoire de l'art ; il s'agit d'annuler la distance (la censure) qui sépare institutionnellement le tableau et le texte. Quelque chose est en train de naître, qui périmera aussi bien la « littérature » que la « peinture » (et leurs corrélats méta-linguistiques, la critique et l'esthétique), substituant à ces vieilles divinités culturelles une « ergographie » généralisée, le texte comme travail, le travail comme texte.

1969, *La Quinzaine littéraire*.

Sémiographie d'André Masson

D'emblée, les sémiogrammes de Masson, par une sorte de précursion inattendue, « reprennent » à l'avance les principales propositions d'une théorie du texte qui n'existait d'aucune façon il y a vingt ans et qui fait aujourd'hui la marque distinctive de l'avant-garde : preuve que c'est la *circulation* des « arts » (ou ailleurs : des sciences) qui fait le mouvement : la « peinture » ouvre ici la voie à la « littérature » car elle semble bien avoir postulé avant elle un objet inouï, le Texte, qui périme d'une façon décisive la séparation des « arts ». Masson avait cinquante-quatre ans lorsqu'il a abordé sa période asiatique (que je préférerais appeler : textuelle) ; les théoriciens actuels du Texte, pour la plupart, venaient de naître. Voici les propositions textuelles (et actuelles) que l'on trouve déjà dans cette peinture de Masson (j'emploie le mot « peinture » pour simplifier ; il vaudrait mieux dire « sémiographie »).

Tout d'abord, Masson établit délibérément ce qu'on appelle un *inter-texte* : le peintre circule entre deux textes (au moins) : d'une part le sien (disons : celui de la peinture, de ses pratiques, de ses gestes, de ses instruments) et d'autre part celui de l'idéographie chinoise (c'est-à-dire d'une culture localisée) : comme il se doit dans toute inter-textualité véritable, les signes asiatiques ne sont pas des modèles inspirateurs, des « sources », mais des conducteurs d'énergie graphique, des citations déformées, repérables selon le trait, non selon la lettre ; ce qui se déplace dès lors, c'est la responsabilité de l'œuvre : elle n'est plus consacrée par une propriété étroite (celle de son créateur immédiat), elle voyage dans un espace culturel qui est ouvert, sans limites, sans cloisons, sans hiérarchies, où l'on retrouverait aussi bien le pastiche, le plagiat, voire le faux, en un mot toutes les formes de « copie » — pratique frappée de disgrâce par l'art dit bourgeois.

La sémiographie de Masson nous dit encore ceci, qui est capital dans la théorie actuelle du Texte : que l'écriture ne peut se réduire à une pure fonction de communication (de *transcription*), comme le prétendent les historiens du langage. Le travail de Masson pendant cette période démontre que l'identité du trait dessiné et du trait écrit n'est pas contingente, marginale, baroque (évidente seulement dans la calligraphie — pratique au reste ignorée de notre civilisation), mais en quelque sorte entêtée, obsédante, englobant à la fois l'origine et le présent perpétuel de tout *tracé* : il y a une pratique unique, extensive à toute fonctionnalisation, qui est celle du graphisme indifférencié. Grâce à la démonstration éblouissante de Masson, l'écriture (imaginée ou réelle) apparaît alors comme *l'excédent* même de sa propre fonction ; le peintre nous aide à comprendre que la vérité de l'écriture n'est ni dans ses messages, ni dans le système de transmission qu'elle constitue pour le sens courant, encore moins dans l'expressivité psychologique que lui prête une science suspecte, la graphologie, compromise dans des intérêts technocratiques (expertises, tests), mais dans la main qui appuie, trace et se conduit, c'est-à-dire dans *le corps qui bat* (qui jouit). C'est pourquoi (démonstration complémentaire de Masson) la couleur ne doit nullement être comprise comme un fond sur lequel viendraient « se détacher » certains caractères, mais plutôt comme l'espace complet de la pulsion (on connaît la nature pulsionnelle de la couleur : à preuve le scandale produit par la libération fauve) : dans le travail sémiographique de Masson, la couleur provoque à retirer l'écriture de son fond mercantile, comptable (c'est du moins l'origine que l'on prête à notre écriture syrio-occidentale). Si quelque chose est « communiqué » dans l'écriture (et donc exemplairement dans les sémiogrammes de Masson), ce ne sont pas des comptes, une « raison » (étymologiquement, c'est la même chose), mais un désir.

Enfin, en se tournant (principalement) vers l'idéogramme chinois, Masson ne reconnaît pas seulement l'étonnante beauté de cette écriture ; il soutient aussi la rupture que le caractère idéographique apporte à ce qu'on pourrait appeler la bonne conscience scripturale de l'Occident : ne sommes-nous pas superbement persuadés que notre alphabet est le meilleur ? le plus rationnel, le plus efficace ? Nos savants les plus rigoureux ne soutiennent-ils pas comme « allant de soi » que l'invention de l'alphabet consonantique (de type syrien), puis celle de l'alphabet vocalique (de type grec) furent des progrès irréversibles, des conquêtes de la raison et de l'économie sur le gâchis baroque des systèmes idéographiques ? Beau témoignage de cet ethnocentrisme impénitent qui règle notre science elle-même. En vérité, si nous refusons l'idéogramme, c'est que nous tentons sans cesse, dans notre Occident, de substituer le règne de la parole à celui du geste ; pour des raisons qui relèvent d'une histoire véritablement monumentale, il est de notre intérêt de croire, de soutenir, d'affirmer scientifiquement que l'écriture n'est que la « transcription » du langage articulé : l'instrument d'un instrument : chaîne tout au long de laquelle c'est le corps qui disparaît. La sémiographie de Masson, rectifiant des millénaires d'histoire scripturale, nous renvoie, non pas à l'origine (peu nous importe l'origine), mais au corps : elle nous impose, non pas la forme (proposition banale de tous les peintres), mais la figure, c'est-à-dire l'écrasement elliptique de deux signifiants : le geste qui est au fond de l'idéogramme comme une sorte de trace figurative évaporée, et le geste du peintre, du calligraphe, qui fait mouvoir le pinceau selon son corps. Voilà ce que nous dit le travail de Masson : *pour que l'écriture soit manifestée dans sa vérité* (et non dans son instrumentalité), *il faut qu'elle soit illisible* : le sémiographe (Masson) produit sciemment, par une élaboration souveraine, de l'illisible : il détache la pulsion d'écriture de l'imaginaire de la communication (de la lisibilité). C'est ce que veut aussi le Texte. Mais alors que le texte écrit doit se débattre encore et sans cesse avec une substance apparemment significative (les mots), la sémiographie de Masson, issue directement d'une pratique in-signifiante (la peinture), accomplit d'emblée l'utopie du Texte.

Sémiographie d'André Masson,
catalogue d'une exposition Masson à la galerie Jacques Davidson à Tours, 1973.

Lectures : le geste

Cy Twombly
ou
Non multa sed multum

à Yvon,
à Renaud et à William

Qui c'est, Cy Twombly (ici dénommé TW) ? Qu'est-ce qu'il fait ? Comment nommer ce qu'il fait ? Des mots surgissent spontanément (« dessin », « graphisme », « griffonnage », « gauche », « enfantin »). Et tout de suite une gêne de langage survient : ces mots, en même temps (ce qui est bien étrange), ne sont *ni faux ni satisfaisants* ; car, d'une part, l'œuvre de TW coïncide bien avec son apparence, et il faut oser dire qu'elle est plate ; mais d'autre part — c'est là l'énigme —, cette apparence ne coïncide pas bien avec le langage que tant de simplicité et d'innocence devraient susciter en nous, qui la regardons. « Enfantins », les graphismes de TW ? Oui, pourquoi pas ? Mais aussi : quelque chose en plus, ou en moins, ou à côté. On dit : cette toile de TW, c'est *ceci*, *cela* ; mais c'est plutôt quelque chose de très différent, *à partir* de ceci, de cela : en un mot, ambigu parce que littéral et métaphorique, c'est *déplacé*.

Parcourir l'œuvre de TW, des yeux et des lèvres, c'est donc sans cesse décevoir *ce dont ça a l'air*. Cette œuvre ne demande pas que l'on contredise les mots de la culture (le spontané de l'homme, c'est sa culture), simplement qu'on les déplace, qu'on les déprenne, qu'on leur donne une autre lumière. TW oblige, non à récuser, mais — ce qui est peut-être plus subversif — à traverser le stéréotype esthétique ; bref il provoque en nous un *travail de langage* (n'est-ce pas précisément ce travail — *notre* travail — qui fait le prix d'une œuvre ?).

Écriture

L'œuvre de TW — d'autres l'ont justement dit —, c'est de l'écriture ; ça a quelque rapport avec la calligraphie. Ce rapport, pourtant, n'est ni d'imitation, ni d'inspiration ; une toile de TW, c'est seulement ce que l'on pourrait appeler le champ *allusif* de l'écriture (l'allusion, figure de rhétorique, consiste à dire une chose avec l'intention d'en faire entendre une autre). TW fait référence à l'écriture (comme il le fait souvent, aussi, à la culture, à travers des mots : *Virgil*, *Sesostris*), et puis il s'en va ailleurs. Où ? Précisément loin de la calligraphie, c'est-à-dire de l'écriture formée, dessinée, appuyée, moulée, de ce qu'on appelait au XVIIIe siècle la belle main.

TW dit à sa manière que l'essence de l'écriture, ce n'est ni une forme ni un usage, mais seulement un geste, le geste qui la produit *en la laissant traîner* : un brouillis, presque une salissure, une négligence. Réfléchissons par comparaison. Qu'est-ce que l'essence d'un pantalon (s'il en a une) ? Certainement pas cet objet apprêté et rectiligne que l'on trouve sur les cintres des grands magasins ; plutôt cette boule d'étoffe chue par terre, négligemment, de la main d'un adolescent, quand il se déshabille, exténué, paresseux, indifférent. L'essence d'un objet a quelque rapport avec son déchet : non pas forcément ce qui reste après qu'on en a usé, mais ce qui est *jeté* hors de l'usage. Ainsi des écritures de TW. Ce sont les bribes d'une paresse, donc d'une élégance extrême ; comme si, de l'écriture, acte érotique fort, il restait la fatigue amoureuse : ce vêtement tombé dans un coin de la feuille.

*

La lettre, chez TW — le contraire même d'une lettrine —, est faite sans application. Elle n'est pourtant pas enfantine, car l'enfant s'applique, appuie, arrondit, tire la langue ; il travaille dur pour rejoindre le code des adultes. TW s'en éloigne, il déserre, il traîne ; sa main semble entrer en lévitation ; on dirait que le mot a été écrit

du bout des doigts, non par dégoût ou par ennui, mais par une sorte de fantaisie ouverte au souvenir d'une culture défunte, qui n'aurait laissé que la trace de quelques mots. Chateaubriant : « On déterre dans des îles de Norvège quelques urnes gravées de caractères indéchiffrables. A qui appartiennent ces cendres ? Les vents n'en savent rien. » L'écriture de TW est encore plus vaine : c'est déchiffrable, ce n'est pas interprétable ; les traits eux-mêmes peuvent bien en être précis, discontinus ; ils n'en ont pas moins pour fonction de restituer ce *vague* qui empêcha TW, à l'armée, d'être un bon déchiffreur des codes militaires (« *I was a little too vague for that* »). Or le vague, paradoxalement, exclut toute idée d'énigme ; le vague ne va pas avec la mort ; le vague est vivant.

*

De l'écriture, TW garde le geste, non le produit. Même s'il est possible de consommer esthétiquement le résultat de son travail (ce qu'on appelle l'œuvre, la toile), même si les productions de TW rejoignent (elles ne peuvent y échapper) une Histoire et une

Théorie de l'Art, ce qui est montré, c'est un geste. Qu'est-ce qu'un geste ? Quelque chose comme le supplément d'un acte. L'acte est transitif, il veut seulement susciter un objet, un résultat ; le geste, c'est la somme indéterminée et inépuisable des raisons, des pulsions, des paresses qui entourent l'acte d'une *atmosphère* (au sens astronomique du terme). Distinguons donc le *message,* qui veut produire une information, le *signe,* qui veut produire une intellection, et le *geste,* qui produit tout le reste (le « supplément »), sans forcément vouloir produire quelque chose. L'artiste (gardons encore ce mot quelque peu kitsch) est par statut un opérateur de gestes : il veut produire un effet, et en même temps ne le veut pas ; les effets qu'il produit, il ne les a pas obligatoirement voulus ; ce sont des effets retournés, renversés, échappés, qui reviennent sur lui et provoquent dès lors des modifications, des déviations, des allègements de la trace. Ainsi, dans le geste s'abolit la distinction entre la cause et l'effet, la motivation et la cible, l'expression et la persuasion. Le geste de l'artiste — ou l'artiste comme geste — ne casse pas la chaîne causative des actes, ce que le bouddhiste appelle le *karma* (ce n'est pas un saint, un ascète), mais il la brouille, il la relance jusqu'à en perdre le sens. Dans le zen (japonais), on appelle cette rupture brusque (parfois très ténue) de notre logique causale (je simplifie) : un *satori* : par une circonstance infime, voire dérisoire, aberrante, farfelue, le sujet *s'éveille* à une négativité radicale (qui n'est plus une négation). Je considère les « graphismes » de TW comme autant de petits *satoris* : partis de l'écriture (champ causal s'il en fut : on écrit, dit-on, pour communiquer), des sortes d'éclats inutiles, qui ne sont même pas des lettres interprétées, viennent suspendre l'être actif de l'écriture, le tissu de ses motivations, même esthétiques : *l'écriture* n'habite plus nulle part, elle est absolument *de trop.* N'est-ce pas à cette limite extrême que commence vraiment « l'art », le « texte », tout le « pour rien » de l'homme, sa perversion, sa dépense ?

*

On a rapproché TW de Mallarmé. Mais ce qui a servi au rapprochement , à savoir une sorte d'esthétisme supérieur qui les unirait tous deux, n'existe ni chez l'un ni chez l'autre. S'attaquer au langage, comme l'a fait Mallarmé, implique une visée autrement sérieuse — autrement dangereuse — que celle de l'esthétique. Mallarmé a voulu déconstruire la phrase, véhicule séculaire (pour la France) de l'idéologie. En passant, en traînant, si l'on peut dire, TW déconstruit l'écriture. Déconstruire ne veut pas du tout dire : rendre méconnaissable ; dans les textes de Mallarmé, la langue française est reconnue, elle fonctionne — par bribes, il est vrai. Dans les graphismes de TW l'écriture est, elle aussi, reconnue ; elle va, se présente comme écriture. Cependant, les lettres formées ne font plus partie d'aucun code graphique, comme les grands syntagmes de Mallarmé ne font plus partie d'aucun code rhétorique — même pas celui de la destruction.

*

Sur telle surface de TW, rien d'écrit, et cependant cette surface apparaît comme le réceptacle de tout écrit. De même que l'écriture chinoise naquit, dit-on, des craquelures d'une écaille surchauffée de tortue, de même ce qu'il y a d'écriture dans l'œuvre de TW naît de la surface elle-même. Aucune surface, si loin qu'on la prenne, n'est vierge : tout est toujours, déjà, âpre, discontinu, inégal, rythmé par quelque accident : il y a le grain du papier, puis les salissures, les treillis, l'entrelacs de traits, les diagrammes, les mots. Au terme de cette chaîne, l'écriture perd sa violence ; ce qui s'impose, ce n'est pas telle ou telle écriture, ni même l'être de l'écriture, c'est l'idée d'une texture graphique : « *à écrire* », dit l'œuvre de TW, comme on dit ailleurs : « *à prendre* », « *à manger* ».

Culture

À travers l'œuvre de TW les germes d'écriture vont de la plus grande rareté jusqu'à la multiplication folle : c'est comme un prurit graphique. Dans sa tendance, l'écriture devient alors culture. Quand l'écriture presse, éclate, se pousse vers les marges, elle rejoint l'idée du Livre. Le Livre qui est virtuellement présent dans l'œuvre de TW, c'est le vieux Livre, le Livre annoté : une parole surajoutée envahit les marges, les interlignes : c'est la glose.

Lorsque TW écrit et répète ce seul mot : *Virgil,* c'est *déjà* un commentaire de Virgile, car le nom, inscrit à la main, appelle non seulement toute une idée (au reste vide) de la culture antique, mais aussi opère comme une citation : celle d'un temps d'études désuètes, calmes, oisives, discrètement décadentes : collèges anglais, vers latins, pupitres, lampes, écritures fines au crayon. Telle est la culture pour TW : une aise, un souvenir, une ironie, une posture, un geste dandy.

Gauche

On a dit : TW, c'est comme dessiné, tracé avec la main gauche. La langue française est droitière : ce qui marche en vacillant, ce qui fait des détours, ce qui est maladroit, embarrassé, elle le nomme *gauche*, et de ce *gauche,* notion morale, jugement, condamnation, elle a fait un terme physique, de pure dénotation, remplaçant abusivement le vieux mot « sénestre » et désignant ce qui est à gauche du corps : c'est ici le subjectif qui, *au niveau de la langue,* a fondé l'objectif (de même voit-on, dans un autre coin de notre langue, une métaphore sentimentale donner son nom à une substance toute physique : l'amoureux qui s'enflamme, l'*amado,* devient paradoxalement le nom de toute matière conductrice de feu : l'*amadou*). Cette histoire étymologique nous dit assez qu'en produisant une écriture qui semble *gauche* (ou gauchère), TW dérange la morale du corps : morale des plus archaïques, puisqu'elle assimile l'« anomalie » à une déficience, et la déficience à une faute. Que ses graphismes, ses compositions soient comme « gauches », cela renvoie TW au cercle des exclus, des marginaux — où il se retrouve, bien entendu, avec les enfants, les infirmes : le « gauche » (ou le « gaucher ») est une sorte d'aveugle : il ne voit pas bien la direction, la portée de ses gestes ; sa main seule le guide, le désir de sa main, non son aptitude instrumentale ; l'œil, c'est la raison, l'évidence, l'empirisme, la vraisemblance, tout ce qui sert à contrôler, à coordonner, à imiter, et comme art exclusif de la vision, toute notre peinture passée s'est trouvée assujettie à une rationalité répressive. D'une certaine façon, TW libère la peinture de la vision ; car le « gauche » (le « gaucher ») défait le lien de la main et de l'œil : il dessine sans lumière (ainsi faisait TW, à l'armée).

*

TW, contrairement au parti de tant de peintres actuels, montre le geste. Il n'est pas demandé de voir, de penser, de savourer le produit, mais de revoir, d'identifier et, si l'on peut dire, de « jouir » le mouvement qui en est venu *là.* Or, aussi longtemps que l'humanité a pratiqué l'écriture manuelle, à l'exclusion de l'imprimée, le trajet de la main, et non la perception visuelle de son œuvre, a été l'acte fondamental par lequel les lettres se définissaient, s'étudiaient, se classaient : cet acte réglé, c'est ce qu'on appelle en paléographie le *ductus* : la main conduit le trait (de haut en bas, de gauche à droite, en tournant, en appuyant, en s'interrompant, etc.) ; bien entendu, c'est dans l'écriture idéographique que le *ductus* a le plus d'importance : rigoureusement codé, il permet de classer les caractères selon le nombre et la direction des coups de pinceau, il fonde la possibilité même du dictionnaire, pour une écriture sans alphabet. Dans l'œuvre de TW règne le *ductus* : non sa règle, mais ses jeux, ses fantaisies, ses explorations, ses paresses. C'est en somme une écriture dont il ne resterait que le penchement, la cursivité ; dans le graphisme antique, la cursive est née du besoin (économique) d'écrire vite : lever la plume coûte cher. Ici, c'est tout le contraire : cela tombe, cela pleut finement, cela se couche comme des herbes, cela rature par désœuvrement, comme s'il s'agissait de rendre visible le temps, le tremblement du temps.

*

Beaucoup de compositions rappellent, a-t-on dit, les *scrawls* des enfants. L'enfant, c'est l'*infans,* celui qui ne parle pas encore ; mais l'enfant qui conduit la main de TW, lui, écrit déjà, c'est un écolier : papier quadrillé, crayon de couleur, bâtonnets alignés, lettres répétées, petits panaches de hachures, comme la fumée qui sort de la locomotive des dessins d'enfants. Cependant, une fois de plus, le stéréotype (« de quoi ça à l'air ») se retourne subtilement. La production (graphique) de l'enfant n'est jamais idéelle : elle conjoint sans intermédiaire la marque objective de l'instrument (un crayon, objet commercial) et le *ça* du petit sujet qui pèse, appuie, insiste sur la feuille. Entre l'outil et la fantaisie, TW interpose l'idée : le crayon de couleur devient la couleur-crayon : la réminiscence (de l'écolier) se fait signe total : du temps, de la culture, de la société (ceci est proustien, plus que mallarméen).

*

La gaucherie est rarement légère ; le plus souvent, *gauchir*, c'est appuyer ; la vraie maladresse insiste, s'obstine, elle veut se faire aimer (tout comme l'enfant veut *donner à voir* ce qu'il fait, l'exhibe triomphalement à sa mère). Il appartient à TW de souvent renverser cette gaucherie très retorse dont j'ai parlé : cela n'appuie pas, bien au contraire, cela s'efface peu à peu, s'estompe, tout en gardant la délicate salissure du coup de gomme : la main a tracé quelque chose comme une fleur et puis s'est mise à traîner sur cette trace ; la fleur a été écrite, puis désécrite ; mais les deux mouvements restent vaguement surimprimés ; c'est un palimpseste pervers : trois textes (si l'on y ajoute la sorte de signature, de légende ou de citation : *Sesostris*) sont là, l'un tendant à effacer l'autre, mais à seule fin, dirait-on, de donner à lire cet effacement : véritable philosophie du temps. Comme toujours, il faut que la vie (l'art, le geste, le travail) témoigne sans désespoir de l'inéluctable disparition : en s'engendrant (tels ces *a* enchaînés selon un seul et même rond de main, répété, translaté), en donnant à lire leur engendrement (ce fut autrefois le sens de l'*esquisse*), les formes (du moins, à coup sûr, celles de TW) ne chantent pas plus les merveilles de la génération que les mornes stérilités de la répétition ; elles ont à charge, dirait-on, de lier dans un seul état ce qui apparaît et ce qui disparaît ; séparer l'exaltation de la vie et la peur de la mort, c'est plat ; l'utopie, dont l'art peut être le langage, mais à quoi résiste toute la névrose humaine, c'est de produire un seul affect : ni Éros, ni Thanatos, mais Vie-Mort, d'une seule pensée, d'un seul geste. De cette utopie n'approchent ni l'art violent ni l'art glacé, mais plutôt, à mon goût, celui de TW, inclassable, parce qu'il conjoint, par une trace inimitable, l'inscription et l'effacement, l'enfance et la culture, la dérive et l'invention.

Support ?

Il paraît que TW est un « anticoloriste ». Mais qu'est-ce que la couleur ? Une jouissance. Cette jouissance est dans TW. Pour le comprendre, il faut se rappeler que la couleur est *aussi* une idée (une idée sensuelle) : pour qu'il y ait couleur (au sens jouissif du terme), il n'est pas nécessaire que la couleur soit soumise à des modes emphatiques d'existence ; il n'est pas nécessaire qu'elle soit intense, violente, riche, ou même délicate, raffinée, rare, ou encore étale, pâteuse, fluide, etc. ; bref il n'est pas nécessaire qu'il y ait affirmation, *installation* de la couleur. Il suffit qu'elle apparaisse, qu'elle soit là, qu'elle s'inscrive comme un trait d'épingle dans le coin de l'œil (métaphore qui dans *les Mille et Une Nuits* désigne l'excellence d'un récit), il suffit qu'elle déchire quelque chose : que ça passe devant l'œil, comme une apparition — ou une disparition, car la couleur, c'est comme une paupière qui se ferme, un léger évanouissement. TW ne peint pas la couleur ; tout au plus dirait-on qu'il colorie ; mais ce coloriage est rare, interrompu, et toujours à vif, comme si l'on essayait le crayon. Ce peu de couleur donne à lire, non un effet (encore moins une vraisemblance), mais un geste, le plaisir d'un geste : voir naître au bout de son doigt, de son œil, quelque chose qui est à la fois attendu (ce crayon que je tiens, je sais qu'il est bleu) et inattendu (non seulement je ne sais quel bleu va sortir, mais encore le saurais-je, j'en serais toujours surpris, car la couleur, à l'instar de l'*événement*, est neuve à chaque coup : c'est précisément le *coup* qui fait la couleur, comme il fait la jouissance).

*

Au reste, on s'en doute, la couleur est *déjà* dans le papier de TW, en tant qu'il est *déjà* sali, altéré, d'une luminosité inclassable. Il n'y a que le papier de l'écrivain qui soit blanc, qui soit « propre », et ce n'est pas le moindre de ses problèmes (difficulté de la page blanche : souvent ce blanc provoque une panique : comment le salir ?) ; le malheur de l'écrivain, sa différence (par rapport au peintre, et spécialement au peintre d'écriture, comme l'est TW), c'est que le graffiti lui est interdit : TW, c'est en somme un écrivain qui accéderait au graffiti, de plein droit et au vu de tout le monde. On sait bien que ce qui fait le graffiti, ce n'est à vrai dire ni l'inscription, ni son message, c'est le mur, le fond, la table ; c'est parce que le fond existe pleinement, comme un objet qui a déjà vécu, que l'écriture lui vient toujours comme un supplément énigmatique : ce qui est *de trop,* en surnombre, hors sa place, voilà qui trouble l'ordre ; ou encore : c'est dans la mesure où le fond *n'est pas propre,* qu'il est impropre à la pensée (au contraire de la feuille blanche du philosophe), et donc très propre à tout ce qui reste (l'art, la paresse, la pulsion, la sensualité, l'ironie, le goût : tout ce que l'intellect peut ressentir comme autant de catastrophes esthétiques).

*

Comme dans une opération chirurgicale d'une extrême finesse, tout se joue (chez TW) à ce moment infinitésimal où la cire du crayon approche le grain du papier. La cire, substance douce, adhère à de menues aspérités du champ graphique, et c'est la trace de ce vol léger d'abeilles qui fait le trait de TW. Adhérence singulière, car elle contredit l'idée même d'adhérence : c'est comme un attouchement dont le seul souvenir ferait finalement le prix ; mais ce *passé* du trait peut être aussi défini comme son avenir : le crayon, mi-gras, mi-pointu (on ne sait comment il tournera) *va* toucher le papier : techniquement, l'œuvre de TW semble se conjuguer au passé ou au futur, jamais vraiment au présent ; on dirait qu'il n'y a jamais que le souvenir ou l'annonce du trait : sur le papier — à cause du papier — le temps est en perpétuelle incertitude.

*

Prenons un dessin d'architecte ou d'ingénieur, l'épure d'un appareil ou de quelque élément immobilier ; ce n'est alors nullement la matérialité du graphisme que nous voyons ; c'en est le sens, tout à fait indépendant de la performance du technicien ; en somme, nous ne voyons rien, sinon une sorte d'intelligibilité.

Descendons maintenant d'un degré dans la matière graphique : devant une écriture tracée à la main, c'est bien encore l'intelligibilité des signes que nous consommons, mais des éléments opaques, insignifiants — ou plutôt : d'une autre signifiance —, retiennent notre vue (et déjà notre désir) : le tour nerveux des lettres, le jet de l'encre, l'élancement des jambages, tous ces accidents qui ne sont pas nécessaires au fonctionnement du code graphique et sont par conséquent, déjà, des suppléments. Éloignons-nous encore du sens : un dessin classique ne donne à lire aucun signe constitué ; plus aucun message fonctionnel ne passe : j'investis mon désir dans la performance de l'analogie, la réussite de la facture, la séduction du style, en un mot dans l'état final du produit : c'est véritablement un objet qui m'est donné à contempler. De cette chaîne, qui va du schéma au dessin et le long de laquelle le sens s'évapore peu à peu pour faire place à un « profit » de plus en plus inutile, TW occupe le terme extrême : des signes, parfois, mais pâlis, gauches (on l'a dit), comme s'il était tout à fait indifférent qu'on les déchiffrât, mais surtout, si l'on peut dire, le *dernier état* de la peinture, son plancher : le papier (« TW avoue avoir plus le sens du papier que de la peinture »). Et pourtant, il se produit un retour bien étrange : parce que le sens a été exténué, parce que le papier est devenu ce qu'il faut bien appeler l'*objet du désir,* le dessin peut réapparaître, absous de toute fonction technique, expressive ou esthétique ; dans certaines compositions de TW, le dessin de l'architecte, de l'ébéniste ou du métreur revient, comme si l'on regagnait librement l'origine de la chaîne, épurée, libérée désormais des raisons qui depuis des siècles semblaient justifier la reproduction graphique d'un objet *reconnaissable.*

Corps

Le trait — tout trait inscrit sur la feuille — dénie le corps important, le corps charnu, le corps humoral ; le trait ne donne accès ni à la peau ni aux muqueuses ; ce qu'il dit, c'est le corps en tant qu'il griffe, effleure (on peut aller jusqu'à dire : chatouille) ; par le trait, l'art se déplace ; son foyer n'est plus l'objet du désir (le beau corps figé dans le marbre), mais le sujet de ce désir : le trait, si souple, léger ou incertain soit-il, renvoie toujours à une force, à une direction ; c'est un *energon*, un travail, qui donne à lire la trace de sa pulsion et de sa dépense. Le trait est une action visible.

*

Le trait de TW est inimitable (essayez de l'imiter : ce que vous ferez ne sera ni de lui ni de vous ; ce sera : *rien*). Or, ce qui est inimitable, finalement, c'est le corps ; aucun discours, verbal ou plastique — si ce n'est celui de la science anatomique, fort grossier, somme toute —, ne peut réduire un corps à un autre corps. L'œuvre de TW donne à lire cette fatalité : mon corps ne sera jamais le tien. De cette fatalité, en quoi peut se résumer un certain malheur humain, il n'y a qu'un moyen de se tirer : la séduction : que mon corps (ou ses substituts sensuels, l'art, l'écriture) séduise, emporte ou dérange l'autre corps.

*

Dans notre société, le moindre trait graphique, pourvu qu'il soit issu de ce corps inimitable, de ce corps certain, vaut des millions. Ce qui est consommé (puisqu'il s'agit d'une société de consommation), c'est un corps, une « individualité » (c'est-à-dire : ce qui ne peut être davantage divisé). Autrement dit, dans l'œuvre de l'artiste, c'est son corps qui est acheté : échange dans lequel on ne peut que reconnaître le contrat de prostitution. Ce contrat est-il propre à la civilisation capitaliste ? Peut-on dire qu'il définit spécifiquement les mœurs commerciales de nos milieux d'art (souvent choquantes pour beaucoup) ? Dans la Chine populaire, j'ai vu les œuvres de peintres ruraux, dont le travail était par principe dégagé de tout échange ; or, il se produisait là un curieux chassé-croisé : le peintre que l'on vantait le plus avait produit un dessin correct et plat (portrait d'un secrétaire de cellule, en train de lire) : dans le trait graphique, nul corps, nulle passion, nulle paresse, rien que la trace d'une opération analogique (faire ressemblant, faire expressif) ; à l'opposé, l'exposition foisonnait d'autres œuvres, de style dit « naïf », à travers lesquelles, en dépit de leur sujet réaliste, le corps fou de l'artiste amateur pressait, éclatait, jouissait (par la rondeur voluptueuse des traits, la couleur effrénée, la répétition enivrante des motifs). Autrement dit, le corps excède toujours l'échange dans lequel il est pris : aucun commerce au monde, aucune vertu politique ne peuvent exténuer le corps : il y a toujours un point extrême où il se donne *pour rien.*

*

Ce matin, pratique féconde — en tout cas agréable : je regarde très lentement un album où sont reproduites des œuvres de TW et je m'interromps souvent pour tenter très vite, sur des fiches, des griffonnages ; je n'imite pas directement TW (à quoi bon ?), j'imite le *tracing* que j'infère, sinon inconsciemment, du moins rêveusement, de ma lecture ; je ne copie pas le produit, mais la production. Je me mets, si l'on peut dire : *dans les pas de la main.*

*

Car telle est bien (pour mon corps, du moins) l'œuvre de TW : une *production,* délicatement emprisonnée, enchantée dans ce produit esthétique qu'on appelle une toile, un dessin, dont la collection (album, exposition) n'est jamais qu'une anthologie de *traces.* Cette œuvre oblige le lecteur de TW (je dis : *lecteur,* bien qu'il n'y ait rien à déchiffrer) à une certaine philosophie du temps : il doit voir rétrospectivement un mouvement, le devenir ancien de la main ; mais dès lors, révolution salutaire, le produit (tout produit ?) apparaît comme un leurre : tout l'art, en tant qu'il est emmagasiné, consigné, publié, est dénoncé comme *imaginaire* : le réel, à quoi vous rappelle sans cesse le tracé de TW, c'est la production : à chaque coup, TW fait éclater le Musée.

*

Il existe une forme, si l'on peut dire, sublime, du tracé, parce que dépourvue de toute griffure, de toute lésion : l'instrument traceur (pinceau on crayon) descend sur la feuille, il atterrit — ou alunit — sur elle, c'est tout : il n'y a même pas l'ombre d'une morsure, simplement un *posé* : à la raréfaction quasi orientale de la surface un peu salie (c'est elle l'*objet*) répond l'exténuation du mouvement : il ne saisit rien, il dépose, et tout est dit.

*

Si la distinction du *produit* et de la *production*, sur laquelle à mon sens (comme on l'a vu) se fonde toute l'œuvre de TW, paraît un peu sophistiquée, que l'on songe à l'éclaircissement décisif que certaines oppositions terminologiques ont permis d'apporter à des activités psychiques à première vue confuses : le psychanalyste anglais D.W. Winnicott a bien montré qu'il était faux de réduire le jeu de l'enfant à une pure activité ludique ; et pour cela, il a rappelé l'opposition du *game* (jeu strictement réglé) et du *play* (jeu qui s'éploie librement). TW, bien entendu, est du côté du *play*, non du *game*. Mais ce n'est pas tout ; dans un second temps de sa démarche, Winnicott passe du *play*, encore trop raide, au *playing* : le réel de l'enfant — et de l'artiste —, c'est le processus de manipulation, non l'objet produit (Winnicott en vient à substituer systématiquement aux concepts les formes verbales qui leur correspondent : *fantasying*, *dreaming*, *living*, *holding*, etc.). Tout ceci vaut très bien pour TW : son œuvre ne relève pas d'un concept (*trace*), mais d'une activité (*tracing*) ; ou mieux encore : d'un champ (la feuille), en tant qu'une activité s'y déploie. Le jeu, pour Winnicott, disparaît chez l'enfant au profit de son aire ; le « dessin », pour TW, disparaît au profit de l'aire qu'il habite, mobilise, travaille, sillonne — ou raréfie.

Moralité

L'artiste n'a pas de morale, mais il a une *moralité*. Dans son œuvre, il y a ces questions : *que sont les autres pour moi ? comment dois-je les désirer ? Comment dois-je me prêter à leur désir ? Comment faut-il se tenir parmi eux ?* Énonçant chaque fois une « vision subtile du monde » (ainsi parle le Tao), l'artiste *compose* ce qui est allégué (ou refusé) de sa culture et ce qui insiste de son propre corps : ce qui est évité, *ce qui est évoqué*, ce qui est répété, ou encore : interdit/désiré : voilà le paradigme qui, telles deux jambes, fait marcher l'artiste, *en tant qu'il produit*.

*

Comment faire un trait qui ne soit pas bête ? Il ne suffit pas de l'onduler un peu pour le rendre vivant : il faut — on l'a dit — le *gauchir* : il y a toujours un peu de gaucherie dans l'intelligence. Voyez ces deux lignes parallèles tracées par TW ; elles finissent par se rejoindre, comme si l'auteur n'avait pu *tenir* jusqu'au bout l'écart obstiné qui mathématiquement les définit. Ce qui *semble* intervenir dans le trait de TW et le conduire au bord de cette très mystérieuse *dysgraphie* qui fait tout son art, c'est une certaine paresse (qui est l'un des signes les plus purs du corps). La paresse : c'est précisément ce que permet le « dessin », mais non la « peinture » (toute couleur lâchée, laissée, est violente), ni l'écriture (chaque mot naît entier, volontaire, armé par la culture). La « paresse » de TW (je parle ici d'un effet, non d'une disposition) est cependant tactique : elle lui permet d'éviter la platitude des codes graphiques, sans se prêter au conformisme des destructions : elle est, dans tous les sens du mot, un *tact*.

*

Chose très rare, le travail de TW ne porte en lui aucune agressivité (c'est, a-t-on dit, un trait qui le différencie de Paul Klee). Je crois trouver la raison de cet effet, si contraire à tout art dans lequel le corps est engagé : TW semble procéder à la façon de certains peintres chinois, qui doivent réussir le trait, la forme, la figure, du premier coup, sans pouvoir se reprendre, en raison de la fragilité du papier, de la soie : c'est peindre *alla prima*. TW lui aussi semble tracer ses graphismes *alla prima* ; mais tandis que le jet chinois comporte un grand danger, celui de « rater » la figure (en manquant l'analogie), le tracé de TW n'en comporte aucun : il est sans but, sans modèle, sans instance ; il est sans *telos*, et par conséquent sans risque : pourquoi « se reprendre », puisqu'il n'y a pas de maître ? De là vient que toute agressivité est en quelque sorte inutile.

*

La *valeur* déposée par TW dans son œuvre peut tenir dans ce que Sade appelait *le principe de délicatesse* (« Je respecte les goûts,

les fantaisies... je les trouve respectables... parce que la plus bizarre de toutes, bien analysée, remonte toujours à un principe de délicatesse »). Comme principe, la « délicatesse » n'est ni morale, ni culturelle ; c'est une pulsion (pourquoi la pulsion serait-elle de droit violente, grossière ?), *une certaine demande du corps lui-même.*

*

24 short pieces : cela tient à la fois de Webern et du haïku japonais. Dans les trois cas, il s'agit d'un art paradoxal, provoquant même (s'il n'était délicat), en ceci que la concision y déjoue la profondeur. En général, ce qui est bref apparaît ramassé : la rareté engendre la densité et la densité l'énigme. Chez TW, une autre dérive se produit : il y a certes un silence, ou, pour être plus juste, un grésillement très ténu de la feuille, mais ce fond est lui-même une puissance positive ; inversant le rapport habituel de la facture classique, on pourrait dire que le trait, la hachure, la forme, bref l'événement graphique, est ce qui permet à la feuille d'exister, de signifier, de jouir (« L'être, dit le Tao, donne des possibilités, c'est par le non-être qu'on les utilise »). L'espace traité n'est dès lors plus dénombrable, sans pour autant cesser d'être pluriel : n'est-ce pas selon cette opposition à peine tenable, puisqu'elle exclut à la fois le nombre et l'unité, la dispersion et le centre, qu'il faut interpréter la dédicace que Webern, précisément, adressait à Alban Berg : « *Non multa, sed multum* » ?

*

Il y a des peintures excitées, possessives, dogmatiques ; elles imposent le produit, lui donnent la tyrannie d'un concept ou la violence d'une convoitise. L'art de TW — c'est là sa moralité — et aussi son extrême singularité historique — *ne veut rien saisir* ; il se tient, il flotte, il dérive entre le désir — qui, subtilement, anime la main — et la politesse, qui lui donne congé ; s'il fallait à cet art quelque référence, on ne pourrait aller la chercher que très loin, hors de la peinture, hors de l'Occident, hors des siècles historiques, à la limite même du sens, et dire avec le Tao Tö King :

Il produit sans s'approprier,
Il agit sans rien attendre,
Son œuvre accomplie, il ne s'y attache pas,
et puisqu'il ne s'y attache pas,
son œuvre restera.

Extrait de *Cy Twombly : catalogue raisonné des œuvres sur papier,* par Yvon Lambert.

Lectures : l'art

Sagesse de l'art

Quels que soient les avatars de la peinture, quels que soient le support et le cadre, c'est toujours la même question : *qu'est-ce qui se passe, là ?* Toile, papier ou mur, il s'agit d'une scène où advient quelque chose (et si, dans certaines formes d'art, l'artiste veut délibérément qu'il ne se passe rien, c'est encore là une aventure). Aussi faut-il prendre le tableau (gardons ce nom commode, même s'il est ancien) pour une sorte de théâtre à l'italienne : le rideau s'ouvre, nous regardons, nous attendons, nous recevons, nous comprenons ; et la scène passée, le tableau disparu, nous nous souvenons : nous ne sommes plus les mêmes qu'avant : comme dans le théâtre antique, nous avons été initiés. Je voudrais interroger Twombly sous le rapport de l'Événement.

Ce qui se passe sur la scène proposée par Twombly (toile ou papier), c'est quelque chose qui participe de plusieurs types d'événement, que les Grecs distinguaient très bien dans leur vocabulaire : il se passe un fait (*pragma*), un hasard (*tyché*), une issue (*telos*), une surprise (*apodeston*) et une action (*drama*).

1

Avant toute chose, il se passe... du crayon, de l'huile, du papier, de la toile. L'instrument de la peinture n'est pas un instrument. C'est un fait. Twombly impose le matériau, non comme ce qui va servir à quelque chose, mais comme une matière absolue, manifestée dans sa gloire (le vocabulaire théologique dit que la gloire de

Dieu, c'est la manifestation de son Être). Le matériau est *materia prima*, comme chez les Alchimistes. La *materia prima* est ce qui existe antérieurement à la division du sens : paradoxe énorme, car, dans l'ordre humain, rien ne vient à l'homme qui ne soit immédiatement accompagné d'un sens, le sens que d'autres hommes lui ont donné, et ainsi de suite, en remontant, à l'infini. Le pouvoir démiurgique du peintre est qu'il fait exister le matériau comme matière ; même si du sens surgit de la toile, le crayon et la couleur restent des « choses », des substances entêtées, dont rien (aucun sens postérieur) ne peut défaire l'obstination à « être-là ».

L'art de Twombly consiste à faire voir les choses : non celles qu'il représente (c'est un autre problème), mais celles qu'il manipule : ce peu de crayon, ce papier quadrillé, cette parcelle de rose, cette tache brune. Cet art possède son secret, qui est, en général, non d'étaler la substance (charbon, encre, huile), mais de *la laisser traîner*. On pourrait penser que, pour dire le crayon, il faut l'appuyer, en renforcer l'apparence, le rendre intense, noir, épais. Twombly pense le contraire : c'est en retenant la pression de la matière, en la laissant se poser comme nonchalamment de façon que son grain se disperse un peu, que la matière va montrer son essence, nous donner la certitude de son nom : *c'est* du crayon. Si l'on voulait philosopher un peu, on dirait que l'être des choses est, non dans leur lourdeur, mais dans leur légèreté ; ce qui serait peut-être retrouver une proposition de Nietzsche : « Ce qui est bon est léger » : rien, en effet, de moins wagnérien que Twombly.

Il s'agit donc de faire apparaître, toujours, en toutes circonstances (en n'importe quelle œuvre), la matière comme un fait (*pragma*). Pour cela, Twombly a, sinon des procédés (et quand bien même en aurait-il, en art, le procédé est noble), du moins des habitudes. Ne nous demandons pas si ces habitudes, d'autres peintres les ont eues : c'est, de toute manière, leur combinaison, leur répartition, leur dosage qui font l'art original de Twombly. Les mots, eux aussi, appartiennent à tout le monde ; mais la phrase, elle, appartient à l'écrivain : les « phrases » de Twombly sont inimitables.

Voici donc à travers quels gestes Twombly énonce (pourrait-on dire : épelle ?) la matière de la trace : 1) la *griffure* : Twombly griffe la toile d'un gribouillis de lignes (*Free Wheeler, Criticism, Olympia*) ; le geste est celui d'un va-et-vient de la main, parfois intense, comme si l'artiste « tripotait » le tracé, à la façon de quelqu'un qui s'ennuierait au cours d'une réunion syndicale et noircirait de traits apparemment insignifiants un coin du papier qu'il a devant lui ; 2) la *tache* (*Commodus II*) : il ne s'agit pas de tachisme ; Twombly dirige la tache, il la traîne, comme s'il intervenait avec les doigts ; le corps est donc là, contigu, proche de la toile, non par projection, mais, si l'on peut dire, par attouchement, cependant toujours léger : il ne s'agit pas d'un écrasement (par exemple, *Bay of Naples*) ; aussi vaudrait-il mieux parler, peut-être, de *macula*, plutôt que de « tache » ; car la *macula*, ce n'est pas n'importe quelle tache ; c'est (l'étymologie nous le dit) la tache sur la peau, mais aussi la maille d'un filet, en ce qu'elle rappellerait la tacheture de certains animaux ; les *maculae* de Twombly sont en effet de l'ordre du réseau ; 3) la *salissure* : j'appelle ainsi les traînées, de couleur ou de crayon, souvent même de matière indéfinissable, dont Twombly semble recouvrir d'autres traits, comme s'il voulait les effacer, sans le vouloir vraiment, puisque ces traits restent un peu visibles sous la couche qui les enveloppe ; c'est une dialectique subtile : l'artiste feint d'avoir « raté » quelque morceau de sa toile et de vouloir l'effacer ; mais ce gommage, il le rate à son tour ; et ces deux ratages superposés produisent une sorte de palimpseste : donnent à la toile la profondeur d'un ciel où les nuages légers passent les uns devant les autres sans s'annuler (*View, School of Athens*).

On pourra remarquer que ces gestes, qui ont pour but d'installer la matière comme un fait, ont tous un rapport avec la salissure. Paradoxe : le fait, dans sa pureté, se définit mieux de n'être pas propre. Prenez un objet usuel : ce n'est pas son état neuf, vierge, qui rend le mieux compte de son essence ; c'est plutôt son état déjeté, un peu usé, un peu sali, un peu abandonné : le déchet, voilà où se lit la vérité des choses. C'est dans la traînée qu'est la vérité du rouge ; c'est dans la tenue relâchée d'un trait qu'est la vérité du crayon. Les Idées (au sens platonicien) ne sont pas des Figures métalliques et brillantes, corsetées comme des concepts, mais plutôt des maculatures un peu tremblées, ténues sur fond vague.

Voilà pour le fait pictural (*via di porre*). Mais il y a d'autres événements dans l'œuvre de Twombly : des événements écrits, des Noms. Eux aussi sont des faits : ils se tiennent debout sur la scène, sans décor, sans accessoires : *Virgil, Orpheus*. Mais leur gloire nominaliste (rien que le Nom) est elle aussi impure : le graphisme est un peu enfantin, irrégulier ; gauche ; rien à voir avec la typographie de l'art conceptuel ; la main qui trace donne à ces noms toutes les maladresses de quelqu'un qui essaye d'écrire ; et dès lors, peut-être, ici encore, la vérité du Nom apparaît mieux : est-ce que l'écolier n'apprend pas l'essence de la table en en copiant le nom de sa main laborieuse ? En écrivant *Virgil* sur sa toile, c'est comme si Twombly condensait dans sa main l'énormité même du monde virgilien, toutes les références dont ce nom est le dépôt. C'est pourquoi, dans les titres de Twombly, il ne faut chercher aucune induction d'analogie. Si la toile s'appelle *The Italians*, ne cherchez nulle part les Italiens, sauf, précisément, dans leur nom. Twombly sait que le Nom a une puissance absolue (et suffisante) d'évocation : écrire *les Italiens*, c'est voir tous les Italiens. Les Noms sont comme ces jarres dont parlent *les Mille et Une Nuits* dans je ne sais plus quel conte : des génies y sont enfermés ; ouvrez ou brisez la jarre, le génie sort, s'élève, se déforme comme une fumée et emplit l'air entier : brisez le titre, toute la toile s'en échappe.

Un fonctionnement aussi pur s'observe bien dans la dédicace. Il y en a quelques-unes chez Twombly : *To Valery, To Tatlin*. Une fois de plus, ici, rien de plus que l'acte graphique de dédier. Car « dédier » est l'un de ces verbes que les linguistes, à la suite d'Austin, ont appelés des « performatifs », parce que leur sens se confond avec l'acte même de les énoncer : « je dédie » n'a d'autre sens que le geste effectif par lequel je tends ce que j'ai fait (mon œuvre) à quelqu'un que j'aime ou admire. C'est bien ce que fait Twombly : ne supportant que l'inscription de la dédicace, la toile en quelque sorte s'absente : n'est donné que l'acte de donner — et ce peu d'écriture pour le dire. Ce sont des toiles-limites, non en ce qu'elles ne comportent aucune peinture (d'autres peintres ont expérimenté cette limite) mais parce que l'idée même d'œuvre est supprimée — mais non la relation du peintre à qui il aime.

2

Tyché, en grec, c'est l'événement en ce qu'il survient par hasard. Les toiles de Twombly semblent toujours comporter une certaine force de hasard, une Bonne Chance. Peu importe que l'œuvre soit, en fait, le résultat d'un calcul minutieux. Ce qui compte, c'est l'effet de hasard, ou, pour le dire plus subtilement (car l'art de Twombly n'est pas aléatoire) : d'*inspiration*, cette force créative qui est comme le bonheur du hasard. Deux mouvements et un état rendent compte de cet effet.

Les mouvements sont : d'abord l'impression de « jeté » : le matériau semble jeté à travers la toile, et *jeter* est un acte en lequel s'inscrivent à la fois une décision initiale et une indécision terminale : en jetant, je sais ce que je fais, mais je ne sais pas ce que je produis. Le « jeté » de Twombly est élégant, souple, « long », comme on dit à ces jeux où il s'agit de lancer une boule. Ensuite — ceci étant comme la conséquence de cela — une apparence de dispersion : dans une toile (ou un papier) de Twombly, les éléments sont séparés les uns des autres par de l'espace, beaucoup d'espace ; en cela ils ont quelque affinité avec la peinture orientale, dont Twombly est d'ailleurs proche par le recours à un mélange fréquent d'écriture et de peinture. Même quand les accidents — les événements — sont marqués fortement (*Bay of Naples*), les toiles de Twombly restent des espaces absolument aérés ; et leur aération n'est pas seulement une valeur plastique ; c'est comme une énergie subtile qui permet de mieux respirer : la toile produit en moi ce que le philosophe Bachelard appelait une imagination « ascensionnelle » : je flotte dans le ciel, je respire dans l'air (*School of Fontainebleau*). L'état qui est lié à ces deux mouvements (le « jeté » et la dispersion), et qui est celui de toutes les toiles de Twombly, est le *Rare*. « *Rarus* » veut dire en latin : qui présente des intervalles ou des interstices, clairsemé, poreux, épars, et c'est bien l'espace de Twombly (voir notamment *Untitled*, 1959).

Comment ces deux idées, celle d'espace vide et celle de hasard (*tyché*) peuvent-elles avoir rapport entre elles ? Valéry (à qui un dessin de Twombly est dédié) peut le faire comprendre. Dans un cours du Collège de France (5 mai 1944), Valéry examine les deux cas où peut se trouver celui qui fait une œuvre ; dans le premier cas, l'œuvre répond à un plan déterminé ; dans l'autre, l'artiste meuble un rectangle imaginaire. Twombly meuble son rectangle selon le principe du Rare, c'est-à-dire de l'espacement. Cette notion est capitale dans l'esthétique japonaise, qui ne connaît pas les catégories kantiennes de l'espace et du temps, mais celle, plus subtile, d'intervalle (en japonais : *Ma*). Le *Ma* japonais, c'est au fond le *Rarus* latin, et c'est l'art de Twombly. Le Rectangle Rare renvoie de la sorte à deux civilisations : d'un côté au « vide » des compositions orientales, simplement accentué ici et là d'une calligraphie ; et de l'autre à un espace méditerranéen, qui est celui de Twombly ; curieusement, en effet, Valéry (encore lui) a bien rendu compte de cet espace rare, non à propos du ciel ou de la mer (à quoi on penserait d'abord), mais à propos des vieilles maisons méridionales : « Ces grandes chambres du Midi, très bonnes pour une méditation — les meubles grands et perdus. Le grand vide enfermé — où le temps ne compte pas. L'esprit veut peupler tout cela. » Au fond, les toiles de Twombly sont de grandes chambres méditerranéennes, chaudes et lumineuses, aux éléments perdus (*rari*) que l'esprit veut peupler.

3

Mars and the Artist est une composition apparemment symbolique : en haut, Mars, c'est-à-dire une bataille de lignes et de rouges, en bas, l'Artiste, c'est-à-dire une fleur et son nom. La toile fonctionne comme un pictogramme, où se combinent les éléments figuratifs et les éléments graphiques. Ce système est très clair, et, bien qu'il soit tout à fait exceptionnel dans l'œuvre de Twombly, sa clarté même nous renvoie au problème conjoint de la figuration et de la signification.

Bien que l'abstraction (mal nommée, on le sait) soit en mouvement depuis longtemps dans l'histoire de la peinture (depuis, dit-on, le dernier Cézanne), chaque artiste nouveau n'en finit pas de débattre avec elle : en art, les problèmes de langage ne sont jamais vraiment réglés : le langage fait toujours retour sur lui-même. Il n'est donc jamais naïf (malgré les intimidations de la culture, et surtout de la culture spécialisée) de se demander devant une toile *ce qu'elle figure*. Le sens poisse à l'homme : quand bien même veut-il créer du non-sens ou du hors-sens, il finit par produire le sens même du non-sens ou du hors-sens. Il est d'autant plus légitime de revenir sans cesse sur la question du sens, que c'est précisément cette question qui fait obstacle à l'universalité de la peinture. Si tant d'hommes (à cause des différences de culture) ont l'impression de « ne rien comprendre » devant une toile, c'est qu'ils veulent du sens, et que la toile (pensent-ils) ne leur en donne pas.

Twombly aborde franchement le problème, ne serait-ce qu'en ceci : que la plupart de ses toiles sont intitulées. Du fait même qu'elles ont un titre, elles tendent aux hommes, qui en sont assoiffés, l'appât d'une signification. Car dans la peinture classique, la légende d'un tableau (cette mince ligne de mots qui court au bas de l'œuvre et sur quoi les visiteurs d'un musée se précipitent d'abord) disait clairement ce que représentait le tableau : l'analogie de la peinture était doublée par l'analogie du titre : la signification passait pour exhaustive, la figuration était épuisée. Or il n'est pas possible qu'en voyant une toile intitulée de Twombly, on n'ait pas ce début de réflexe : on cherche l'analogie. *The Italians* ? *Sahara* ? Où sont les Italiens ? Où est le Sahara ? Cherchons. Évidemment, on ne trouve rien. Ou du moins — et c'est là que commence l'art de Twombly —, ce qu'on trouve — à savoir la toile elle-même, l'Événement, dans sa splendeur et son énigme — est ambigu : rien ne « représente » les Italiens, le Sahara, aucune figure analogique de ces référents, et pourtant, on le devine vaguement, rien non plus, dans ces toiles, n'est contradictoire avec une certaine idée naturelle du Sahara, des Italiens. Autrement dit, le spectateur a le pressentiment d'une autre logique (son regard commence à travailler) : bien que très obscure, la toile a une issue ; ce qui s'y passe est conforme à un *telos*, une certaine finalité.

Cette issue n'est pas trouvée tout de suite. Dans un premier temps, le titre, en quelque sorte, bloque l'accès à la toile, car, par sa précision, son intelligibilité, son classicisme (rien d'étrange, rien de surréaliste), il entraîne sur une route analogique, qui apparaît très vite barrée. Les titres de Twombly ont une fonction labyrinthique : ayant parcouru l'idée qu'ils lancent, on est obligé de revenir en arrière pour repartir ailleurs. Cependant, quelque chose reste, de leur fantôme, et imprègne la toile. Ils constituent le moment négatif de toute initiation. Cet art à la formule rare, à la fois très intellectuel et très sensible, fait sans cesse l'épreuve de la négativité, à la façon de ces mystiques qu'on appelle « apophatiques » (négatives), car elles imposent de parcourir tout ce qui n'est pas, afin de percevoir dans ce creux une lueur qui vacille, mais aussi rayonne, *parce qu'elle ne ment pas*.

Ce que produisent les toiles de Twombly (leur *telos*) est très simple : c'est un « effet ». Ce mot doit ici s'entendre dans le sens très technique qu'il a eu dans les écoles littéraires françaises de la fin du XIXe siècle, du Parnasse au Symbolisme. L'« effet » est une impression générale suggérée par le poème — impression éminemment sensuelle et le plus souvent visuelle. Ceci est banal. Mais le propre de l'effet, c'est que sa généralité ne peut être vraiment décomposée : on ne peut le réduire à une addition de détails localisables. Théophile Gautier a écrit un poème, « Symphonie en blanc majeur », dont tous les vers concourent, d'une façon à la fois insistante et diffuse, à l'installation d'une couleur, le blanc, qui s'imprime en nous, indépendamment des objets qui la supportent. De même, Paul Valéry, dans sa période symboliste, a écrit deux sonnets, intitulés tous deux « Féerie », dont l'effet est une certaine couleur ; mais comme, du Parnasse au Symbolisme, la sensibilité s'est raffinée (sous l'influence, au reste, des peintres), cette couleur ne peut être dite d'un nom (comme c'était le cas pour le blanc de Gautier) ; sans doute c'est l'*argenté* qui domine, mais cette teinte est prise dans d'autres sensations qui la diversifient et la renforcent : luminosité, transparence, légèreté, acuité brusque, froideur : pâleur lunaire, soie des plumes, éclat du diamant, irisation de la nacre. L'effet n'est donc pas un « truc » rhétorique : c'est une véritable catégorie de la sensation, définie par ce paradoxe : unité indécomposable de l'impression (du « message ») et complexité des causes, des éléments : la généralité n'est pas mystérieuse (entièrement confiée au pouvoir de l'artiste), mais elle est cependant *irréductible*. C'est un peu une autre logique, une sorte de défi porté par le poète (et le peintre) aux règles aristotéliciennes de la structure.

Bien que beaucoup d'éléments séparent Twombly du Symbolisme français (l'art, l'histoire, la nationalité), quelque chose les rapproche : une certaine forme de culture. Cette culture est classique : non seulement Twombly se réfère directement à des faits mythologiques transmis par la littérature grecque ou latine, mais encore les « auteurs » (*auctores* veut dire : les garants) qu'il introduit dans sa peinture sont ou des poètes humanistes (Valéry, Keats) ou des peintres nourris d'antiquité (Poussin, Raphaël). Une chaîne unique, sans cesse figurée, conduit des dieux grecs à l'artiste moderne — chaîne dont les maillons sont Ovide et Poussin. Une sorte de triangle d'or joint les antiques, les poètes et le peintre. Il est significatif qu'une toile de Twombly soit dédiée à Valéry, et plus encore peut-être — parce que cette rencontre s'est faite sans doute à l'insu de Twombly — qu'une toile de ce peintre et un poème de cet écrivain portent le même titre : *Naissance de Vénus* ; et ces deux œuvres ont le même « effet » : de surgissement maritime. Cette convergence, ici exemplaire, donne peut-être la clef de l'« effet » Twombly. Il me semble que cet effet, constant dans toutes les toiles de Twombly, même celles qui ont précédé son installation en Italie (car, comme dit encore Valéry, il arrive que l'avenir soit cause du passé), est celui, très général, que délivrerait, dans toutes ses dimensions possibles, le mot « Méditerranée ». La Méditerranée est un énorme complexe de souvenirs et de sensations : des langues, la grecque et la latine, présentes dans les titres de Twombly, une culture, historique, mythologique, poétique, toute cette vie des formes, des couleurs et des lumières qui se passe à la frontière des lieux terrestres et de la plaine marine. L'art inimitable de Twombly est d'avoir imposé l'effet-Méditerranée à partir d'un matériau (griffures, salissures, traînées, peu de couleur, aucune forme académique) qui n'a aucun rapport analogique avec le grand rayonnement méditerranéen.

Je connais l'île de Procida, en face de Naples, où Twombly a vécu. J'ai passé quelques jours dans l'antique maison où habita l'héroïne de Lamartine, Graziella. Là se rejoignent calmement la lumière, le ciel, la terre, quelques traits de rocher, un arc de voûte. C'est Virgile et c'est une toile de Twombly : pas une, au fond, où il n'y ait ce vide du ciel, de l'eau et ces très légères marques terrestres (une barque, un promontoire) qui y flottent (*apparent rari nantes*) : le bleu du ciel, le gris de la mer, le rose de l'aurore.

4

Qu'est-ce qui se passe sur une toile de Twombly ? Une sorte d'effet méditerranéen. Cet effet, cependant, n'est pas « gelé » dans la pompe, le sérieux, le drapé des œuvres humanistes (même les poèmes d'un esprit aussi intelligent que Valéry restent prisonniers d'une sorte de *décence* supérieure). Dans l'événement, Twombly introduit très souvent une *surprise* (*apodeston*). Cette surprise prend l'apparence d'une incongruité, d'une dérision, d'une déflation, comme si l'enflure humaniste était brusquement dégonflée. Dans l'*Ode to Psyche*, un discret étalonnage, dans un coin, vient « casser » la solennité du titre, noble s'il en fut. Dans *Olympia*, il y a en quelques endroits un motif crayonné « maladroitement », comme ceux que produisent les enfants lorsqu'ils veulent dessiner des papillons. Du point de vue du « style », valeur haute qui suscita le respect de tous les Classiques, quoi de plus éloigné du *Voile d'Orphée* que ces quelques lignes enfantines d'arpenteur apprenti ? Dans *Untitled* (1969), quel gris ! Que c'est beau ! Deux minces traits blancs sont suspendus de guingois (toujours le *Rarus*, le *Ma* japonais) ; ce pourrait être très zen ; mais deux chiffres à peine lisibles dansent au-dessus des deux traits et renvoient la noblesse de ce gris à la très légère dérision d'une feuille de calcul.

A moins que... ce ne soit précisément par ces surprises que les toiles de Twombly retrouvent l'esprit zen le plus pur. Il existe en effet dans l'attitude zen une expérience, recherchée sans méthode rationnelle, qui a beaucoup d'importance : c'est le *satori*. On traduit ce mot très imparfaitement (à cause de notre tradition chrétienne) par « illumination » ; parfois, un peu mieux, par « éveil » ; il s'agit sans doute, pour autant que des profanes comme nous peuvent en avoir une idée, d'une sorte de secousse mentale qui permet d'accéder, hors de toutes les voies intellectuelles connues, à la « vérité » bouddhiste : vérité vide, déconnectée des formes et des causalités. L'important pour nous est que le *satori* zen est recherché à l'aide de techniques surprenantes : non seulement irrationnelles, mais aussi et surtout incongrues, défiant le sérieux que nous attachons aux expériences religieuses : c'est tantôt une réponse « sans queue ni tête » apportée à une haute question métaphysique, tantôt un geste surprenant, qui vient casser la solennité d'un rite (tel ce prédicateur zen qui, au milieu d'un sermon, s'arrêta, se déchaussa, mit sa savate sur sa tête et quitta la salle). De telles incongruités, essentiellement irrespectueuses, ont chance d'ébranler l'esprit de sérieux qui prête souvent son masque à la bonne conscience de nos habitudes mentales. Hors de toute perspective religieuse (bien évidemment), certaines toiles de Twombly contiennent de ces impertinences, de ces secousses, de ces menus *satori*.

Il faut mettre au rang des surprises suscitées par Twombly toutes les interventions d'écriture dans le champ de la toile : chaque fois que Twombly produit un graphisme, il y a secousse, ébranlement du naturel de la peinture. Ces interventions sont de trois sortes (disons-le pour simplifier). Il y a d'abord les marques d'étalonnage, les chiffres, les menus algorithmes, tout ce qui produit une contradiction entre l'inutilité souveraine de la peinture et les signes utilitaires du calcul. Il y a ensuite les toiles où le seul événement est un mot manuscrit. Il y a enfin, extensive à ces deux types d'intervention, la « maladresse » constante de la main ; la lettre, chez Twombly, est le contraire même d'une lettrine ou d'un typogramme ; elle est faite, semble-t-il, sans application ; et pourtant elle n'est pas vraiment enfantine, car l'enfant s'applique, appuie, arrondit, tire la langue ; il travaille dur pour rejoindre le code des adultes ; Twombly s'en éloigne, il desserre, il traîne ; sa main semble entrer en lévitation ; on dirait que le mot a été écrit du bout des doigts, non par dégoût ou par ennui, mais par une sorte de fantaisie qui vient décevoir ce qu'on attend de la « belle main » d'un peintre : c'est ainsi qu'on appelait au XVIIe siècle le copiste qui avait une belle écriture. Et qui pourrait écrire mieux qu'un peintre ?

Cette « maladresse » de l'écriture (cependant inimitable : essayez de l'imiter) a certainement chez Twombly une fonction plastique. Mais ici, où l'on ne parle pas de Twombly selon le langage de la critique d'art, on insistera sur sa fonction critique. Par le biais de son graphisme, Twombly introduit presque toujours une contradiction dans sa toile : le « pauvre », le « maladroit », le « gauche », rejoignant le « Rare », agissent comme des forces qui brisent la tendance de la culture classique à faire de l'antiquité une réserve de formes décoratives : la pureté apollinienne de la référence grecque, sensible dans la luminosité de la toile, la paix aurorale de son espace, sont « secouées » (puisque tel est le mot du *satori*) par l'ingratitude des graphismes. La toile semble mener une action contre la culture, dont elle abandonne le discours emphatique et ne laisse filtrer que la beauté. On a dit qu'au contraire de celui de Paul Klee, l'art de Twombly ne comporte aucune agressivité. C'est vrai si l'on conçoit l'agressivité dans un sens occidental, comme l'expression excitée d'un corps contraint qui explose. L'art de Twombly est un art de la secousse, plus que de la violence, et il se trouve souvent que la secousse est plus subversive que la violence : c'est précisément la leçon de certains modes orientaux de conduite et de pensée.

5

Drama, en grec, est étymologiquement attaché à l'idée de « faire ». *Drama*, c'est à la fois ce qui se fait et ce qui se joue sur la toile : un « drame », oui, pourquoi pas ? Pour ma part, je vois dans l'œuvre de Twombly deux actions, ou une action à deux degrés.

L'action du premier type consiste en une sorte de mise en scène de la culture. Ce qui se passe, ce sont des « histoires » qui viennent du savoir, et, comme on l'a dit, du savoir classique : cinq jours de Bacchanalia, la naissance de Vénus, les Ides de Mars, trois dialogues de Platon, une bataille, etc. Ces actions historiques ne sont pas représentées ; elles sont évoquées, par la puissance du Nom. En somme, ce qui est représenté, c'est la culture elle-même, ou, comme on dit maintenant, l'inter-texte, qui est cette circulation des textes antérieurs (ou contemporains) dans la tête (ou la main) de l'artiste. Cette représentation est tout à fait explicite lorsque Twombly prend des œuvres passées (et consacrées comme hautement culturelles) et les met « en abyme » dans certaines de ses toiles : d'abord dans des titres (*The School of Athens*, de Raphaël), puis dans des figurines, au reste mal reconnaissables, placées dans un coin, comme des images dont importe la référence, non le contenu (Leonardo, Poussin). Dans la peinture classique, « ce qui se passe » est le « sujet » de la toile ; ce sujet est souvent anecdotique (Judith égorgeant Holopherne) ; mais dans les toiles de Twombly, le « sujet » est un concept : c'est le texte classique « en soi » — concept, il est vrai, étrange, puisqu'il est désirable, objet d'amour, peut-être de nostalgie.

Nous avons en français une ambiguïté précieuse de vocabulaire : le « sujet » d'une œuvre est tantôt son « objet » (ce dont elle parle, ce qu'elle propose à la réflexion, la *quaestio* de l'ancienne rhétorique), tantôt l'être humain qui s'y met en scène, qui y figure comme auteur implicite de ce qui est dit (ou peint). Chez Twombly, le « sujet », c'est, bien sûr, ce dont la toile parle ; mais comme ce sujet-objet n'est qu'une allusion (écrite), toute la charge du *drama* passe à celui qui la produit : le sujet, c'est Twombly lui-même. Le voyage du « sujet », cependant, ne s'arrête pas là : parce que l'art de Twombly semble comporter peu de savoir technique (ce n'est, bien sûr, qu'une apparence), le « sujet » de la toile, c'est aussi celui qui la regarde : vous, moi. La « simplicité » de Twombly (ce que j'ai analysé sous le nom de « Rare » ou de « Maladroit ») appelle, attire le spectateur : il veut rejoindre la toile, non pour la consommer esthétiquement, mais pour la produire à son tour (la « re-produire »), s'essayer à une facture dont la nudité et la gaucherie lui procurent une incroyable (et bien fausse) illusion de facilité.

Il faut peut-être préciser que les sujets qui regardent la toile sont divers, et que, de ces types de sujets, dépend le discours qu'ils tiennent (intérieurement) devant l'objet regardé (un « sujet » — c'est ce que la modernité nous a enseigné — n'est jamais constitué que par son langage) ; naturellement, tous ces sujets peuvent parler, si l'on peut dire, en même temps devant une toile de

Twombly (soit dit en passant, l'esthétique, comme discipline, pourrait être cette science qui étudie, non l'œuvre en soi, mais l'œuvre telle que le spectateur, ou le lecteur, la fait parler en lui-même : une typologie des discours, en quelque sorte). Il y a donc plusieurs sujets qui regardent Twombly (et le murmurent à voix basse, chacun dans sa tête).

Il y a le sujet de la culture, celui qui sait comment est née Vénus, qui sont Poussin ou Valéry ; ce sujet est disert, il peut parler d'abondance. Il y a le sujet de la spécialité, celui qui connaît bien l'histoire de la peinture et sait discourir sur la place qu'y occupe Twombly. Il y a le sujet du plaisir, celui qui se réjouit devant la toile, ressent à la découvrir une sorte de jubilation, qu'au reste il ne sait pas bien dire ; ce sujet est donc muet ; il ne pourrait que s'écrier : « Comme c'est beau ! » et le répéter : c'est là l'un des petits tourments du langage : on ne peut jamais expliquer pourquoi l'on trouve telle chose belle ; le plaisir engendre une certaine paresse de parole, et si l'on veut parler d'une œuvre, il faut substituer à l'expression de la jouissance des discours détournés, plus rationnels — avec l'espoir que le lecteur y sentira le bonheur procuré par les toiles dont on parle. Un quatrième sujet, c'est celui de la mémoire. Sur une toile de Twombly, telle tache m'apparaît d'abord hâtive, mal formée, inconséquente : je ne la comprends pas ; mais cette tache travaille en moi, à mon insu ; la toile abandonnée, elle revient, se fait souvenir et souvenir tenace : tout a changé, la toile me rend rétroactivement heureux. Au fond, ce que je consomme avec bonheur, c'est une absence : proposition nullement paradoxale, si l'on songe que Mallarmé en a fait le principe même de la poésie : « Je dis : une fleur et... musicalement se lève, idée même et suave, l'absente de tous bouquets. »

Le cinquième sujet est celui de la production : celui qui a envie de re-produire la toile. Ainsi, ce matin 31 décembre 1978, il fait encore nuit, il pleut, tout est silencieux lorsque je me remets à ma table de travail. Je regarde *Hérodiade* (1960), et je n'ai vraiment rien à en dire, sinon la même platitude : que ça me plaît. Mais tout d'un coup surgit quelque chose de nouveau, un désir : le désir de *faire la même chose* : d'aller à une autre table de travail (non plus celle de l'écriture), de prendre des couleurs et de peindre, tracer.

Au fond, la question de la peinture, c'est : « Est-ce que vous avez envie de faire du Twombly ? »

Comme sujet de la production, le spectateur de la toile va alors explorer sa propre impuissance — et en même temps, bien sûr, comme en relief, la puissance de l'artiste. Avant même d'avoir essayé de tracer quoi que ce soit, je constate que ce fond (ou ce qui me donne l'illusion d'être un fond), jamais je ne pourrai l'obtenir : je ne sais même pas comment il est fait. Voici *Age of Alexander* : oh, cette seule traînée rose... ! Je ne saurais jamais la faire aussi légère, raréfier l'espace autour d'elle ; je ne saurais pas *m'arrêter* de remplir, de continuer, bref de *gâcher* ; et de là, de mon erreur même, je saisis tout ce qu'il y a de sagesse dans l'acte de l'artiste : il se retient d'*en vouloir trop* ; sa réussite n'est pas sans parenté avec l'érotique du Tao : un plaisir intense vient de la retenue. Même problème dans *View* (1959) : je ne saurais jamais *manier* le crayon, c'est-à-dire tantôt l'appuyer, tantôt l'alléger, et je ne pourrais pas même l'apprendre, parce que cet art n'est réglé par aucun principe d'analogie, et que le *ductus* lui-même (ce mouvement par lequel le copiste du Moyen Age conduisait chaque trait de la lettre selon un sens qui était toujours le même) est ici absolument libre. Et ce qui est inaccessible au niveau du trait l'est encore plus au niveau de la surface. Dans *Panorama* (1955), tout l'espace crépite à la façon d'un écran télévisuel avant qu'aucune image ne s'y dépose ; or je ne saurais pas obtenir l'irrégularité de la répartition graphique ; car si je m'appliquais à faire désordonné, je ne produirais qu'un désordre *bête*. Et de là je comprends que l'art de Twombly est une incessante victoire sur la bêtise des traits : faire un trait *intelligent*, c'est là l'ultime différence du peintre. Et dans bien d'autres toiles, ce que je raterais obstinément, c'est la dispersion, le « jeté », le décentrement des marques : aucun trait ne semble doué d'une direction intentionnelle, et cependant tout l'ensemble est mystérieusement dirigé.

Je reviens pour finir sur cette notion de « *Rarus* » (« épars »), que je considère un peu comme la clef de l'art de Twombly [1]. Cet

1. Cf. *Cy Twombly*, p. 159 ci-dessus. (Les quelques répétitions de l'un à l'autre des deux textes ont été conservées. *NdE.*)

art est paradoxal, provocant même (s'il n'était délicat), en ceci que la concision n'y est pas solennelle. En général, ce qui est bref apparaît ramassé : la rareté engendre la densité et la densité l'énigme. Chez Twombly, une autre dérive se produit : il y a certes un silence, ou, pour être plus juste, un grésillement très ténu de la feuille, mais ce fond est lui-même une puissance positive ; inversant le rapport habituel de la facture classique, on pourrait dire que le trait, la hachure, la forme, bref l'événement graphique est ce qui permet à la feuille ou à la toile d'exister, de signifier, de jouir (« L'être, dit le Tao, donne des possibilités, c'est par le non-être qu'on les utilise »). L'espace traité n'est plus dès lors dénombrable, sans pour autant cesser d'être pluriel : n'est-ce pas selon cette opposition à peine tenable, puisqu'elle exclut à la fois le nombre et l'unité, la dispersion et le centre, qu'il faut interpréter la dédicace que Webern adressait à Alban Berg : « *Non multa, sed multum* » ?

Il y a des peintures excitées, possessives, dogmatiques ; elles imposent le produit, lui donnent la tyrannie d'un fétiche. L'art de Twombly — c'est là sa moralité, et aussi sa grande singularité historique — *ne veut rien saisir* ; il se tient, il flotte, il dérive entre le désir — qui, subtilement, anime la main — et la politesse, qui est le congé discret donné à toute envie de capture. Si l'on voulait situer cette moralité, on ne pourrait aller la chercher que très loin, hors de la peinture, hors de l'Occident, hors des siècles historiques, à la limite même du sens, et dire, avec le *Tao Tö King* :

> Il produit sans s'approprier,
> Il agit sans rien attendre,
> Son œuvre accomplie, il ne s'y attache pas,
> Et puisqu'il ne s'y attache pas,
> Son œuvre restera.

Extrait de *Cy Twombly. Paintings and Drawings 54-77.*

Wilhelm von Gloeden

Est-ce qu'il est « camp », ce baron von Gloeden ? Revu par Warhol, peut-être ; mais, en soi, il est surtout « kitsch ». Le kitsch implique en effet la reconnaissance d'une haute valeur esthétique, mais ajoute que ce goût peut être mauvais, et que de cette contradiction naît un monstre fascinant. C'est bien le cas de von Gloeden : ça intéresse, ça retient, ça distrait, ça étonne, et l'on sent que tout le plaisir vient d'une accumulation de contraires, comme il arrive dans toute fête qui tient du carnaval.

Ces contradictions, ce sont des « hétérologies », des frottements de langages divers, opposés. Par exemple : von Gloeden prend le code de l'Antiquité, le surcharge, l'affiche pesamment (éphèbes, pâtres, lierres, palmes, oliviers, pampres, tuniques, colonnes, stèles), mais (première distorsion), de l'Antiquité il mélange les signes, combine la Grèce végétale, la statuaire romaine et le « nu antique » venu des Écoles de beaux-arts : sans aucune ironie, semble-t-il, il prend la plus éculée des légendes pour de l'argent comptant. Mais ce n'est pas tout : l'Antiquité ainsi affichée (et par inférence l'amour des garçons ainsi postulé), il la peuple de corps africains. Peut-être est-ce lui qui a raison : le peintre Delacroix disait que le drapé antique ne se retrouvait bien que chez les Arabes. N'empêche que la contradiction est délectable entre tout cet attirail littéraire d'une Antiquité de version grecque et ces corps noirs de petits gigolos paysans (s'il en vit encore un, qu'il me pardonne, ce n'est pas une injure), au regard lourd, sombre jusqu'au bleu luisant des corselets d'insectes calcinés.

Le moyen auquel le baron a recours, à savoir la photographie, accentue jusqu'au délire ce carnaval de contradictions. C'est assez paradoxal, car après tout, la photographie est réputée un art exact, empirique, tout entier au service de ces fortes valeurs positives, rationnelles, que sont l'authenticité, la réalité, l'objectivité : dans notre univers policier, la photographie n'est-elle pas la *preuve* invincible des identités, des faits, des crimes ? De plus, la photographie de von Gloeden est « artistique » par la mise en scène (poses et décors), nullement par la technique : peu de flous, peu d'éclairages travaillés. Le corps est là, simplement ; en lui se confondent la nudité et la vérité, le phénomène et l'essence : les photographies du baron sont du genre *impitoyable*. Tout le flou sublime de la légende entre ainsi en collision (il faut ce mot pour rendre compte de notre ébahissement et peut-être de notre jubilation) avec le réalisme de la photographie ; car une photo ainsi conçue, qu'est-ce, sinon une image *où l'on voit tout*, une collection de détails sans hiérarchie, sans « ordre » (grand principe classique). Ces petits dieux grecs (déjà contredits par leur noirceur) ont de la sorte des mains campagnardes, un peu sales, aux gros ongles mal taillés, des pieds usés pas très propres, des prépuces bien visibles, gonflés, et non plus stylisés, c'est-à-dire effilés et amoindris : incirconcis ils sont, et l'on ne voit que cela : les photos du baron sont à la fois sublimes et anatomiques.

Voilà donc pourquoi l'art de von Gloeden est une aventure du sens : parce qu'il produit un monde (un « hominaire », devrait-on dire, puisqu'il y a des bestiaires) à la fois vrai et invraisemblable, réaliste et faux (à crier), un contre-onirisme, plus fou que le plus fou des rêves. Je laisse à penser combien une telle tentative, malgré l'abîme « culturel », est proche de certaines expériences de l'art contemporain. Mais comme l'art est un champ de récupération (rien à faire : l'art récupère sa contestation même et en fait un nouvel art), il vaut mieux reconnaître dans les photographies du baron moins un art qu'une force : cette force mince et dure, grâce à laquelle il résiste à tous les conformismes, ceux de l'art, de la morale et de la politique (n'oublions pas les confiscations fascistes), et que l'on peut appeler sa *naïveté*. C'est aujourd'hui plus que jamais une grande audace que de mélanger tout simplement, comme il fit, la culture la plus « culturelle » et l'érotisme le plus lumineux. Sade, Klossowski l'ont fait. Von Gloeden a travaillé inlassablement ce mélange *sans y penser*. D'où la force de sa vision, qui nous étonne encore : ses naïvetés sont grandioses comme des prouesses.

Extrait de *Wilhelm von Gloeden*.

Cette vieille chose, l'art...

On le sait, parce que toutes les encyclopédies le rappellent, dans les années cinquante, des artistes de l'Institute of Contemporary Arts, à Londres, se firent les avocats de la culture populaire du temps : les bandes dessinées, les films, la publicité, la science-fiction, la pop music. Ces manifestations diverses ne relevaient pas de ce qu'on appelle généralement l'Esthétique ; c'étaient seulement des produits de la culture de masse et ils ne faisaient nullement partie de l'art ; simplement des artistes, des architectes, des écrivains s'y intéressaient. En franchissant l'Atlantique, ces produits forcèrent la barrière de l'art ; pris en charge par des artistes américains, ils devinrent des œuvres d'art, dont la culture ne constituait plus l'être, mais seulement la référence : l'origine s'effaçait au profit de la citation. Le pop art tel que nous le connaissons est le théâtre permanent de cette tension : d'une part, la culture populaire du temps y est présente comme une force révolutionnaire qui conteste l'art ; et d'autre part, l'art y est présent comme une force très ancienne qui fait retour, irrésistiblement, dans l'économie des sociétés. Il y a deux voix, comme dans une fugue — l'une dit : « Ceci n'est pas de l'Art », l'autre dit en même temps : « Je suis Art. »

*

L'art est quelque chose qui doit être détruit — proposition commune à bien des expériences de la Modernité.

Le pop art renverse les valeurs. « Ce qui marque le pop, c'est avant tout l'usage qu'il fait de ce qui est méprisé » (Lichtenstein). Les images de masse, tenues pour vulgaires, indignes d'une consécration esthétique, reviennent dans l'activité de l'artiste, à titre de matériaux, à peine traités. J'aimerais appeler ce renversement le

« complexe de Clovis » : comme saint Rémi s'adressant au chef franc, le dieu du pop art dit à l'artiste : « Brûle ce que tu as adoré, adore ce que tu as brûlé. » Par exemple : la photographie a longtemps été fascinée par la peinture, dont elle passe encore aujourd'hui pour la parente pauvre ; le pop art bouscule le préjugé : la photographie devient souvent l'origine des images qu'il présente : ni peinture d'art, ni photographie d'art, mais un mixte sans nom. Autre exemple d'inversion : rien de plus contraire à l'art que l'idée d'être le simple reflet des choses représentées ; même la photographie ne supporte pas ce destin ; le pop art, lui, bien au contraire, accepte d'être une *imagerie*, une collection de reflets, constitués par la réverbération plate de l'environnement américain : honnie du grand art, la copie revient. Ce renversement n'est pas capricieux, il ne procède pas d'une simple dénégation de valeur, d'un simple refus du passé ; il obéit à une poussée historique régulière ; comme l'avait noté Paul Valéry (dans les *Pièces sur l'art*), l'apparition de nouveaux moyens techniques (ici, la photographie, la sérigraphie) modifie non seulement les formes de l'art, mais son concept même.

*

La répétition est un trait de culture. Je veux dire qu'on peut se servir de la répétition pour proposer une certaine typologie des cultures. Les cultures populaires ou extra-européennes (relevant d'une ethnographie) l'admettent et en tirent sens et jouissance (il suffit de penser, pour aujourd'hui, à la musique répétitive et au disco) ; la culture savante de l'Occident, non (même si elle y a recouru plus qu'on ne croit, à l'époque baroque). Le pop art, lui, répète, spectaculairement ; Warhol propose des séries d'images identiques (*White burning Car Twice*), ou qui ne diffèrent que par quelque infime variation colorée (Fleurs, *Marylin*), L'enjeu de ces répétitions (ou de la Répétition comme procédé) n'est pas seulement la destruction de l'art, mais aussi (cela va d'ailleurs ensemble) une autre conception du sujet humain : la répétition ouvre accès, en effet, à une temporalité différente : là où le sujet occidental ressent l'ingratitude d'un monde d'où le Nouveau — c'est-à-dire, en fin de compte, l'Aventure — est exclu, le sujet warholien (puisque Warhol est coutumier de ces répétitions) abolit en lui le pathétique du temps, parce que ce pathétique est toujours lié au sentiment que quelque chose est apparu, va mourir, et qu'on ne combattra sa mort qu'en le transformant en un second quelque chose qui ne ressemble pas au premier. Pour le pop, il importe que les choses soient « finies » (cernées : pas d'évanescence), mais il n'importe pas de les finir, de donner à l'œuvre (est-ce une œuvre ?) l'organisation interne d'un destin (naissance, vie, mort). Il faut donc désapprendre l'ennui du « sans fin » (l'un des premiers films de Warhol, *Four Stars*, durait vingt-cinq heures ; *Chelsea Girls* dure trois heures et demie). La répétition trouble la personne (cette entité classique) d'une autre manière : en multipliant une même image, le pop retrouve le thème du Double, du *Doppelganger* ; c'est un thème mythique (L'Ombre, l'Homme, la Femme sans Ombre) ; cependant, dans les productions du pop art, le Double est inoffensif : il a perdu tout pouvoir maléfique ou moral : il ne menace ni ne surveille : il est Copie, et non pas Ombre : il est *à côté*, non *derrière* : c'est un Double plat, insignifiant, donc irreligieux.

*

La répétition du portrait amène une altération de la personne (notion à la fois civile, morale, psychologique, et bien entendu historique). Le pop art, a-t-on dit encore, prend la place d'une machine ; il se sert avec prédilection des procédés de reproduction mécanique ; par exemple, il fige la vedette (Marylin, Liz, Elvis) dans son image de vedette : plus d'âme, rien qu'un statut, proprement imaginaire, puisque l'être de la vedette, c'est l'icône. L'objet lui-même, que, dans la civilisation quotidienne, nous ne cessons de personnaliser en l'incorporant à notre monde individuel, l'objet n'est plus, selon le pop art, que le résidu d'une soustraction : tout ce qui reste d'une boîte de conserve lorsque, mentalement, nous l'avons amputée de tous ses thèmes et de tous ses usages possibles. Le pop art sait très bien que l'expression fondamentale de la personne, c'est le style. Buffon disait (mot célèbre, connu naguère de tous les écoliers français) : « Le style, c'est l'homme. » Ôtez le style, et il n'y a plus d'homme particulier. L'idée de style, dans tous les arts, a donc été liée, historiquement, à un humanisme de la personne. Prenez un exemple inattendu, celui du graphisme : l'écriture manuelle, longtemps impersonnelle (pendant l'Antiquité et au Moyen Age), a commencé à s'individualiser à la Renaissance, aurore de l'époque moderne ; mais aujourd'hui, où la personne est une idée qui meurt, ou du moins qui est menacée, sous la pression des forces grégaires qui animent la culture de masse, la personnalité de l'écriture s'efface. Il y a, à mon sens, un certain rapport entre le pop art et ce qu'on appelle le « script », cette écriture anonyme qu'on enseigne parfois aux enfants dysgraphiques, parce qu'elle s'inspire des traits neutres et comme élémentaires de la typographie. Il faut au reste s'entendre : le pop art dépersonnalise, mais il ne rend pas anonyme : rien de plus identifiable que Marylin, la chaise électrique, un pneu ou une robe, vus par le pop art ; ils ne sont même que cela : immédiatement et exhaustivement identifiables, nous enseignant par là que l'identité n'est pas la personne : le monde futur risque d'être un monde d'identités (par la généralisation mécanique des fichiers de police), mais non de personnes.

*

Dernier trait qui rattache le pop art aux expériences de la Modernité : la conformité plate de la représentation à la chose représentée. « Je ne veux pas, dit Rauschenberg, qu'une toile ressemble à ce qu'elle n'est pas. Je veux qu'elle ressemble à ce qu'elle est. » La proposition est agressive dans la mesure où l'art s'est toujours donné pour un détour inévitable par lequel on doit passer pour rendre la vérité de la chose. Ce que le pop art veut, c'est désymboliser l'objet, lui donner la matité et l'entêtement obtus d'un fait (John Cage : « L'objet est fait, non symbole »). Dire que l'objet est asymbolique, c'est nier qu'il dispose d'un espace de profondeur ou d'avoisinement, à travers lequel son apparition puisse propager des vibrations de sens : l'objet du pop art (ceci est une vraie révolution de langage) n'est ni métaphorique ni métonymique ; il se donne coupé de ses arrières et de ses entours ; en particulier, l'artiste ne se tient pas *derrière* son œuvre, et lui-même est sans arrière : il n'est que la surface de ses tableaux : aucun signifié, aucune intention, nulle part. Or le fait, dans la culture de masse, n'est plus un élément du monde naturel ; ce qui apparaît comme fait, c'est le stéréotype : ce que voit et consomme tout le monde. Le pop art trouve l'unité de ses représentations dans la conjonction radicale de ces deux formes, poussées chacune à l'extrême : le stéréotype et l'image. Tahiti est un fait, dans la mesure où une opinion unanime et persistante désigne ce lieu comme une collection de palmiers, de fleurs à l'oreille, de longs cheveux, de maillots de bain et de longs regards aguichants et langoureux (*Little Aloha*, de Lichtenstein). Le pop art produit ainsi des *images radicales* : à force d'être image, la chose est débarrassée de tout symbole. C'est là un mouvement audacieux de l'esprit (ou de la société) : ce n'est plus le fait qui se transforme en image (ce qui est, à proprement parler, le mouvement de la métaphore, dont l'humanité a fait pendant des siècles la poésie), c'est l'image qui devient un fait. Le pop art met ainsi en scène une qualité philosophique des choses, qu'on appelle la *facticité* : le *factice*, c'est le caractère de ce qui existe en tant que fait et apparaît dépourvu d'aucune justification : non seulement les objets représentés par le pop art sont factices, mais encore ils incarnent le concept même de facticité — ce en quoi, malgré eux, ils recommencent à signifier : ils signifient qu'ils ne signifient rien.

*

Car le sens est malicieux : chassez-le, il revient au galop. Le pop art veut détruire l'art (ou du moins s'en passer), mais l'art le rejoint : c'est le contre-sujet de notre fugue.

On a voulu abolir le signifié, et, partant, le signe ; mais le signifiant subsiste, persiste, même s'il ne renvoie, semble-t-il, à rien. Le signifiant, c'est quoi ? Disons, pour aller vite : la chose perçue, augmentée d'une certaine pensée. Or, dans le pop art, ce supplément existe — comme il existe dans tous les arts du monde.

D'abord, très souvent, le pop art change le niveau de perception : il rapetisse, agrandit, éloigne, rapproche, étend l'objet multiplié aux dimensions d'un panneau ou le grossit comme s'il était vu à la loupe. Or, dès que les proportions sont changées, l'art surgit (il suffit de penser à l'architecture, qui est un art de la *taille* des choses) : ce n'est pas par hasard que Lichtenstein reproduit une loupe et ce qu'elle grossit : *Magnifying glass* est comme l'emblème du pop art.

Et puis, dans beaucoup d'œuvres du pop art, le fond sur quoi se détache l'objet, ou même dont il est fait, a une existence forte (un peu comme l'avaient les nuages dans la peinture classique) : il y a une importance de la trame. Cela vient peut-être des premières expériences de Warhol : les sérigraphies jouent avec le tissu (tissu et trame, c'est la même chose) ; on dirait que la toute dernière modernité aime cette manifestation de la trame, qui est à la fois consécration du matériau plat (grain du papier dans l'œuvre de Twombly) et mécanisation de la reproduction (lignes et micro-quadrillages des portraits par ordinateur). La trame est comme une obsession (une thématique, aurait dit naguère la critique) ; elle est prise dans des jeux variés : on invertit son rôle perceptif (dans l'aquarium de Lichtenstein, l'eau est faite de gros pois) ; on la grossit d'une façon volontairement infantile (l'éponge du même Lichtenstein est faite de trous, comme un morceau de gruyère) ; on mime exemplairement le croisement des fils (*Large spool*, encore de Lichtenstein). L'art apparaît ici dans l'emphase de ce qui devrait être insignifiant.

Autre emphase (et par conséquent nouveau retour de l'art) : la couleur. Certes, toute chose, venant de la nature et à plus forte raison du monde social, toute chose est colorée ; mais si elle devait rester objet factice, comme le voudrait une véritable destruction de l'art, il faudrait que sa couleur elle-même restât *quelconque*. Or ce n'est pas le cas : les couleurs du pop art sont *pensées*, et l'on peut même dire (véritable dénégation) : soumises à un *style* ; elles sont pensées d'abord parce que ce sont toujours les mêmes et qu'elles ont donc une valeur thématique ; ensuite parce que ce thème a valeur de sens : la couleur pop est ouvertement chimique ; elle renvoie agressivement à l'artifice de la chimie, dans son opposition à la Nature. Et si l'on admet que dans le champ plastique, la couleur est ordinairement le lieu de la pulsion, ces acryliques, ces aplats, ces laques, bref ces couleurs qui ne sont jamais des teintes, puisque la nuance en est bannie, veulent couper court au désir, à l'émoi : on pourrait dire à la limite qu'elles ont un sens moral, ou du moins qu'elles jouent systématiquement d'une certaine frustration. La couleur et même la substance (laque, plâtre) donnent un sens au pop art et par conséquent elles en font un art ; on peut s'en assurer en constatant que les artistes pop définissent facilement leurs toiles par la couleur des objets représentés : *Black girl, blue wall, red door* (Segal), *Two blackisch robes* (Dine).

*

Le pop est un art parce que, au moment même où il semble renoncer à tout sens, n'acceptant que de reproduire les choses dans leur platitude, il met en scène, selon des procédés qui lui sont propres et qui forment un style, un objet qui n'est ni la chose ni son sens, mais qui est : son signifiant, ou plutôt : le Signifiant. L'art, n'importe lequel, de la poésie à la bande dessinée ou à l'érotique, l'art existe à partir du moment où un regard a pour objet le Signifiant. Certes, dans les productions de l'art, il y a ordinairement du signifié (ici, la culture de masse), mais ce signifié, finalement, vient en position *indirecte* : pris en écharpe, si l'on peut dire ; tant il est vrai que le sens, les jeux du sens, son abolition, son retour, ce n'est jamais rien d'autre qu'une *question de place*. Ce n'est d'ailleurs pas seulement parce que l'artiste pop met en scène le Signifiant que son œuvre relève de l'art ; c'est aussi parce que cette œuvre est *regardée* (et non plus seulement vue) ; le pop a beau dépersonnaliser le monde, aplatir les objets, inhumaniser les images, remplacer l'artisanat traditionnel de la toile par une machinerie, il reste « du sujet ». Quel sujet ? Celui qui regarde, à défaut de celui qui fait. On peut bien fabriquer une machine, mais qui la contemple, lui, n'est est pas une : il désire, il a peur, il jouit, il s'ennuie, etc. C'est ce qui arrive avec le pop art.

*

J'ajoute : le pop est un art de l'essence des choses, c'est un art « ontologique ». Voyez comment Warhol conduit ses répétitions — conçues d'abord comme un procédé destiné à détruire l'art : il répète l'image de façon à donner l'idée que l'objet tremble devant l'objectif ou le regard ; et s'il tremble, dirait-on, c'est qu'il se cherche : il cherche son essence, il cherche à placer devant vous cette essence ; autrement dit, le tremblement de la chose agit (c'est là son effet-sens) comme une pose : la pose autrefois, devant le chevalet du peintre ou l'appareil du photographe, n'était-elle pas l'affirmation d'une essence d'individu ? Marylin, Liz, Elvis, Troy Donahue ne sont pas donnés à proprement parler selon leur contingence, mais selon leur identité éternelle : ils ont un « eidos », que le pop a pour tâche de représenter. Voyez maintenant

Lichtenstein : lui ne répète pas, mais la tâche est la même : il dégrossit, il purifie l'image pour capter (et donner) quoi ? son essence rhétorique : tout le travail de l'art consiste ici, non pas comme autrefois à gommer les artifices stylistiques du discours, mais au contraire à nettoyer l'image de tout ce qui, en elle, n'est pas rhétorique : ce qu'il faut expulser, comme un noyau vital, c'est l'essence de code. Le sens philosophique de ce travail est que les choses modernes n'ont pas d'autre essence que le code social qui les manifeste — en sorte qu'au fond elles ne sont plus jamais « produites » (par la Nature), mais tout de suite « reproduites » : la reproduction est l'être de la Modernité.

*

La boucle se ferme : non seulement le pop est un art, non seulement cet art est ontologique, mais encore sa référence est finalement — comme aux plus beaux temps de l'art classique : la Nature ; non plus certes la Nature végétale, paysagiste, ou humaine, psychologique : la Nature aujourd'hui, c'est le social absolu, ou mieux encore (car il ne s'agit pas directement de politique) le Grégaire. Cette nouvelle Nature, le pop la prend en charge, et bien plus, qu'il le veuille ou non, ou plutôt qu'il le dise ou non, il la critique. Comment ? en imposant à son regard (et donc au nôtre) une *distance*. Même si tous les artistes du pop n'ont pas eu avec Brecht un rapport privilégié (comme ce fut le cas de Warhol autour des années soixante), tous pratiquent à l'égard de l'objet, dépositaire du rapport social, une sorte de « distanciation » qui a valeur critique. Cependant, moins naïf ou moins optimiste que Brecht, le pop ne formule ni ne résout sa critique : poser l'objet « à plat », c'est poser l'objet à distance, mais c'est aussi refuser de dire comment cette distance pourrait être corrigée. Un trouble froid est apporté à la consistance du monde grégaire (monde « de masse ») ; l'ébranlement du regard est aussi « mat » que la chose représentée — et peut-être alors d'autant plus terrible. A travers toutes les (re-)productions du pop une question menace, interpelle : « *What do you mean ?* » (titre d'un poster d'Allen Jones). C'est la question millénaire de cette très vieille chose : l'Art.

Extrait du catalogue *Pop Art* pour une exposition
au Palazzo Grassi de Venise, Electa ed., 1980.

Réquichot et son corps

Je ne sais pas c'qui m'quoi.

Le corps

Dedans.

Beaucoup de peintres ont reproduit le corps humain, mais ce corps était toujours celui d'un autre. Réquichot ne peint que son propre corps : non pas ce corps extérieur que le peintre copie *en se regardant de travers*, mais son corps du dedans ; son intérieur vient dehors, mais c'est un autre corps, dont l'ectoplasme, violent, apparaît brusquement par l'affrontement de ces deux couleurs : le blanc de la toile et le noir des yeux fermés. Une révulsion généralisée saisit alors le peintre ; elle ne met au jour ni des viscères ni des muscles, mais seulement une machinerie de mouvements répulsifs et jouissifs ; c'est le moment où la matière (le matériau) s'absorbe, s'abstrait dans la vibration, pâteuse ou suraiguë : la peinture (employons encore ce mot pour toutes sortes de traitements) devient un *bruit* (« L'extrême aigu du bruit est une forme de sadisme »). Cet excès de la matérialité, Réquichot l'appelle le *méta-mental*. Le méta-mental est ce qui dénie l'opposition théologique du corps et de l'âme : c'est le corps sans opposition, et donc, pour ainsi dire, privé de sens ; c'est le *dedans* assené comme une gifle à l'*intime*.

Dès lors la représentation est troublée, la grammaire aussi : le verbe « peindre » retrouve une curieuse ambiguïté : son objet (ce que l'on peint) est tantôt ce qui est regardé (le modèle), tantôt ce qui est recouvert (la toile) : Réquichot ne fait pas acception d'objet : il s'interroge en même temps qu'il s'altère : il se peint à la façon de Rembrandt, il se peint à la façon du Peau-Rouge. Le peintre est à la fois un artiste (qui représente quelque chose) et un sauvage (qui peinturlure et scarifie son corps).

Les reliquaires.

Pourtant, étant des boîtes au fond desquelles *il y a quelque chose à voir*, les Reliquaires ressemblent à des machines endoscopiques. N'est-ce pas le magma interne du corps qui est placé là, au bout de notre regard, comme un champ profond ? Une pensée funèbre et baroque ne règle-t-elle pas l'exposition du corps antérieur, *celui d'avant le miroir* ? Les Reliquaires ne sont-ils pas des ventres ouverts, des tombes profanées (« Ce qui nous touche de très près ne peut devenir public sans profanation ») ?

Non. Cette esthétique de la vision et cette métaphysique du secret se troublent aussitôt, si l'on sait que Réquichot répugnait à montrer sa peinture, et surtout, qu'il mettait des années à faire un Reliquaire. Cela veut dire que pour lui la boîte n'était pas le cadre (renforcé) d'une exposition, mais plutôt une sorte d'espace temporel, l'enclos où son corps travaillait, se travaillait : se retranchait, s'ajoutait, s'enroulait, s'étalait, se déchargeait : jouissait : la boîte est le reliquaire, non des os de saints ou de poulets, mais des jouissances de Réquichot. Ainsi, sur la côte du Pacifique, trouve-t-on d'anciennes tombes péruviennes où l'on voit le mort entouré de statuettes en terre cuite : elles ne représentent ni ses parents, ni ses dieux, mais seulement ses façons préférées de faire l'amour : ce que le mort emporte, ce ne sont pas ses biens, comme dans tant d'autres religions, mais les traces de sa jouissance.

La langue.

Dans certains collages (vers 1960), les mufles, les gueules, les langues d'animaux viennent en abondance : angoisse respiratoire, dit un critique. Non, la langue, c'est le langage : non pas la parole civilisée, car celle-là passe par les dents (une prononciation dentalisée est un signe de distinction : les dents surveillent la

parole), mais le langage viscéral, érectile ; la langue, c'est le phallus qui parle. Dans un conte de Poe, c'est la langue du mort magnétisé, non sa denture, qui dit la parole indicible : « Je suis mort » ; les dents coupent la parole, la font précise, menue, intellectuelle, véridique, mais sur la langue, parce qu'elle se tend et se bombe comme un tremplin, tout passe, le langage peut exploser, rebondir, il n'est plus maîtrisable : c'est sur la langue du cadavre hypnotisé que les cris de « Mort ! Mort ! » font explosion sans que le magnétiseur puisse les réprimer et faire cesser le cauchemar de ce mort qui parle ; et c'est aussi, dans le corps, au niveau de la langue, que Réquichot met en scène le langage total : dans ses poèmes lettristes et dans ses collages de museaux.

Le roi-de-rats.

La recherche de Réquichot porte sur un mouvement du corps qui avait également fasciné Sade (mais non le Sade sadique), et qui est la *répugnance* : le corps commence à exister là où il répugne, repousse, veut cependant dévorer ce qui le dégoûte et exploite ce goût du dégoût, s'ouvrant ainsi à un vertige (le vertige est ce qui ne finit pas : décroche le sens, le remet à plus tard).

La forme fondamentale de la répugnance est l'agglomérat ; ce n'est pas gratuitement, par simple recherche technique, que Réquichot en vient au collage ; ses collages ne sont pas décoratifs, ils ne juxtaposent pas, ils conglomèrent, s'étendent sur de vastes surfaces, s'épaississent en volumes ; en un mot, leur vérité est étymologique, ils prennent à la lettre la *colle* qui est à l'origine de leur nom ; ce qu'ils produisent, c'est le glutineux, la poix alimentaire, luxuriante et nauséeuse, en quoi s'abolit le *découpage*, c'est-à-dire la nomination.

Circonstance emphatique, ce que les collages de Réquichot agglomèrent, ce sont des animaux. Or il semble bien que le conglomérat de bêtes provoque en nous le paroxysme de la répugnance : grouillement de vers, nœuds de serpents, nids de guêpes. Un phénomène fabuleux (est-il encore attesté scientifiquement ? je n'en sais rien) résume toute l'horreur des agglomérats d'animaux : c'est le *roi-de-rats* : « En liberté, les rats — dit un ancien dictionnaire zoologique — sont quelquefois sujets à une maladie des plus curieuse. Un grand nombre se soudent par la queue et forment ainsi ce que le vulgaire a nommé le *roi-de-rats*... La cause de ce fait curieux nous est encore inconnue. On croit que c'est une exsudation particulière de la queue qui maintient ces organes collés ensemble. A Altenburg, on conserve un *roi-de-rats* formé par vingt-sept individus. A Bonn, à Schnepfenthal, à Francfort, à Erfurt, à Lindenau, près de Leipzig, on a trouvé de pareils groupes. » Ce roi-de-rats, Réquichot n'a cessé métaphoriquement de le peindre, de coller ce collage qui n'a même pas de nom ; car ce qui existe, pour Réquichot, ce n'est pas l'objet, ni même son effet, mais sa trace : entendons ce mot au sens locomoteur : jailli du tube de couleur, le ver est sa propre trace, bien plus répulsive que son corps.

L'érection.

Le dégoût est une érection panique : c'est tout le corps-phallus qui gonfle, durcit et s'affaisse. Et c'est ce que fait la peinture : elle bande. Peut-être tenons-nous ici une différence irréductible entre la peinture et le discours : la peinture est pleine ; la voix, au contraire, met dans le corps une distance, un creux ; toute voix est *blanche*, ne parvient à se colorer que par des artifices pitoyables. Il faut donc prendre à la lettre cette déclaration de Réquichot décrivant son travail, non comme un acte érotique (ce qui serait banal) mais comme un mouvement érectile *et ce qui s'ensuit* : « Je parle de ce rythme simple qui fait que pour moi une toile débutait lentement puis se faisait progressivement plus attachante et par un crescendo passionnant, me conduisait à l'effervescence de l'ordre de la jouissance. A ce sommet, la peinture m'abandonnait, à moins que ce ne fût moi-même, aux confins de mon pouvoir, qui lâchais prise. Si je savais alors ma peinture achevée, mon besoin de peindre ne l'était pas et ce paroxysme était suivi d'une grande déception. » L'œuvre de Réquichot est cette *débandade* du corps (qu'il appelle parfois, du mot même dont certains désignent la pulsion : la *dérive*).

Les deux sources de la peinture

Écriture et cuisine.

Vers la fin du XVIIIe siècle, les peintres néo-classiques représentaient ainsi la naissance de la peinture : amoureuse, la fille d'un potier corinthien reproduit la silhouette de son amant en portant au charbon sur un mur les contours de son ombre. Substituons à cette image romantique, qui, au reste, n'est point fausse puisqu'elle allègue le désir, un autre mythe, à la fois plus abstrait et plus trivial ; concevons, hors de toute histoire, une double origine de la peinture.

La première serait l'écriture, le tracé des signes futurs, l'exercice de la pointe (du pinceau, de la mine, du poinçon, de ce qui creuse et strie — même si c'est sous l'artifice d'une ligne déposée par la couleur). La seconde serait la cuisine, c'est-à-dire toute pratique qui vise à transformer la matière selon l'échelle complète de ses consistances, par des opérations multiples telles que l'attendrissement, l'épaississement, la fluidification, la granulation, la lubrification, produisant ce qu'on appelle en gastronomie le nappé, le lié, le velouté, le crémeux, le croquant, etc. Freud oppose ainsi la sculpture — *via di levare* — à la peinture — *via di porre* ; mais c'est dans la peinture même que l'opposition se dessine : celle de l'incision (du « trait ») et de l'onction (de la « nappe »).

Ces deux origines seraient liées aux deux gestes de la main, qui tantôt gratte, tantôt lisse, tantôt creuse, tantôt défripe ; en un mot, au doigt et à la paume, à l'ongle et au mont de Vénus. Cette main double se partagerait tout l'empire de la peinture, parce que la main est la vérité de la peinture, non l'œil (la « représentation », ou la figuration, ou la copie, ne serait à tout prendre qu'un accident dérivé et incorporé, un alibi, un transparent mis sur le réseau des traces et des nappes, une ombre portée, un mirage inessentiel). Une autre histoire de la peinture est possible, qui n'est pas celle des œuvres et des artistes, mais celle des outils et des matières ; pendant longtemps, très longtemps, l'artiste, chez nous, n'a reçu aucune individualité de son outil : c'était uniformément le pinceau ; lorsque la peinture est entrée dans sa crise historique, l'outil s'est multiplié, le matériau aussi : il y a eu un voyage infini des objets traçants et des supports ; les limites de l'outil pictural sont sans cesse reculées (chez Réquichot même : le rasoir, la pelle à charbon, les anneaux en polystyrène). Une conséquence (à explorer), c'est que l'outil, n'étant plus codé, échappe en partie au commerce : le magasin des fournitures est débordé : il ne distribue plus ses marchandises qu'à de sages amateurs ; c'est au Printemps, dans les kiosques de revues ménagères que Réquichot va chercher ses matériaux : le commerce est *pillé* (*piller* veut dire : ravir sans acception d'usage). La peinture perd alors sa spécificité esthétique, ou plutôt cette spécificité — séculaire — se dévoile fallacieuse : derrière la peinture, derrière sa superbe individualité historique (l'art sublime de la figuration colorée), il y a *autre chose* : les mouvements de la griffe, de la glotte, des viscères, une projection du corps, et non seulement une maîtrise de l'œil.

Réquichot tient dans sa main les rênes sauvages de la peinture. Comme peintre originel (on parle toujours ici d'une origine mythique : ni théologique, ni psychologique, ni historique : pure fiction), il revient sans cesse à l'écriture et à la nourriture.

La cuisine

Les aliments.

Avez-vous vu préparer la raclette, ce mets suisse ? Un hémisphère de gros fromage est là, tenu verticalement au-dessus du gril ; ça mousse, ça bombe, ça grésille pâteusement ; le couteau racle doucement cette boursouflure liquide, ce supplément baveux de la forme ; ça tombe, telle une bouse blanche ; ça se fige, ça jaunit dans l'assiette ; avec le couteau, on aplanit la section amputée ; et l'on recommence.

C'est là, strictement, une opération de peinture. Car dans la peinture, comme dans la cuisine, *il faut laisser tomber quelque chose quelque part* : c'est dans cette chute que la matière se transforme (se déforme) : que la goutte s'étale et l'aliment s'attendrit : il y a production d'une matière nouvelle (le mouvement crée la matière). Dans l'œuvre de Réquichot, tous les états de la substance alimentaire (ingérée, digérée, évacuée) sont présents : le cristallisé, le craquelé, le filandreux, la bouillie granuleuse, l'excrément séché, terreux, la moire huileuse, le chancre, l'éclaboussure, l'entraille. Et pour couronner ce spectre du bol digestif, dans les grands collages, dans les derniers Reliquaires, l'origine matérielle est franchement alimentaire, prélevée dans des revues ménagères : voici l'entremets Francorusse, voici des pâtes, des côtelettes, des fraises, des saucisses (mêlées à des torsades de cheveux, à des museaux de chien) ; mais c'est le *brouillage* qui est culinaire (et pictural) : la jonchée, l'entrelacs, le ragoût (d'une manière symétrique, le *sukiyaki* japonais est une peinture développée dans le temps).

Réquichot nous replace ici à l'une des origines mythiques de la peinture : toute une moitié d'elle appartient à l'ordre nutritif (viscéral). Pour tuer le sensualisme alimentaire de la chose peinte, il faut congédier la peinture elle-même : vous ne pouvez manger ni vomir *Thing* de Joseph Kossuth ; mais aussi il n'y a plus aucune peinture (aucune nappe, aucune griffure) : la main du peintre et celle de la cuisinière sont amputées en même temps. Réquichot, lui, est *encore* un peintre : il mange (ou ne mange pas), se digère, se vomit ; son désir (de peinture) est la très grande mise en scène d'un besoin.

Pas de métaphore.

On pourra toujours dire que la nourriture est le centre névrotique de Réquichot (il n'aimait pas la viande rouge et se laissait mourir de faim), mais ce centre n'est pas sûr. Car dès lors que la nourriture est imaginée dans son trajet, de l'aliment à l'excrément, de la bouche (celle qui mange, mais aussi celle qui est mangée, le museau) à l'anus, la métaphore se déplace et un autre centre apparaît : la cavité, la gaine intérieure, le reptile intestinal est un immense phallus. Aussi, pour finir, la recherche thématique devient vaine : on comprend que Réquichot ne dit qu'une chose, qui est le déni même de toute métaphore : le corps entier est dans son dedans ; ce *dedans* est donc à la fois érotique et digestif. Une anatomie inhumaine règle la jouissance et l'œuvre : cette anatomie se retrouve dans les derniers objets abstraits produits par Réquichot : ce sont (toute abstraction ressemble à quelque chose) des coquillages, unissant en eux le graphisme de la spirale (thème d'écriture) et l'animalité digestive, car ces mollusques (patelles, fissurelles, vers annelés pourvus de soies locomotrices) sont des gastéropodes : s'ils marchaient, ce serait avec leur estomac : c'est l'intérieur (l'intérieur, non l'intime) qui fait bouger.

Le déchet.

Vers 1949, tout au début de son travail, Réquichot dessine au fusain un soulier ; les trous de l'empeigne sont vides ; seul reste un morceau de lacet ; en dépit de ses formes assez tendres, ce soulier est un objet *déjeté*. Ainsi commence chez Réquichot une longue épopée du *déchet* (il était juste que la chaussure fût à l'origine de cette épopée : voulant inverser l'ordre civilisé, Fourier fait de la savate, déchet majeur à l'égal du torchon et de l'ordure, un objet flamboyant). Qu'est-ce que le déchet ? C'est le nom de ce qui a eu un nom, c'est le nom du dé-nommé ; on pourrait développer ici ce que l'on dira plus tard : le travail de la dé-nomination, dont l'œuvre de Réquichot est la scène ; mieux vaut pour le moment rattacher le déchet à l'aliment. Le déchet défigure l'aliment parce qu'il en excède la fonction : il est ce qui n'est pas ingéré ; il est l'aliment mis hors de la faim. La nature, à savoir les abords des fermes, sont pleins de déchets, de ceux-là même qui fascinaient Réquichot et qu'il mit dans certaines de ses compositions (os de poulet, de lapin, plumes de volaille, tout ce qui lui est venu des « rencontres de campagne »). Les choses qui entrent dans la peinture de Réquichot (les choses elles-mêmes, non leurs simulacres) sont toujours des déchets, des suppléments détournés, des parties abandonnées : ce qui a *déchu* de sa fonction : vermicelles de peinture jetés à même la toile comme à la poubelle dès la sortie du tube, photographies de magazine découpées, défigurées, désoriginées (vocation du journalisme au déchet), croûtes (de pain, de peinture). Le déchet est le seul excrément que puisse se permettre l'anorexique.

L'huile.

L'huile est cette substance qui augmente l'aliment sans le morceler : qui l'épaissit sans le durcir : magiquement, aidé d'un filet d'huile, le jaune d'œuf prend un volume croissant, et cela *infiniment* ; c'est de la même façon que l'organisme croît, par intussusception. Or l'huile est cette même substance qui sert à la nourriture et à la peinture. Abandonner l'huile, pour un peintre, c'est sacrifier la peinture même, le geste culinaire qui, mythiquement, la fonde et l'entretient. Réquichot a vécu l'agonie historique de la peinture (il le pouvait, car il était peintre). Cela veut dire que d'une part il a été très loin hors de l'huile (dans les collages, les sculptures d'anneaux, les dessins au stylo-bille), mais que d'autre part il était sans cesse tenté d'y revenir, comme à une substance vitale : le milieu ancestral de l'aliment. Ses collages sans huile obéissent eux-mêmes au principe de la prolifération liée (celle de la mayonnaise infinie) ; pendant des années, Réquichot accroît ses Reliquaires comme on développe un corps organisé par ingestion lente d'un suc.

L'écriture

La spirale.

D'où viennent les lettres ? Pour l'écriture idéographique, c'est simple : elles viennent de la « nature » (d'un homme, d'une femme, de la pluie, d'une montagne) ; mais précisément : ce sont alors tout de suite des mots, des sémantèmes, non des lettres. La lettre (la lettre phénicienne, la nôtre) est une forme privée de sens : c'est sa première définition. La seconde est que la lettre n'est pas peinte (déposée), mais grattée, creusée, emportée au poinçon ; son art de référence (et d'origine) n'est pas la peinture, mais la glyptique.

Dans l'œuvre de Réquichot, la sémiographie apparaît sans doute vers 1956, lorsqu'il dessine à la plume (notons l'instrument) des grappes de traits enroulés : le signe, l'écriture viennent avec la spirale, qui ne quittera plus son œuvre. Le symbolisme de la spirale est opposé à celui du cercle ; le cercle est religieux, théologique ; la spirale, comme cercle déporté à l'infini, est dialectique : sur la spirale, les choses reviennent, *mais à un autre niveau* : il y a retour dans la différence, non ressassement dans l'identité (pour Vico, penseur audacieux, l'histoire du monde suivait une spirale). La spirale règle la dialectique de l'ancien et du nouveau ; grâce à elle, nous ne sommes pas contraints de penser : *tout est dit*, ou : *rien n'a été dit*, mais plutôt rien n'est premier et cependant tout est nouveau. C'est ce que fait à sa manière la spirale de Réquichot : en se répétant, elle engendre un déplacement. La même chose se passe dans la langue poétique (je veux dire : prosodique et/ou métrique) : comme les signes de cette langue sont en nombre très limité et la combinatoire libre infiniment, la nouveauté, plus qu'ailleurs, y est faite de répétitions très serrées. De la même façon, les compositions spiralées de Réquichot (on peut en prendre pour exemple *la Guerre des nerfs*) explosent partout à partir d'un élément répété et déplacé, la spire (ici alliée à des traits, des tiges, des flaques), elles ont le même mode d'engendrement explosif que la phrase poétique. La spirale a été visiblement pour Réquichot un signe nouveau, à partir duquel, une fois découvert, il a pu élaborer une nouvelle syntaxe, une nouvelle langue. Cependant, cette langue — et en ceci elle est une écriture — est toujours *en train de se faire* : la spirale est certes le signe en soi, mais ce signe a besoin, pour exister, d'un mouvement, qui est celui de la main : dans l'écriture, la syntaxe, fondatrice de tout sens, est essentiellement la pesée du muscle — du méta-muscle, dirait Réquichot : c'est au moment où il *pèse* (fût-ce avec la plus grande légèreté) que le peintre devient intelligent ; sans *ce poids qui avance* (ce qu'on appelle « *tracer* »), le trait pictural (ou graphique) reste bête (le trait bête est celui que l'on fait *pour ressembler* ou celui que l'on fait *pour ne pas ressembler* : par exemple, la ligne qu'on ondule pour qu'elle ne ressemble pas à une simple droite). Ce qui fait l'écriture, en définitive, ce n'est pas le signe (abstraction analytique), mais, bien plus paradoxalement, *la cursivité du discontinu* (ce qui est répété est forcément discontinu). Faites un rond : vous produisez un signe ; mais translatez-le, votre main restant posée à même la surface réceptrice : vous engendrez une écriture : l'écriture, c'est la

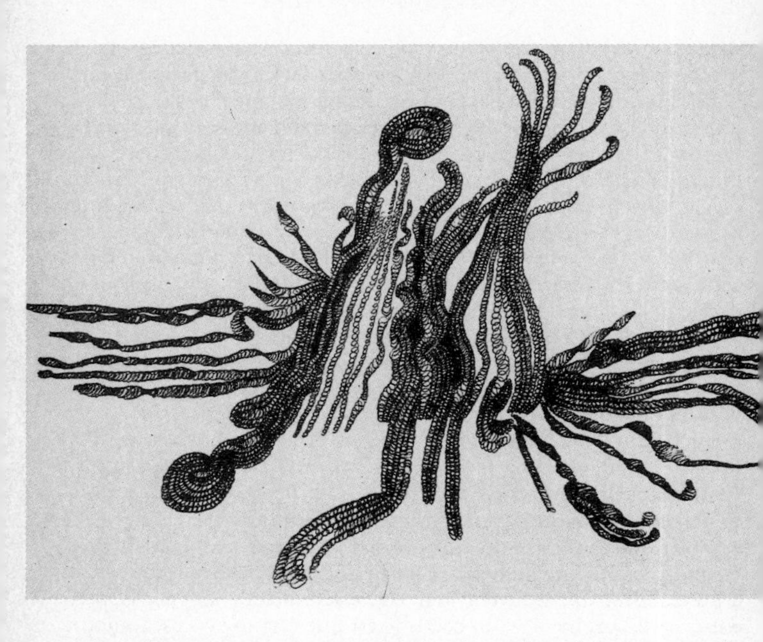

main qui pèse et avance ou traîne, *toujours dans le même sens*, la main qui laboure en somme (d'où la métaphore rurale qui désigne l'écriture boustrophédon d'après le va-et-vient des bœufs le long du champ). Le sens corporel de la spirale répétée, c'est que la main ne quitte jamais le papier jusqu'à ce qu'une certaine jouissance soit exténuée (le sens est déporté vers la figure générale : chaque dessin de Réquichot est nouveau).

Illisible.

En 1930, l'archéologue Persson découvrit dans une tombe mycénienne une jarre portant des graphismes sur son rebord ; imperturbablement, Persson traduisit l'inscription, dans laquelle il avait reconnu des mots qui ressemblaient à du grec ; mais plus tard, un autre archéologue, Ventris, établit qu'il ne s'agissait nullement d'une écriture : un simple griffonnage ; au reste, à l'une de ses extrémités, le dessin s'achevait en courbes purement décoratives. Réquichot fait le chemin inverse (mais c'est le même) : une composition spiralée de septembre 1956 (ce mois où il constitua la réserve de ses formes ultérieures) se termine (en bas) par une ligne d'écriture. Ainsi naît une sémiographie particulière (déjà pratiquée par Klee, Ernst, Michaux et Picasso) : l'écriture illisible. Quinze jours avant sa mort, Réquichot écrit en deux nuits six textes indéchiffrables et qui le seront de toute éternité ; nul doute cependant qu'enfouis sous quelque cataclysme futur, ces textes ne dussent trouver un Persson pour les traduire ; car seule l'Histoire fonde la lisibilité d'une écriture ; quant à son être, l'écriture le tient non de son sens (de sa fonction communicative) mais de la rage, de la tendresse ou de la rigueur dont sont tracées ses jambes et ses courbes.

Testament illisible, les lettres ultimes de Réquichot disent plusieurs choses : d'abord que le sens est toujours contingent, historique, *inventé* (par quelque archéologue trop confiant) : rien ne sépare l'écriture (dont on croit qu'elle communique) de la peinture (dont on croit qu'elle exprime) : toutes deux sont faites du même tissu, qui est peut-être tout simplement, comme dans de très modernes cosmogonies : la vitesse (les écritures illisibles de Réquichot sont aussi emportées que certaines de ses toiles). Autre chose : ce qui est illisible n'est rien d'autre que *ce qui a été perdu* : écrire, perdre, réécrire, installer le jeu infini du dessous et du dessus, rapprocher le signifiant, en faire un géant, un monstre de présence, diminuer le signifié jusqu'à l'imperceptible, déséquilibrer le message, garder de la mémoire sa forme, non son contenu, accomplir l'impénétrable *définitif*, en un mot mettre toute l'écriture, tout l'art en palimpseste, et que ce palimpseste soit inépuisable, ce qui a été écrit revenant sans cesse dans ce qui s'écrit pour le rendre sur-lisible — c'est-à-dire illisible. C'est en somme par un même mouvement que Réquichot a écrit ses lettres illisibles et pratiqué ici et là le palimpseste pictural, découpant et cousant des toiles l'une sur l'autre, déclouant et remaculant ses peintures tachistes, introduisant le Livre, par ses pages de garde, dans ses grandes compositions aux Papiers Choisis. Tout ce sur-écrit, griffure du rien, ouvre à l'oubli : c'est la mémoire impossible :

« On déterre dans des îles de Norvège, dit Chateaubriand, quelques urnes gravées de caractères indéchiffrables. A qui appartiennent ces cendres ? Les vents n'en savent rien. »

La représentation

La matière.

Sur la table de travail de Réquichot (indiscernable d'un établi de cuisine), en vrac, des anneaux de rideau achetés au Printemps : ils feront, plus tard, la *Sculpture en plastique, anneaux collés.*

D'ordinaire (je veux dire : si l'on se réfère à l'histoire de l'art), l'œuvre vient d'un matériau pur : qui n'a encore servi à rien (poudre, terre glaise, pierre) ; elle est donc, classiquement, le premier degré de transformation de la matière brute. L'artiste peut alors s'identifier mythiquement à un démiurge, qui tire quelque chose de rien : c'est la définition aristotélicienne de l'art (la *techné*), et c'est aussi l'image classique du créateur titanesque : Michel-Ange crée l'œuvre comme son Dieu crée l'homme. Tout cet art dit l'Origine.

Les anneaux de Réquichot, quand il les prend, sont *déjà* des objets usuels (manufacturés), qui se trouvent seulement détournés de leur fonction : l'œuvre part alors d'un passé antérieur, le mythe de l'Origine est ébranlé, la crise théologique de la peinture est ouverte (depuis les premiers collages, les « ready made »). Ceci rapproche l'œuvre picturale (ou sculpturale : le report du matériau obligera bientôt à un autre nom) et le Texte (dit littéraire) ; car le Texte, lui aussi, prend des mots usuels, usés et comme manufacturés en vue de la communication courante, pour produire un objet nouveau, hors de l'usage et donc hors de l'échange.

La conséquence ultime (peut-être encore imprévisible) de ce détournement est d'accentuer la nature matérialiste de l'art. Ce n'est pas la matière elle-même qui est matérialiste (une pierre encadrée n'est qu'un pur fétiche), c'est, si l'on peut dire, l'infinitude de ses transformations ; un peu de symbolisme amène à la divinité, mais le symbolisme éperdu qui règle le travail de l'artiste l'en éloigne : il sait que la matière est infailliblement symbolique : en perpétuel déplacement ; sa fonction (sociale) est de dire, de rappeler, d'apprendre à tout le monde que *la matière n'est jamais à sa place* (ni à la place de son origine, ni à celle de son usage) — ce qui est peut-être une façon de suggérer (affirmation essentiellement matérialiste) : qu'il n'y a pas de matière.

(La matière traitée par l'artiste ne trouve une place qu'au moment où il la cadre ; l'expose, la vend : c'est la place fixée par l'aliénation : là où cesse l'infini déplacement du symbole.)

La loupe.

De même que, par le palimpseste, l'écriture est dans l'écriture, de même il y a dans un « tableau » (peu importe ici que le mot soit juste) plusieurs tableaux : non seulement (chez Réquichot) parce que des toiles sont réécrites ou replacées à titre d'objets partiels dans de nouveaux ensembles, mais parce qu'il y a autant d'œuvres que de niveaux de perception : isolez, regardez, agrandissez et traitez un détail, vous créez une œuvre nouvelle, vous traversez des siècles, des écoles, des styles, avec du très ancien vous faites du très nouveau. Réquichot a pratiqué cette technique sur lui-même : « A regarder un tableau de très près, il arrive d'y voir des tableaux futurs : il m'arrive de couper en morceaux de grandes tartines, tâchant par là d'isoler des parties qui me semblent intéressantes. » L'instrument virtuel de la peinture (pour cette partie d'elle-même — peut-être minime — qui concerne l'œil et non la main), cet instrument serait la loupe, ou à la rigueur la sellette, qui permet de changer l'objet en le faisant tourner (Réquichot a de la sorte utilisé des gueules de chien intactes, sans aucune adjonction, mais en *les tournant*) : tout cela, non pour mieux voir ou voir plus complètement, mais pour voir autre chose : la taille est un objet en soi : ne suffit-elle pas à fonder un art majeur : l'architecture ? La loupe et la selle produisent ce supplément, qui dérange le sens, c'est-à-dire la reconnaissance (comprendre, lire, recevoir une langue, c'est reconnaître ; le signe est ce qui est reconnu ; Réquichot serait de cette race d'artistes *qui ne reconnaissent pas*).

Changer le niveau de perception : il s'agit là d'une secousse qui ébranle le monde classé, le monde nommé (le monde reconnu) et par conséquent libère une véritable énergie hallucinatoire. En effet, si l'art (employons encore ce mot commode, pour désigner toute activité infonctionnelle) n'avait pour but que de faire mieux voir, il ne serait rien d'autre qu'une technique d'analyse, un ersatz de science (ce à quoi a prétendu l'art réaliste) ; mais en cherchant à produire l'autre chose qui est dans la chose, c'est toute une épistémologie qu'il subvertit : il est ce travail *illimité* qui nous débarrasse d'une hiérarchie courante : d'abord la perception (« vraie »), ensuite la nomination, enfin l'association (la part « noble », « créative » de l'artiste) ; pour Réquichot, au contraire, il n'y a pas de privilège accordé à la première perception : la perception est *immédiatement* plurielle — ce qui, une fois de plus, dispense de la classification idéaliste ; le mental n'est que *le corps porté à un autre niveau de perception* : ce que Réquichot appelle le « méta-mental ».

Le nom.

Prenons deux traitements modernes de l'objet. Dans le ready made, l'objet est *réel* (l'art ne commence qu'à son pourtour, son encadrement, sa muséographie) — ce pour quoi on a pu parler à son sujet de réalisme petit-bourgeois. Dans l'art dit conceptuel, l'objet est *nommé*, enraciné dans le dictionnaire — ce pour quoi il vaudrait mieux dire « art dénotatif » plutôt qu'« art conceptuel ». Dans le ready made, l'objet est si réel que l'artiste peut se permettre l'excentricité ou l'incertitude de la dénomination ; dans l'art conceptuel, l'objet est si exactement nommé qu'il n'a plus besoin d'être réel : il peut se réduire à un article de dictionnaire (*Thing*, de Joseph Kossuth). Ces deux traitements, en apparence opposés, relèvent d'une même activité : la classification.

Dans la philosophie hindoue la classification a un nom illustre : c'est le *Maya* : non point le monde des « apparences », le voile qui cacherait quelque vérité intime, mais le principe qui fait que toutes les choses sont classées, mesurées par l'homme, non par la nature ; dès que surgit une opposition (l'Opposition), il y a Maya : le réseau des formes (les objets) est Maya, le paradigme des noms (le langage) est Maya (le brahmane ne nie pas le Maya, il n'oppose pas l'Un au Multiple, il n'est point moniste — car réunir est aussi Maya ; ce qu'il cherche, c'est la fin de l'opposition, la péremption de la mesure ; son projet n'est pas de se déporter hors de toute classe, mais hors de la classification elle-même).

Le travail de Réquichot n'est pas Maya : il ne veut ni de l'objet ni du langage. Ce qu'il vise, c'est à défaire le Nom ; d'œuvre en œuvre, il procède à une ex-nomination généralisée de l'objet. C'est là un projet singulier qui retire Réquichot des sectes de son temps. Ce projet n'est pas simple : l'ex-nomination de l'objet passe nécessairement par une phase de sur-nomination exubérante : il faut renchérir sur le Maya avant de l'exténuer : c'est le moment *thématique*, qui est aujourd'hui hors de mode. Une critique thématique de Réquichot est non seulement possible, mais inévitable ; ses formes « ressemblent » à quelque chose, appellent un cortège de noms, selon le procédé de la métaphore ; lui-même le savait : « Mes peintures : on peut y trouver des cristaux, des branches, des grottes, des algues, des éponges... » L'analogie est ici irrépressible (comme une jouissance précoce), mais du point de vue du langage, elle est déjà ambiguë : c'est parce que la forme tracée (peinte ou composée) n'a pas de nom, qu'on lui en cherche et lui en impose plusieurs ; la métaphore est la seule façon de nommer l'innommable (elle devient alors très précisément une catachrèse) : la chaîne des noms vaut pour le nom qui manque. Ce qui passe dans l'analogie (du moins celle que pratique Réquichot), ce n'est pas son terme, son signifié supposé (« cette tache signifie une éponge »), c'est la tentation du nom, quel qu'il soit : la polysémie forcenée est le premier épisode (initiatique) d'une ascèse : celle qui conduit hors du lexique, hors du sens.

La thématique suggérée par Réquichot est trompeuse parce qu'en fait elle est immaîtrisable : *la métaphore ne s'arrête pas*, le travail de nomination se poursuit inexorablement, contraint d'aller toujours, de ne jamais se fixer, défaisant sans cesse les noms trouvés et n'aboutissant à rien, sinon à une ex-nomination perpétuelle : parce que cela ressemble, non pas à tout, mais *successivement* à quelque chose, cela ne ressemble à rien. Ou encore : cela ressemble, oui, mais à quoi ? à « quelque chose qui n'a pas de nom ». L'analogie accomplit ainsi son propre déni et la béance du nom est maintenue infiniment : *qu'est-ce que c'est que ça ?*

Cette question (qui fut la question posée par le Sphinx à Œdipe) est toujours un cri, la demande d'un désir : vite un Nom, pour que je me rassure ! Que le Maya cesse d'être déchiré, qu'il se reconstitue et se restaure dans le langage retrouvé : que le tableau me donne son Nom ! Mais — ceci définissant exactement Réquichot — le Nom n'est jamais donné : nous ne jouissons que de notre désir, non de notre plaisir.

Peut-être est-ce vraiment cela, l'abstraction : non pas cette peinture produite par certains peintres autour de l'idée de *ligne* (l'opinion courante veut que la ligne soit abstraite, apollinienne ; l'image d'un magma abstrait, comme chez Réquichot, apparaît incongrue), mais ce débat dangereux entre l'objet et le langage, dont Réquichot a assuré le récit : il a créé des *objets* abstraits : *objets* parce que cherchant un nom et *abstraits* parce qu'innommables : dès que l'objet est là (et non la ligne), il veut accoucher d'un nom, il veut produire une filiation, celle du langage : le langage n'est-il pas ce qui nous est légué par un ordre antérieur ? Dans son travail, Réquichot procède à une exhérédation de l'objet, il coupe l'héritage du nom. A la matière même du signifiant, il ôte toute origine : ces « accidents » (dont sont tissés certains de ses collages) sont quoi ? Des toiles anciennement peintes, puis roulées et suspendues : déshéritées.

Le projet de Réquichot est doublement déterminé (indécidable) : d'une part, sur l'échiquier de l'avant-garde, il approfondit la crise du langage, il secoue jusqu'à la rompre la dénotation, la formulation ; d'autre part, il poursuit *personnellement* la définition de son propre corps et découvre que cette définition commence là où le Nom cesse, c'est-à-dire *dedans* (seuls les médecins peuvent nommer, loin de toute réalité, le dedans du corps — ce corps qui n'est que son dedans). Toute la peinture de Réquichot peut porter cet exergue, écrit par le peintre lui-même : « Je ne sais pas c'qui m'quoi. »

La représentation.

Comment le peintre sait-il que l'œuvre est finie ? Qu'il doit s'arrêter, lâcher l'objet, passer à une autre œuvre ? Tout le temps que la peinture a été strictement figurative, le *fini* était concevable (c'était même une valeur esthétique), puisqu'il s'agissait d'atteindre une ressemblance (ou à la rigueur un effet) : ceci atteint (l'illusion), je puis lâcher cela (la toile) ; mais dans la peinture postérieure, la perfection (*parfaire* veut dire *finir*) cesse d'être une valeur : l'œuvre est infinie (ce qu'était déjà le chef-d'œuvre inconnu de Balzac), et cependant, à un certain moment, on s'arrête (pour montrer ou pour détruire) : la mesure de l'œuvre ne réside plus dans sa finalité (le produit fini qu'elle constitue), mais dans le travail qu'elle expose (la production dans laquelle elle veut entraîner son lecteur) : au fur et à mesure que l'œuvre se fait (et se lit), sa fin se transforme. Or, c'est un peu ce qui se passe dans la cure analytique : c'est l'idée même de « guérison », initialement très simple, qui peu à peu se complique, se transforme et devient distante : l'œuvre est interminable, comme la cure : dans les deux cas, il s'agit moins d'obtenir un résultat que de modifier un problème, c'est-à-dire un sujet : le désempoisser de la finalité dans laquelle il enferme son départ.

Comme on le voit, la difficulté de finir — dont Réquichot a souvent fait état — met en cause la représentation elle-même, à moins que ce ne soit l'abolition de la figure, amenée par tout un jeu de déterminations historiques, qui oblige à irréaliser la *fin* (but et terme) de l'art. Tout le débat tient peut-être dans les deux sens du mot « représentation ». Au sens courant, qui est celui dont relève l'œuvre classique, la représentation désigne une copie, une illusion, une figure analogique, un produit ressemblant ; mais au sens étymologique, la re-présentation n'est que le retour de ce qui s'est présenté ; en elle le présent dévoile son paradoxe, qui est d'avoir *déjà* eu lieu (puisqu'il n'échappe pas au code) : ainsi, ce qui est le plus irrépressible dans l'artiste (en l'occurrence Réquichot), à savoir la fusée de la jouissance, ne se constitue qu'avec l'aide de ce *déjà* qui est dans le langage, qui est le langage ; et c'est ici qu'en dépit de la guerre apparemment inexpiable de l'Ancien et du Nouveau, les deux sens se lient : d'un bout à l'autre de son histoire, l'art n'est que le débat varié de l'image et du nom : tantôt (au pôle figuratif), le Nom exact règne et le signe impose sa loi au signifiant ; tantôt (au pôle « abstrait » — ce qui est bien mal dire), le Nom fuit, le signifiant, en explosant sans cesse, cherche à défaire ce signifié têtu qui veut revenir pour former un signe (l'originalité de Réquichot tient à ce que, dépassant la solution abstraite, il a compris que, pour défaire le Nom, le Maya, il fallait accepter de l'épuiser : l'asémie passe par une polysémie exubérante, éperdue : *le nom ne tient pas en place*).

En somme, il y a un moment, un niveau de la théorie (du Texte, de l'art) où les deux sens se brouillent ; il est possible d'affirmer que la plus figurative des peintures ne représente (ne copie) jamais rien mais cherche seulement un Nom (le nom de la scène, de l'objet) ; mais il est aussi possible (quoique aujourd'hui plus scandaleux) de dire que la « peinture » la moins figurative représente toujours quelque chose : soit le langage lui-même (c'est, si l'on peut dire, la position de l'avant-garde canonique), soit le dedans du corps, le corps comme dedans, ou mieux : la jouissance : c'est ce que fait Réquichot (comme peintre de la jouissance, Réquichot est aujourd'hui singulier : démodé — car l'avant-garde n'est pas souvent jouisseuse).

L'artiste

Dépasser quoi ?

Faut-il replacer Réquichot dans l'histoire de la peinture ? Réquichot a vu lui-même la vanité de cette question : « Penser que Van Gogh ou Kandinsky soit dépassé n'est pas grand-chose, ni désirer les dépasser : ce n'est là que dépassement historique des autres... » Ce qu'on appelle l'« histoire de la peinture » n'est qu'une suite culturelle, et toute suite participe d'une Histoire imaginaire : la *suite* est même ce qui constitue l'imaginaire de notre Histoire. N'est-ce pas, au fond, un automatisme assez singulier que de placer le peintre, l'écrivain, l'artiste, dans l'enfilade de ses congénères ? Image filiale qui, une fois de plus, assimile imperturbablement l'antécédence à l'origine : il faut trouver à l'artiste des Pères et des Fils, pour qu'il puisse reconnaître les uns et tuer les autres, joindre deux beaux rôles : la gratitude et l'indépendance : c'est ce qu'on appelle : « dépasser ».

Pourtant, il y a bien souvent dans un seul et même peintre toute une histoire de la peinture (il suffit de changer les niveaux de perception : Nicolas de Staël est dans 3 cm² de Cézanne). Dans la suite de ses œuvres, Réquichot a pratiqué cette marche dévorante : il n'a sauté aucune image, en se faisant lui-même historique à toute vitesse, par une accumulation de désinvestissements brusques ; il a traversé bien des peintres qui l'ont précédé, entouré et même suivi ; mais cet apprentissage n'était pas artisanal, il ne visait à aucune maîtrise ultime ; il était infini, non par insatisfaction mystique, mais par retour obstiné du désir.

Peut-être est-ce ainsi qu'il faut lire la peinture (du moins celle de Réquichot) : hors de toute suite culturelle. De la sorte, nous avons quelque chance d'accomplir cette quadrature du cercle : d'une part retirer la peinture du soupçon idéologique qui marque aujourd'hui toute œuvre *avant-dernière*, et d'autre part lui laisser l'empreinte de sa responsabilité historique (de son insertion dans une crise de l'Histoire), qui est, dans le cas de Réquichot, de participer à l'agonie de la peinture. Par l'addition de ces deux mouvements contradictoires, il se produit en effet un *reste*. Ce qui reste, *c'est notre droit à la jouissance de l'œuvre*.

L'amateur.

Défigurant le mot, on voudrait pouvoir dire que Réquichot était un *amateur*. L'amateur n'est pas forcément défini par un savoir moindre, une technique imparfaite (auquel cas Réquichot n'est pas un amateur), mais plutôt par ceci : il est *celui qui ne montre pas*, celui qui ne se fait pas entendre. Le sens de cette occultation est le suivant : l'amateur ne cherche à produire que sa propre jouissance (mais rien n'interdit qu'elle devienne la nôtre *par surcroît*, sans qu'il le sache), et cette jouissance n'est dérivée vers aucune hystérie. Au-delà de l'amateur, finit la jouissance pure (retirée de toute névrose) et commence l'imaginaire, c'est-à-dire l'artiste : l'artiste jouit, sans doute, mais dès lors qu'il se montre et se fait entendre, dès lors qu'il a un public, sa jouissance doit composer avec une *imago*, qui est le discours que l'Autre tient sur ce qu'il fait. Réquichot ne montrait pas ses toiles (elles sont encore largement inconnues) : « Tout regard sur mes créations est une usurpation de ma pensée et de mon cœur... Ce que je fais n'est pas fait pour être vu… Vos appréciations et vos éloges me paraissent des intrus qui perturbent et malmènent la genèse, l'inquiétude, la perception délicate du mental où quelque chose germe et tente de croître… » La singularité de Réquichot est d'avoir mené son œuvre à la fois au plus haut et au plus bas : comme l'arcane de la jouissance et comme un modeste hobby qu'on ne montre pas.

Faust.

L'artiste (ne l'opposons plus ici à l'amateur) : quel mot désuet ! D'où vient que si on l'applique à Réquichot, il perd son relent romantique et bourgeois ? D'abord de ceci : la peinture de Réquichot part de son corps : le dedans du corps s'y travaille sans aucune censure ; il en résulte ce paradoxe : cette œuvre est *expressive*, elle exprime Réquichot (Réquichot s'y exprime, au sens littéral, presse sur la toile le suc violent de sa cénesthésie intérieure), et semble donc, dans un premier mouvement, participer d'une esthétique idéaliste du sujet (esthétique aujourd'hui âprement contestée) ; mais dans un second mouvement, comme ce sujet travaille précisément à l'abolition du contraste séculaire entre l'« âme » et la « chair », comme il s'exténue à mettre en scène une nouvelle substance, un corps inouï, révulsé, *désorganisé* (plus d'organes, plus de muscles, plus de nerfs, rien que des vibrations de douleur et de jouissance), c'est le sujet lui-même (celui de l'idéologie classique) *qui n'est plus là* : le corps congédie le sujet et la peinture de Réquichot rejoint alors l'extrême avant-garde : *celle qui n'est pas classable* et dont la société dénonce le caractère psychotique parce que de la sorte au moins elle peut la nommer.

Et puis, autre raison de ne pas effacer en lui l'« artiste », Réquichot conçut son œuvre, son travail — tout son travail — comme une expérience, un risque. (« Il faut peindre, non pas pour faire une œuvre, mais pour savoir jusqu'où une œuvre peut aller. ») Cette expérience n'avait rien d'humaniste, il ne s'agissait pas d'expérimenter les limites de l'homme au nom de l'humanité ; elle était volontairement autarcique, la fin en restait toujours la jouissance douloureuse ; et pourtant encore, ce n'était pas une expérience individualiste, car elle emportait — fût-ce par surcroît — l'idée d'une certaine totalité : totalité du faire, d'abord, Réquichot accomplissant et révisant toutes les techniques de la modernité, ne répugnant pas à s'incorporer une certaine mathésis de la peinture et ne négligeant nullement ce que pouvaient lui enseigner ses devanciers ; concurrence des arts ensuite : de même que les peintres de la Renaissance étaient *aussi*, bien souvent, des ingénieurs, des architectes, des hydrauliciens, Réquichot a utilisé un autre signifiant, l'écriture : il a écrit des poèmes, des lettres, un journal intime et un texte, intitulé précisément *Faustus* : car Faust est encore le héros éponyme de cette race d'artistes : leur savoir est apocalyptique : ils mènent de front l'exploration du faire et la destruction catastrophique du produit.

Le sacrifice.

Être moderne, c'est savoir *ce qui n'est plus possible*. Réquichot savait que la « peinture » ne peut revenir (sinon peut-être, un jour, à une autre place, c'est-à-dire *en spirale*), et il a participé à sa destruction (par ses collages, ses sculptures). Cependant Réquichot était peintre (jouissant du nappé de l'huile, de l'étalement d'une encre, du tracé d'une griffe, acceptant de traverser les peintres passés, d'entrer dans l'inter-texte du cubisme, de l'abstraction, du tachisme). Condamné, par la nécessité historique et ce que l'on pourrait appeler la pression d'une jouissance responsable, à tuer, sinon ce qu'il aimait, du moins ce qu'il connaissait et *savait faire*, il a travaillé en état de sacrifice. Cependant, ce sacrifice n'avait rien d'oblatif ; Réquichot n'offrait l'apocalypse de son savoir, de son faire, de sa « culture » à personne, à aucune idée, à aucune loi, à aucune histoire, à aucun progrès, à aucune foi. Il a travaillé en pure perte ; il savait qu'il ne pouvait *atteindre* son spectateur à l'égal de ce qui l'avait, lui, touché ; il pratiqua donc une économie proprement suicidaire et décida que toute communication de son œuvre (communication dérisoire) ne rachèterait rien de ce qu'il y avait investi. Si maintenant, par les soins d'un ami, nous pouvons voir du Réquichot, du moins faut-il bien savoir que cette perte énorme de violence et de jouissance n'était pas faite pour nous. Réquichot a voulu perdre pour rien : il a contesté l'échange. Historiquement, c'est une œuvre somptuaire, entièrement assujettie à la perte inconditionnelle dont a parlé Bataille.

Aux enchères.

Toute l'esthétique (mais c'est par là en détruire l'idée même) se ramène à cette question : *à quelles conditions, l'œuvre, le texte, trouvent-ils preneur ?* Fondée (aujourd'hui) sur une subversion de l'échange, l'œuvre (aujourd'hui encore) n'échappe pas à l'échange, et c'est en cela qu'éperdue à liquider tout signifié, elle possède cependant un *sens*. Aux enchères de l'art, qui prendra Réquichot ? Sa valeur n'est protégée ni par la tradition, ni par la mode, ni par l'avant-garde. D'un certain point de vue, son œuvre est « nulle » (deux pièces au Musée d'art moderne, dont une seule exposée). Et c'est pour cela qu'elle est l'un des lieux où s'accomplit la *dernière subversion* : de cette œuvre, l'Histoire ne peut rien récupérer, sinon sa propre crise.

Parler de la peinture ?

Au hasard, comparons Réquichot à l'une des sectes qui l'ont suivi. Dans l'art dit conceptuel (art réflexif), il n'y a, en principe, aucune place pour la délectation ; ces artistes savent bien, à défaut d'autre chose, que pour blanchir définitivement la gangrène idéologique, c'est le désir tout entier qui doit être coupé, car le désir est toujours féodal. L'œuvre (si l'on peut encore dire) n'est plus formelle, mais seulement visuelle, articulant simplement et directement une perception et une nomination (la forme, c'est ce qui est *entre* la chose et le nom, c'est ce qui retarde le nom) ; ce pour quoi il vaudrait mieux dire que cet art est dénotatif, plutôt que conceptuel. Or, voici la conséquence de cette purification : l'art n'est plus fantasmatique ; il y a bien scénario (puisqu'il y a exposition), mais ce scénario est sans sujet : l'opérateur et le lecteur ne peuvent pas plus se mettre dans une composition conceptuelle que l'usager de la langue ne peut se mettre dans un dictionnaire. Du coup, c'est toute la critique qui tombe, car elle ne peut plus rien thématiser, poétiser, interpréter ; la littérature est forclose au moment même où il n'y a plus de peinture. L'art en vient alors à prendre en main sa propre théorie ; il ne peut plus rien que se parler, se réduisant à la parole qu'il *pourrait* tenir sur lui-même, s'il consentait à exister : le désir étant expulsé, le discours revient en force : l'art devient *bavard*, dans le moment même où il cesse d'être érotique. L'idéologie et sa faute sont éloignées, certes ; mais le prix qu'on a dû payer, c'est l'*aphanisis*, la perte du désir, en un mot la castration.

La voie de Réquichot est opposée : il exténue l'idéalisme de l'art, non par la réduction de la forme, mais par son exaspération ; il ne blanchit pas le fantasme, il le surcharge jusqu'à la rupture ; il ne collectivise pas le travail de l'artiste (indifférent même à l'exposer), il le sur-individualise, cherche ce point extrême où la violence de l'expulsion va faire basculer la consistance névrotique du sujet dans cette *autre chose* que la société repère du côté de la psychose. L'art conceptuel (qu'on prend simplement comme exemple d'un art contraire à celui de Réquichot) veut établir une sorte d'*en deçà* de la forme (le dictionnaire) ; Réquichot, lui, veut atteindre l'*au-delà* de la langue ; pour cela, au lieu d'épurer le symbolique, il le radicalise : il *déplace*, et c'est en cela qu'il est du côté du symbole. (« Les soi-disant taches de mes peintures, je n'essaie pas tant qu'elles tombent à la bonne place ; j'attends plutôt qu'elles tombent à la mauvaise. ») Dès lors, il est encore possible de parler de Réquichot ; son art peut être dit : érotique (parce que c'est son corps qu'il déplace), ou méchant, ou violent, ou sale, ou élégant, ou pâteux, ou coupant, ou obsédé, ou puissant ; bref il peut recevoir la marque langagière du fantasme, tel qu'il est lu par l'Autre, à savoir l'*adjectif*. Car c'est mon désir qui, permettant à l'Autre de parler de moi, fonde d'un même mouvement l'adjectif et la critique.

La signature

Réquichot.

Voilà quelque temps maintenant que j'écris, non sur Réquichot, mais autour de lui ; ce nom de « Réquichot » est devenu l'emblème de mon écriture courante ; je n'entends plus en lui que le son familier de mon propre travail ; je dis *Réquichot*, comme j'ai dit *Michelet, Fourier* ou *Brecht*. Et pourtant, réveillé de son usage, ce nom (comme tout nom) est étrange : si français, rural même, il y a en lui, par son chuintement, par sa terminaison diminutive, quelque chose de gourmand (la quiche), de fermier (la galoche) et d'amical (le petiot) : c'est un peu le nom d'un bon camarade de classe. Cette instabilité du signifiant majeur (le nom propre), nous pouvons la reporter sur la signature. Pour ébranler la loi de la signature, il n'est peut-être pas besoin de la supprimer, d'imaginer un art anonyme ; il suffit de déplacer son objet : *qui signe quoi ?* Où s'arrête ma signature ? A quel support ? A la toile (comme dans la peinture classique) ? A l'objet (comme dans le ready made) ? A l'événement (comme dans le happening) ? Réquichot a bien vu cet infini de la signature, qui en dénoue le lien appropriatif, car plus le support s'élargit, plus la signature se démarque du sujet : signer, c'est alors seulement trancher, se trancher soi-même, trancher l'autre. Pourquoi, pensait Réquichot, ne pourrais-je signer, au-delà de ma toile, la feuille boueuse qui m'a ému, ou même le sentier où je l'ai vue collée ? Pourquoi ne pas mettre mon nom sur les montagnes, les vaches, les robinets, les cheminées d'usine (*Faustus*) ? La signature n'est plus que la fulguration, l'inscription du désir : l'imagination utopique et caressante d'une société sans artistes (car l'artiste sera toujours *humilié*), où chacun cependant signerait les objets de sa jouissance. Réquichot, très seul, a préfiguré un instant cette société sublime d'*amateurs*. Reconnaître la signature de Réquichot, ce n'est pas l'admettre au panthéon culturel des peintres, c'est disposer d'un signe supplémentaire dans le fouillis du Texte immense qui s'écrit sans relâche, sans origine et sans fin.

Extrait de *Bernard Réquichot*, par Roland Barthes, Marcel Billot, Alfred Pacquement.

2

LE CORPS DE LA MUSIQUE

Écoute

Entendre est un phénomène physiologique ; *écouter* est un acte psychologique. Il est possible de décrire les conditions physiques de l'audition (ses mécanismes), par le recours à l'acoustique et à la physiologie de l'ouïe ; mais l'écoute ne peut se définir que par son objet, ou, si l'on préfère, sa visée. Or, tout le long de l'échelle des vivants (la *scala viventium* des anciens naturalistes) et tout le long de l'histoire des hommes, l'objet de l'écoute, considéré dans son type le plus général, varie ou a varié. De là, pour simplifier à l'extrême, on proposera trois types d'écoute.

Selon la première écoute, l'être vivant tend son audition (l'exercice de sa faculté physiologique d'entendre) vers des *indices* ; rien, à ce niveau, ne distingue l'animal de l'homme : le loup écoute un bruit (possible) de gibier, le lièvre un bruit (possible) d'agresseur, l'enfant, l'amoureux écoutent les pas de qui s'approche et qui sont peut-être les pas de la mère ou de l'être aimé. Cette première écoute est, si l'on peut dire, une *alerte*. La seconde est un *déchiffrement* ; ce qu'on essaye de capter par l'oreille, ce sont des *signes* ; ici, sans doute, l'homme commence : j'écoute comme je lis, c'est-à-dire selon certains codes. Enfin, la troisième écoute, dont l'approche est toute moderne (ce qui ne veut pas dire qu'elle supplante les deux autres), ne vise pas — ou n'attend pas — des signes déterminés, classés : non pas ce qui est dit, ou émis, mais qui parle, qui émet : elle est censée se développer dans un espace intersubjectif, où « j'écoute » veut dire aussi « écoute-moi » ; ce dont elle s'empare pour le transformer et le relancer infiniment dans le jeu du transfert, c'est une « signifiance » générale, qui n'est plus concevable sans la détermination de l'inconscient.

1

Il n'est pas de sens que l'homme ne partage avec l'animal. Toutefois, il est bien évident que le développement phylogénétique, et, à l'intérieur même de l'histoire humaine, le développement technique ont modifié (et modifieront encore) la hiérarchie des cinq sens. Les anthropologues notent que les comportements nutritifs de l'être vivant sont liés au toucher, au goût, à l'odorat, et les comportements affectifs, au toucher, à l'odorat et à la vision ; l'audition, elle, semble essentiellement liée à l'évaluation de la situation spatio-temporelle (l'homme y ajoute la vision, l'animal, l'odorat). Construite à partir de l'audition, l'écoute, d'un point de vue anthropologique, est le sens même de l'espace et du temps, par la capture des degrés d'éloignement et des retours réguliers de l'excitation sonore. Pour le mammifère, son territoire est jalonné d'odeurs et de sons ; pour l'homme — chose souvent sous-estimée — l'appropriation de l'espace est elle aussi sonore : l'espace ménager, celui de la maison, de l'appartement (équivalent approximatif du territoire animal) est un espace de bruits familiers, *reconnus,* dont l'ensemble forme une sorte de symphonie domestique : claquement différencié des portes, éclats de voix, bruits de cuisine, de tuyaux, rumeurs extérieures : Kafka a décrit avec exactitude (la littérature n'est-elle pas une réserve incomparable de savoir ?) cette symphonie familière, dans une page de son journal : « Je suis assis dans ma chambre, c'est-à-dire au quartier général du bruit de tout l'appartement ; j'entends claquer toutes les portes, etc. » ; et l'on connaît l'angoisse de l'enfant hospitalisé qui n'entend plus les bruits familiers de l'abri maternel. C'est sur ce fond auditif que s'enlève l'écoute, comme l'exercice d'une fonction d'*intelligence,* c'est-à-dire de sélection. Si le fond auditif envahit tout l'espace sonore (si le bruit ambiant est trop fort), la sélection, l'intelligence de l'espace n'est plus possible, l'écoute est lésée ; le phénomène écologique qu'on appelle aujourd'hui la pollution — et qui est en passe de devenir un mythe noir de notre civilisation technicienne — n'est rien d'autre que l'altération insupportable de l'espace humain, en tant que l'homme lui demande de *s'y reconnaître* : la pollution blesse les sens par lesquels l'être vivant, de l'animal à l'homme, reconnaît son territoire, son habitat : vue, odorat, ouïe. Il y a, pour ce qui nous occupe ici, une pollution sonore, dont tout le monde sent bien (à travers des mythes naturalistes), du hippy au retraité, qu'elle attente à l'intelligence même de l'être vivant, qui, *stricto sensu*, n'est rien d'autre que son pouvoir de bien communiquer avec son *Umwelt* : la pollution empêche d'écouter.

C'est sans doute à partir de cette notion de territoire (ou d'espace approprié, familier, aménagé — ménager), que l'on saisit le mieux la fonction de l'écoute, dans la mesure où le territoire peut se définir essentiellement comme l'espace de la sécurité (et comme tel, voué à être défendu) : l'écoute est cette attention préalable qui permet de capter tout ce qui peut venir déranger le système territorial ; elle est un mode de défense contre la surprise ; son objet (ce vers quoi elle est tendue) est la menace, ou inversement le besoin ; le matériau de l'écoute, c'est l'indice, soit qu'il révèle le danger, soit qu'il promette la satisfaction du besoin. De cette double fonction, défensive et prédatrice, il reste des traces dans l'écoute civilisée : combien de films de terreur, dont le ressort est l'écoute de l'étrange, l'attente affolée du bruit irrégulier qui va venir déranger le confort sonore, la sécurité de la maison : l'écoute, à ce stade, a pour partenaire essentiel l'insolite, c'est-à-dire le danger ou l'aubaine ; et à l'inverse, lorsque l'écoute est dirigée vers l'apaisement du fantasme, elle devient très vite hallucinée : je crois réellement entendre ce qu'il me ferait plaisir d'entendre comme promesse du plaisir.

Morphologiquement, c'est-à-dire au plus près de l'espèce, l'oreille semble être faite pour cette capture de l'indice qui passe : elle est immobile, figée, dressée, à la façon d'un animal aux aguets ; comme un entonnoir orienté de l'extérieur vers l'intérieur, elle reçoit le plus d'impressions possible et les canalise vers un centre de surveillance, de sélection et de décision ; les plis, les détours de son pavillon semblent vouloir multiplier le contact de l'individu et du monde, et cependant réduire cette multiplicité en la soumettant à un parcours de tri ; car il faut — c'est là le rôle de cette première écoute — que ce qui était confus et indifférent devienne distinct et pertinent, et que toute la nature prenne la forme particulière d'un danger ou d'une proie : l'écoute est l'opération même de cette métamorphose.

2

Bien avant que l'écriture fût inventée, bien avant même que la figuration pariétale fût pratiquée, quelque chose a été produit qui distingue peut-être fondamentalement l'homme de l'animal : la reproduction intentionnelle d'un rythme : on trouve sur certaines parois de l'époque moustérienne des incisions rythmiques — et tout laisse à penser que ces premières représentations rythmiques coïncident avec l'apparition des premières habitations humaines. Bien entendu, on ne sait rien, sinon de mythique, sur la naissance du rythme sonore ; mais il serait logique d'imaginer (ne refusons pas le délire des origines) que rythmer (des incisions ou des coups) et construire des maisons sont des activités contemporaines : la caractéristique opératoire de l'humanité est précisément la percussion rythmique longuement répétée, comme en témoignent les choppers de galet éclaté, et les boules polyédriques martelées : par le rythme, la créature préanthropienne entre dans l'humanité des Australanthropes.

Par le rythme aussi, l'écoute cesse d'être pure surveillance pour devenir création. Sans le rythme, aucun langage n'est possible : le signe est fondé sur un aller et retour, celui du *marqué* et du *non-marqué*, qu'on appelle paradigme. La meilleure fable qui rende compte de la naissance du langage, est l'histoire de l'enfant freudien, qui mime l'absence et la présence de sa mère sous la forme d'un jeu au cours duquel il lance et reprend une bobine attachée à une ficelle : il crée ainsi le premier jeu symbolique, mais il crée aussi le rythme. Imaginons cet enfant surveillant, écoutant les bruits qui peuvent lui annoncer le retour désiré de sa mère : il est alors dans la première écoute, celle des indices ; mais lorsqu'il cesse de surveiller directement l'apparition de l'indice et se met à mimer lui-même son retour régulier, il fait de l'indice attendu un signe : il passe à la seconde écoute, qui est celle du sens : ce qui est écouté, ce n'est plus le *possible* (la proie, la menace ou l'objet du désir qui passe sans prévenir), c'est le *secret* : ce qui, enfoui dans la réalité, ne peut venir à la conscience humaine qu'à travers un code, qui sert à la fois à chiffrer cette réalité et à la déchiffrer.

L'écoute est dès lors liée (sous mille formes variées, indirectes) à une herméneutique : écouter, c'est se mettre en posture de décoder ce qui est obscur, embrouillé ou muet, pour faire apparaître à la conscience le « dessous » du sens (ce qui est vécu, postulé, intentionnalisé comme caché). La communication qui est impliquée par cette seconde écoute est religieuse : elle *relie* le sujet écouteur au monde caché des dieux, qui, comme chacun sait, parlent une langue dont seuls quelques éclats énigmatiques parviennent aux hommes, alors que, cruelle situation, cette langue, il est vital pour eux de la comprendre. *Écouter* est le verbe évangélique par excellence : c'est à l'écoute de la parole divine que se ramène la foi, car c'est par cette écoute que l'homme est relié à Dieu : la Réforme (par Luther) s'est faite en grande partie au nom de l'écoute : le temple protestant est exclusivement un lieu d'écoute, et la contre-réforme elle-même, pour ne pas être en reste, a placé la chaire de l'orateur au centre de l'église (dans les édifices jésuites) et a fait des fidèles des « écouteurs » (d'un discours qui ressuscite lui-même l'ancienne rhétorique comme art de « forcer » l'écoute).

D'un seul mouvement, cette seconde écoute est religieuse et déchiffreuse : elle intentionnalise en même temps le sacré et le secret (écouter pour déchiffrer scientifiquement : l'histoire, la société, le corps, est *encore*, sous des alibis laïques, une attitude religieuse). Qu'est-ce que l'écoute, alors, cherche à déchiffrer ? Essentiellement, semble-t-il, deux choses : l'avenir (pour autant qu'il appartient aux dieux) ou la faute (pour autant qu'elle naît du regard de Dieu).

Par ses bruits, la nature frissonne de sens : c'est du moins ainsi, au dire de Hegel, que les anciens Grecs l'écoutaient. Les chênes de Dodone, par la rumeur de leur feuillage, rendaient des prophéties, et dans d'autres civilisations aussi (qui relèvent plus directement de l'ethnographie), les bruits ont été les matériaux directs d'une mantique, la clédonomancie : écouter, c'est, d'une façon institutionnelle, chercher à savoir ce qui va se passer (inutile de relever toutes les traces de cette finalité archaïque dans notre vie séculière).

Mais aussi, l'écoute, c'est ce qui sonde. Dès lors que la religion s'intériorise, ce qui est sondé par l'écoute, c'est l'intimité, le secret du cœur : la Faute. Une histoire et une phénoménologie de l'intériorité (qui peut-être nous manque) devraient rejoindre ici une histoire et une phénoménologie de l'écoute. Car à l'intérieur même de la civilisation de la Faute (notre civilisation, judéo-chrétienne, différente des civilisations de la Honte), l'intériorité s'est constamment développée. Ce que les premiers chrétiens écoutent, ce sont encore des voix extérieures, celles des démons ou des anges ; ce n'est que peu à peu que l'objet de l'écoute s'intériorise au point de devenir pure conscience. Pendant des siècles, il n'était requis du coupable, dont la pénitence devait passer par l'aveu de ses fautes, qu'une confession publique : l'écoute privée d'un simple prêtre était considérée comme un abus, vivement condamné par les évêques. La confession auriculaire, de bouche à oreille, dans le secret du confessionnal, n'existait pas à l'époque patristique ; elle est née (vers le VIIe siècle) des excès de la confession publique et des progrès de la conscience individualiste : « à faute publique, confession publique, à faute privée, confession privée » : l'écoute limitée, murée et comme clandestine (« seul à seul ») a donc constitué un « progrès » (au sens moderne), puisqu'elle a assuré la protection de l'individu (de ses droits à être un individu) contre l'emprise du groupe ; l'écoute privée de la faute s'est ainsi développée (du moins à son origine) dans les marges de l'institution ecclésiale : chez les moines, successeurs des martyrs, par-dessus l'Église, si l'on peut dire, ou chez des hérétiques comme les cathares, ou encore dans des religions peu institutionnalisées, comme le bouddhisme, où l'écoute privée, « de frère à frère », se pratique régulièrement.

Ainsi formée par l'histoire même de la religion chrétienne, l'écoute met en relation deux sujets ; même lorsque c'est toute une foule (une assemblée politique, par exemple) qui est requise de se mettre en situation d'écoute (« *Écoutez !* »), c'est pour recevoir le message d'un seul, qui veut faire entendre la singularité (l'emphase) de ce message. L'injonction d'écouter est l'interpellation totale d'un sujet à un autre : elle place au-dessus de tout le contact quasi physique de ces deux sujets (par la voix et l'oreille) : elle crée le transfert : « *écoutez-moi* » veut dire : *touchez-moi, sachez que j'existe* ; dans la terminologie de Jakobson, « *écoutez-moi* » est un phatique, un opérateur de communication individuelle ; l'instrument archétypique de l'écoute moderne, le téléphone, rassemble les deux partenaires dans une intersubjectivité idéale (au besoin intolérable, tant elle est pure), parce que cet instrument abolit tous les sens, sauf l'ouïe : l'ordre d'écoute qui inaugure toute communication téléphonique invite l'autre à ramasser tout son corps dans sa voix et annonce que je me ramasse moi-même tout entier dans mon oreille. De même que la première écoute transforme le bruit en indice, cette seconde écoute métamorphose l'homme en sujet duel : l'interpellation conduit à une interlocution, dans laquelle le silence de l'écouteur sera aussi actif que la parole du locuteur : *l'écoute parle,* pourrait-on dire : c'est à ce stade (ou historique ou structural) qu'intervient l'écoute psychanalytique.

3

L'inconscient, structuré comme un langage, est l'objet d'une écoute à la fois particulière et exemplaire : celle du psychanalyste.

« L'inconscient du psychanalyste, écrit Freud, doit se comporter à l'égard de l'inconscient émergeant du malade comme le récepteur téléphonique à l'égard du volet d'appel. De même que le récepteur retransforme en ondes sonores les vibrations téléphoniques qui émanent des ondes sonores, de même l'inconscient du médecin parvient, à l'aide des dérivés de l'inconscient du malade qui parviennent jusqu'à lui, à reconstituer cet inconscient dont émanent les associations fournies [1]. » C'est en effet d'inconscient à inconscient que s'exerce l'écoute psychanalytique, d'un incons-

1. Conseils aux médecins, in *la Technique psychanalytique,* Paris, PUF, 1970, p. 66.

cient qui parle à un autre qui est supposé entendre. Ce qui est ainsi parlé émane d'un savoir inconscient qui est transféré à un autre sujet, dont le savoir est supposé. C'est à ce dernier que s'adresse Freud en essayant d'établir quelque chose qu'il considère comme « le pendant à la règle psychanalytique fondamentale imposée au psychanalysé » : « ... Nous ne devons attacher d'importance particulière à rien de ce que nous entendons et il convient que nous prêtions à tout la même attention " flottante " suivant l'expression que j'ai adoptée. On économise ainsi un effort d'attention... et l'on échappe aussi au danger inséparable de toute attention voulue, celui de choisir parmi les matériaux fournis. C'est en effet ce qui arrive quand on fixe à dessein son attention ; l'analyste grave en sa mémoire tel point qui le frappe, en élimine tel autre, et ce choix est dicté par des expectatives et des tendances. C'est justement ce qu'il faut éviter ; en conformant son choix à son expectative, l'on court le risque de ne trouver que ce que l'on savait d'avance. En obéissant à ses propres inclinations, le praticien falsifie tout ce qui lui est offert. N'oublions jamais que la signification des choses entendues ne se révèle souvent que plus tard. »

« L'obligation de ne rien distinguer particulièrement au cours des séances trouve son pendant, on le voit, dans la règle imposée à l'analyste de ne rien omettre de ce qui lui vient à l'esprit, en renonçant à toute critique et à tout choix. En se comportant différemment, le médecin réduit à néant la plus grande partie des avantages que procure l'obéissance du patient à la " règle psychanalytique fondamentale ". Voici comment doit s'énoncer la règle imposée au médecin : éviter de laisser s'exercer sur sa faculté d'observation quelque influence que ce soit et se fier entièrement à sa " mémoire inconsciente " ou, en langage technique simple, écouter sans se préoccuper de savoir si l'on va retenir quelque chose [1]. »

Règle idéale, à laquelle il est difficile, sinon impossible, de se tenir. Freud lui-même y déroge. Soit par souci d'expérimentation d'une parcelle de théorie dont il cherche à étayer la découverte, comme c'est le cas pour Dora (Freud, voulant prouver l'importance des rapports incestueux avec le père, néglige le rôle joué par

1. Freud, *op. cit.*, p. 62.

les rapports homosexuels de Dora avec Mme K...). C'est également un souci théorique qui a influé sur le déroulement de la cure de l'Homme aux loups, où l'attente de Freud était si impérieuse (il s'agissait de fournir des preuves supplémentaires dans un débat qui l'opposait à Jung) que tout le matériel concernant la scène primitive a été obtenu sous la pression d'une date limite qu'il avait lui-même fixée. Soit que ses propres représentations inconscientes interfèrent dans la conduite de la cure (dans l'Homme aux loups, Freud associe la couleur des ailes d'un papillon avec celle d'un vêtement de femme... porté par une fille dont il était lui-même épris à l'âge de dix-sept ans).

L'originalité de l'écoute psychanalytique tient à ceci : elle est ce mouvement de va-et-vient qui relie la neutralité et l'engagement, la suspension d'orientation et la théorie : « La rigueur du désir inconscient, la logique du désir ne se dévoilent qu'à celui qui respecte simultanément ces deux exigences, apparemment contradictoires, de l'ordre et de la singularité » (S. Leclaire). De ce déplacement (qui n'est pas sans rappeler le mouvement d'où sort le son) naît pour le psychanalyste quelque chose comme une résonance lui permettant de « tendre l'oreille » vers l'essentiel : l'essentiel étant de ne pas manquer (et faire manquer au patient) « l'accès à l'insistance singulière et combien sensible d'un élément majeur de son inconscient ». Ce qui est ainsi désigné comme un élément majeur qui se donne à l'écoute du psychanalyste est un terme, un mot, un ensemble de lettres renvoyant à un mouvement du corps : un signifiant.

Dans cette hôtellerie du signifiant où le sujet peut être entendu, le mouvement du corps est avant tout celui d'où s'origine la voix. La voix est, par rapport au silence, comme l'écriture (au sens graphique) sur le papier blanc. L'écoute de la voix inaugure la relation à l'autre : la voix, par laquelle on reconnaît les autres (comme l'écriture sur une enveloppe), nous indique leur manière d'être, leur joie ou leur souffrance, leur état ; elle véhicule une image de leur corps et, au-delà, toute une psychologie (on parle de voix chaude, de voix blanche, etc.). Parfois, la voix d'un interlocuteur nous frappe plus que le contenu de son discours et nous nous surprenons à écouter les modulations et les harmoniques de cette voix sans entendre ce qu'elle nous dit. Cette dissociation est sans doute en partie responsable du sentiment d'étrangeté (parfois d'antipathie) que chacun éprouve à l'écoute de sa propre voix : nous parvenant après avoir traversé les cavités et les masses de notre anatomie, elle nous fournit de nous-même une image déformée, comme si l'on se regardait de profil grâce à un jeu de miroirs.

« ... L'acte d'ouïr n'est pas le même, selon qu'il vise la cohérence de la chaîne verbale, nommément sa surdétermination à chaque instant par l'après-coup de sa séquence, comme aussi bien la suspension à chaque instant de sa valeur à l'avènement d'un sens toujours prêt à renvoi, ou selon qu'il s'accommode dans la parole à la modulation sonore, à telle fin d'analyse acoustique : tonale ou phonétique, voire de puissance musicale [1]. » La voix qui chante, cet espace très précis où une langue rencontre une voix et laisse entendre, à qui sait y porter son écoute, ce qu'on peut appeler son « grain » : la voix n'est pas le souffle, mais bien cette matérialité du corps surgie du gosier, lieu où le métal phonique se durcit et se découpe.

Corporéité du parler, la voix se situe à l'articulation du corps et du discours, et c'est dans cet entre-deux que le mouvement de va-et-vient de l'écoute pourra s'effectuer. « Écouter quelqu'un, entendre sa voix, exige de la part de celui qui écoute, une attention ouverte à l'entre-deux du corps et du discours et qui ne se crispe ni sur l'impression de la voix ni sur l'expression du discours. Ce qui se donne dès lors à entendre à cette écoute est proprement ce que le sujet qui parle ne dit pas : la trame inconsciente qui associe son corps comme lieu à son discours : trame active qui réactualise dans la parole du sujet la totalité de son histoire » (Denis Vasse). C'est là le propos de la psychanalyse : reconstruire l'histoire du sujet dans sa parole. De ce point de vue, l'écoute du psychanalyste est une posture tendue vers les origines pour autant que ces origines ne sont pas considérées comme historiques. Le psychanalyste, en s'efforçant de saisir les signifiants, apprend à « parler » la langue qu'est l'inconscient de son patient, tout comme l'enfant, plongé dans le bain de langue, saisit les sons, les syllabes, les consonances, les mots et apprend à parler. L'écoute est ce jeu

1. J. Lacan, *Écrits*, Paris, Seuil, 1966, p. 532.

d'attrape des signifiants par lequel l'*infans* devient être parlant.

Entendre le langage qu'est l'inconscient de l'autre, l'aider à reconstruire son histoire, mettre à nu son désir inconscient : l'écoute du psychanalyste aboutit à une reconnaissance : celle du désir de l'autre. L'écoute comporte alors un risque : elle ne peut se faire à l'abri d'un appareil théorique, l'analysant n'est pas un objet scientifique vis-à-vis duquel l'analyste, du haut de son fauteuil, peut se prémunir d'objectivité. La relation psychanalytique se noue entre deux sujets. La reconnaissance du désir de l'autre ne pourra donc nullement s'établir dans la neutralité, la bienveillance ou le libéralisme : reconnaître ce désir implique qu'on y entre, qu'on y bascule, qu'on finisse par s'y trouver. L'écoute n'existera qu'à la condition d'accepter le risque et s'il doit être écarté pour qu'il y ait analyse, ce n'est nullement à l'aide d'un bouclier théorique. Le psychanalyste ne peut, tel Ulysse attaché à son mât, « jouir du spectacle des sirènes sans risques et sans en accepter les conséquences... Il y avait quelque chose de merveilleux dans ce chant réel, chant commun, secret, chant simple et quotidien qu'il leur fallait tout à coup reconnaître... chant de l'abîme qui, une fois entendu, ouvrait dans chaque parole un abîme et invitait fortement à y disparaître [1] ». Le mythe d'Ulysse et des Sirènes ne dit pas ce que pourrait être une écoute réussie ; on peut la dessiner comme en négatif entre les écueils que doit à tout prix éviter le navigateur-psychanalyste : se boucher les oreilles comme les hommes d'équipage, user d'une ruse et faire preuve de lâcheté comme Ulysse, ou répondre à l'invite des sirènes et disparaître. Ce qui est ainsi révélé, c'est une écoute non plus immédiate mais décalée, portée dans l'espace d'une autre navigation « heureuse, malheureuse, qui est celle du récit, le chant non plus immédiat mais raconté ». Le récit, construction médiate, retardée : Freud ne fait pas autre chose en écrivant ses « cas ». Le président Schreber et Dora, le petit Hans et l'Homme aux loups sont autant de récits (on a même pu parler de « Freud romancier ») ; Freud, en les écrivant tels (les observations proprement médicales ne sont pas rédigées sous la forme de récits), n'a pas agi par hasard, mais selon la théorie même de la nouvelle écoute : elle a affairé à des images.

1. M. Blanchot, *Le livre à venir*.

Dans les rêves, l'ouïe n'est jamais sollicitée. Le rêve est un phénomène strictement visuel et c'est par la vue que sera perçu ce qui s'adresse à l'oreille : il s'agit, si l'on peut dire, d'images acoustiques. Ainsi, dans le rêve de l'Homme aux loups, les « oreilles (des loups) étaient dressées comme chez les chiens quand ceux-ci sont attentifs à quelque chose ». Le « quelque chose » vers quoi se dressent les pavillons des loups, c'est évidemment un son, un bruit, un cri. Mais, au-delà de cette « traduction » opérée par le rêve, entre écoute et regard, se nouent des liens de complémentarité. Si le petit Hans a peur des chevaux, ce n'est pas seulement qu'il craint d'être mordu : « J'ai eu peur, dit-il, parce qu'il a fait charivari avec ses pieds. » Le « charivari » (en allemand : *Krawall*), c'est non seulement le désordre des mouvements que le cheval, étendu par terre, fait en donnant des coups de pied, mais aussi tout le bruit que ces mouvements occasionnent. (Le terme allemand *Krawall* se traduit par « tumulte, émeute, raffut », autant de mots associant images visuelles et acoustiques.)

4

Il était nécessaire de faire ce bref trajet en compagnie de la psychanalyse, faute de quoi nous ne comprendrions pas en quoi l'écoute moderne ne ressemble plus tout à fait à ce qu'on a appelé ici l'écoute des indices et l'écoute de signes (même si ces écoutes subsistent concurremment). Car la psychanalyse, du moins dans son développement récent, qui l'éloigne aussi bien d'une simple herméneutique que du repérage d'un trauma originel, substitut facile de la Faute, modifie l'idée que nous pouvons avoir de l'écoute.

Tout d'abord, alors que pendant des siècles, l'écoute a pu se définir comme un acte intentionnel d'audition (écouter, c'est *vouloir* entendre, en toute conscience), on lui reconnaît aujourd'hui le pouvoir (et presque la fonction) de balayer des espaces inconnus : l'écoute inclut dans son champ, non seulement l'inconscient, au sens topique du terme, mais aussi, si l'on peut dire, ses formes laïques : l'implicite, l'indirect, le supplémentaire, le retardé : il y a ouverture de l'écoute à toutes les formes de polysémie, de surdéterminations, de superpositions, il y a effritement de la Loi qui prescrit l'écoute droite, unique ; par définition, l'écoute était *appliquée* ; aujourd'hui, ce qu'on lui demande volontiers, c'est de *laisser surgir* ; on en revient de la sorte, mais à un autre tour de la spirale historique, à la conception d'une écoute *panique,* comme les Grecs, du moins les Dionysiens, en eurent l'idée.

En second lieu, les rôles impliqués par l'acte d'écoute n'ont plus la même fixité qu'autrefois ; il n'y a plus d'un côté celui qui parle, se livre, avoue, et de l'autre celui qui écoute, se tait, juge et sanctionne ; cela ne veut pas dire que l'analyste, par exemple, parle autant que son patient ; c'est que, comme on l'a dit, son écoute est active, elle assume de prendre sa place dans le jeu du désir, dont tout le langage est le théâtre : il faut le répéter, l'écoute parle. De là un mouvement s'esquisse : les places de parole sont de moins en moins protégées par l'institution. Les sociétés traditionnelles connaissaient deux places d'écoute, toutes deux aliénées : l'écoute arrogante du supérieur, l'écoute servile de l'inférieur (ou de leurs substituts) ; ce paradigme est contesté aujourd'hui, d'une façon, il est vrai, encore grossière et peut-être inadéquate : on croit que pour libérer l'écoute, il suffit de prendre soi-même la parole — alors qu'une écoute libre est essentiellement une écoute qui circule, qui permute, qui désagrège, par sa mobilité, le réseau fixe des rôles de parole : il n'est pas possible d'imaginer une société libre, si l'on accepte à l'avance de préserver en elle les anciens lieux d'écoute : ceux du croyant, du disciple et du patient.

En troisième lieu, ce qui est écouté ici et là (principalement dans le champ de l'art, dont la fonction est souvent utopiste), ce n'est pas la venue d'un signifié, objet d'une reconnaissance ou d'un déchiffrement, c'est la dispersion même, le miroitement des signifiants, sans cesse remis dans la course d'une écoute qui en produit sans cesse des nouveaux, sans jamais arrêter le sens : ce phénomène de miroitement s'appelle la *signifiance* (distincte de la signification) : en « écoutant » un morceau de musique classique, l'auditeur est appelé à « déchiffrer » ce morceau, c'est-à-dire à en reconnaître (par sa culture, son application, sa sensibilité) la construction, tout aussi codée (prédéterminée) que celle d'un palais à telle époque ; mais en « écoutant » une composition (il faut prendre le mot dans son sens étymologique) de Cage, c'est chaque son l'un après l'autre que j'écoute, non dans son extension syntagmatique, mais dans sa signifiance brute et comme verticale : en se déconstruisant, l'écoute s'extériorise, elle oblige le sujet à renoncer à son « intimité ». Ceci vaut, *mutatis mutandis*, pour bien d'autres formes de l'art contemporain, de la « peinture » au « texte » ; et ceci, bien entendu, ne va pas sans déchirement ; car aucune loi ne peut obliger le sujet à prendre son plaisir là où il ne veut pas aller (quelles que soient les raisons de sa résistance), aucune loi n'est en mesure de contraindre notre écoute : la liberté d'écoute est aussi nécessaire que la liberté de parole. C'est pourquoi cette notion apparemment modeste (l'écoute ne figure pas dans les encyclopédies passées, elle n'appartient à aucune discipline reconnue) est finalement comme un petit théâtre où s'affrontent ces deux déités modernes, l'une mauvaise et l'autre bonne : le pouvoir et le désir.

Encyclopédie Einaudi, rédigé en collaboration avec Roland Havas en 1976.

Musica Practica

Il y a deux musiques (du moins je l'ai toujours pensé) : celle que l'on écoute, celle que l'on joue. Ces deux musiques sont deux arts entièrement différents, dont chacun possède en propre son histoire, sa sociologie, son esthétique, son érotique : un même auteur peut être mineur si on l'écoute, immense si on le joue (même mal) : tel Schumann.

La musique que l'on joue relève d'une activité peu auditive, surtout manuelle (donc, en un sens beaucoup plus sensuelle) ; c'est la musique que vous ou moi pouvons jouer, seuls ou entre amis, sans autre auditoire que ses participants (c'est-à-dire tout risque de théâtre, toute tentation hystérique éloignés) ; c'est une musique musculaire ; le sens auditif n'y a qu'une part de sanction : c'est comme si le corps entendait — et non pas « l'âme » ; cette musique ne se joue pas « par cœur » ; attablé au clavier ou au pupitre, le corps commande, conduit, coordonne, il lui faut transcrire lui-même ce qu'il lit : il fabrique du son et du sens : il est scripteur, et non récepteur, capteur. Cette musique a disparu ; d'abord liée à la classe oisive (aristocratique), elle s'est affadie en rite mondain à l'avènement de la démocratie bourgeoise (le piano, la jeune fille, le salon, le nocturne) ; puis elle s'est effacée (qui joue du piano aujourd'hui ?). Pour trouver en Occident de la musique pratique, il faut aller chercher du côté d'un autre public, d'un autre répertoire, d'un autre instrument (les jeunes, la chanson, la guitare). Concurremment, la musique passive, réceptive, la musique sonore est devenue *la* musique (celle du concert, du festival, du disque, de la radio) : jouer n'existe plus ; l'activité musicale n'est plus jamais manuelle, musculaire, pétrisseuse, mais seulement liquide, effusive, « lubrifiante » pour reprendre un mot de

Balzac. L'exécutant a, lui aussi, changé. L'amateur, rôle défini par un style bien plus que par une imperfection technique, ne se trouve plus nulle part ; les professionnels, purs spécialistes dont la formation est tout à fait ésotérique pour le public (qui connaît encore les problèmes de pédagogie musicale ?), ne présentent jamais plus ce style de l'amateur parfait dont on pouvait encore reconnaître la haute valeur chez un Lipati, chez un Panzera, parce qu'il ébranlait en nous non la satisfaction, mais le désir, celui de *faire* cette musique-là. En somme, il y a eu d'abord l'acteur de musique, puis l'interprète (grande voix romantique), enfin le technicien, qui décharge l'auditeur de toute activité, même procurative, et abolit dans l'ordre musical la pensée même du *faire*.

L'œuvre de Beethoven me paraît liée à ce problème historique, non comme l'expression simple d'un moment (le passage de l'amateur à l'interprète), mais comme le genre puissant d'un malaise de civilisation, dont Beethoven en même temps a réuni les éléments et dessiné la solution. Cette ambiguïté est celle des deux rôles historiques de Beethoven : le rôle mythique que lui a fait jouer tout le XIXe siècle et le rôle moderne que notre siècle commence à lui reconnaître (je me réfère ici à l'étude de Boucourechliev).

Pour le XIXe siècle, si l'on excepte quelques images imbéciles, comme celle de Vincent d'Indy qui fait à peu près de Beethoven une sorte de cagot réactionnaire et antisémite, Beethoven a été le premier homme *libre* de la musique. Pour la première fois, on a fait gloire à un artiste d'avoir plusieurs *manières* successives ; on lui a reconnu le droit de métamorphose ; il pouvait être insatisfait de lui-même, ou, plus profondément, de sa langue, il pouvait, en cours de vie, changer ses codes (c'est ce que dit l'image naïve et enthousiaste que Lenz a donnée des trois manières de Beethoven) ; et dès lors que l'œuvre devient la trace d'un mouvement, d'un itinéraire, elle en appelle à l'idée de destin ; l'artiste cherche sa « vérité », et cette recherche devient un ordre en soi, un message globalement lisible, en dépit des variations de son contenu, ou du moins dont la lisibilité se nourrit d'une sorte de totalité de l'artiste : sa carrière, ses amours, ses idées, son caractère, ses propos deviennent des traits de sens : une biographie beethovénienne est née (on devrait pouvoir dire : une bio-mythologie) ; l'artiste est produit comme un héros complet, doté d'un discours (fait rare pour un musicien), d'une légende (une bonne dizaine d'anecdotes), d'une iconographie, d'une race (celle des Titans de l'Art : Michel-Ange, Balzac) et d'un mal fatal (la surdité de celui qui créait pour le plaisir de nos oreilles). Des traits proprement structuraux sont venus s'intégrer à ce système de sens qu'est le Beethoven romantique (traits ambigus, à la fois musicaux et psychologiques) : le développement paroxystique des contrastes d'intensité (l'opposition signifiante des *piano* et des *forte*, dont l'importance historique est peut-être mal reconnue, puisqu'en somme elle marque seulement une portion infime de la musique universelle et qu'elle correspond à l'invention d'un instrument dont le nom est assez significatif, le *piano-forte*), l'éclatement de la mélodie, reçu comme le symbole de l'inquiétude et du bouillonnement créateur, la redondance énergique des coups et des clausules (image naïve du destin qui frappe), l'expérience des limites (abolition ou inversion des parties traditionnelles du discours), la production de chimères musicales (la voix surgissant de la symphonie) : tout cela qui pouvait être aisément transformé métaphoriquement en valeurs pseudo-philosophiques, recevable cependant musicalement, puisque s'éployant toujours sous l'autorité du code fondamental de l'Occident : la tonalité.

Or cette image romantique (dont un certain *discord* est en somme le sens) produit un malaise d'exécution : l'amateur ne peut maîtriser la musique de Beethoven, non tellement en raison des difficultés techniques qu'en raison de la défaillance même du code de la *musica practica* antérieure ; selon ce code, l'image fantasmatique (c'est-à-dire corporelle) qui guidait l'exécutant était celle d'un chant (que l'on « file » intérieurement) ; avec Beethoven, la pulsion mimétique (le fantasme musical ne consiste-t-il pas à se situer soi-même, comme sujet, dans le scénario de l'exécution ?) devient orchestrale ; elle échappe donc au fétichisme d'un seul élément (voix ou rythme) : le corps veut être total ; par là, l'idée d'un *faire* intimiste ou familial est détruite : *vouloir* jouer du Beethoven, c'est se projeter en chef d'orchestre (rêve de combien d'enfants ? rêve tautologique de combien de chefs qui conduisent en proie aux signes de la possession panique ?). L'œuvre beethovénien abandonne l'amateur et semble, dans un premier moment, appeler la nouvelle déité romantique, l'interprète. Cependant, ici, nouvelle déception : qui (quel soliste, quel pianiste ?) joue bien Beethoven ? On dirait que cette musique ne donne à choisir qu'entre un « rôle » et son absence, la démiurgie illusoire et la platitude sage, sublimée sous le nom de dépouillement.

C'est que peut-être il y a dans la musique de Beethoven quelque chose d'*inaudible* (dont l'audition n'est pas le lieu *exact*). On rejoint ici le second Beethoven. Il n'est pas possible qu'un musicien soit sourd par pure contingence ou destin poignant (c'est la même chose). La surdité de Beethoven désigne le manque où se loge toute signification : elle en appelle à une musique non pas abstraite ou intérieure, mais douée, si l'on peut dire, d'un intelligible sensible, de l'intelligible comme sensible. Cette catégorie est proprement révolutionnaire, on ne peut la penser dans les termes de l'esthétique ancienne ; l'œuvre qui s'y soumet ne peut être reçue selon la pure sensualité, qui est toujours culturelle, ni selon un ordre intelligible qui serait celui du développement (rhétorique, thématique) ; sans elle, ni le texte moderne, ni la musique contemporaine ne peuvent être acceptés. On le sait depuis les analyses de Boucourechliev, ce Beethoven est exemplairement celui des *Variations Diabelli*. L'opération qui permet de saisir ce Beethoven (et la catégorie qu'il inaugure) ne peut plus être ni l'exécution ni l'audition, mais la lecture. Ceci ne veut pas dire qu'il faut se placer devant une partition de Beethoven et obtenir d'elle une audition intérieure (qui resterait encore tributaire de l'ancien fantasme animiste) ; ceci veut dire que, saisie abstraite ou sensuelle, peu importe, il faut se mettre à l'égard de cette musique dans l'état, ou mieux dans l'activité, d'un *performateur*, qui sait déplacer, grouper, combiner, agencer, en un mot (s'il n'est pas trop usé) : structurer (ce qui est bien différent de construire ou reconstruire, au sens classique). De même que la lecture du texte moderne (telle du moins qu'on peut la postuler, la demander) ne consiste pas à recevoir, à connaître ou à ressentir ce texte, mais à l'écrire de nouveau, à traverser son écriture d'une nouvelle inscription, de même, lire ce Beethoven, c'est *opérer* sa musique, l'attirer (elle s'y prête) dans une *praxis* inconnue.

Ainsi peut-on retrouver, modifiée selon le mouvement de la dialectique historique, une certaine *musica practica*. A quoi sert de composer, si c'est pour confiner le produit dans l'enceinte du concert ou la solitude de la réception radiophonique ? Composer, c'est, du moins tendanciellement, *donner à faire*, non pas donner à entendre, mais donner à écrire : le lieu moderne de la musique n'est pas la salle, mais la scène où les musiciens transmigrent, dans un jeu souvent éblouissant, d'une source sonore à une autre : c'est nous qui jouons, il est vrai encore par procuration ; mais on peut imaginer que — plus tard ? — le concert soit exclusivement un atelier, duquel rien, aucun rêve ni aucun imaginaire, en un mot aucune « âme », ne déborderait et où tout le faire musical serait absorbé dans une praxis *sans reste*. C'est cette utopie qu'un certain Beethoven, qui n'est pas joué, nous apprend à formuler — ce en quoi il est possible de pressentir en lui un musicien d'avenir.

1970, *L'Arc.*

Le grain de la voix

La langue, au dire de Benveniste, est le seul système sémiotique capable d'*interpréter* un autre système sémiotique (cependant, sans doute, il peut exister des œuvres limites, au cours desquelles un système feint de s'interpréter lui-même : l'*Art de la fugue*). Comment donc la langue s'en tire-t-elle, lorsqu'elle doit interpréter la musique ? Hélas, semble-t-il, fort mal. Si l'on examine la pratique courante de la critique musicale (ou des conversations « sur » la musique : c'est souvent la même chose), on voit bien que l'œuvre (ou son exécution) n'est jamais traduite que sous la catégorie linguistique la plus pauvre : l'adjectif. La musique, c'est, par pente naturelle, ce qui reçoit tout de suite un adjectif. L'adjectif est inévitable : cette musique est *ceci*, ce jeu est *cela*. Sans doute, dès lors que nous faisons d'un art un sujet (d'article, de conversation), il ne nous reste plus qu'à le prédiquer ; mais dans le cas de la musique, cette prédication prend fatalement la forme la plus facile, la plus triviale : l'épithète. Naturellement, cette épithète, à laquelle on vient et revient par faiblesse ou fascination (petit jeu de société : parler d'une musique sans jamais employer un seul adjectif), cette épithète a une fonction économique : le prédicat est toujours le rempart dont l'imaginaire du sujet se protège de la perte dont il est menacé : l'homme qui se pourvoit ou que l'on pourvoit d'un adjectif est tantôt blessé, tantôt gratifié, mais toujours *constitué* ; il y a un imaginaire de la musique, dont la fonction est de rassurer, de constituer le sujet qui l'entend (serait-ce que la musique est dangereuse — vieille idée platonicienne ? Ouvrant à la jouissance, à la perte ? Beaucoup d'exemples ethnographiques et populaires tendraient à le prouver), et cet imaginaire vient tout de suite au langage par l'adjectif. Un dossier historique devrait être ici rassemblé, car la critique adjective (ou l'interprétation prédicative) a pris, le long des siècles, certains aspects institutionnels : l'adjectif musical devient en effet légal, chaque fois qu'on postule un *ethos* de la musique, c'est-à-dire chaque fois qu'on lui attribue un mode régulier (naturel ou magique) de signification : chez les anciens Grecs, pour qui c'était la *langue* musicale (et non l'œuvre contingente), dans sa structure dénotative, qui était immédiatement adjective, chaque mode étant lié à une expression codée (rude, austère, fier, viril, grave, majestueux, belliqueux, éducatif, hautain, fastueux, dolent, décent, dissolu, voluptueux) ; et chez les Romantiques, de Schumann à Debussy, qui substituent ou ajoutent à la simple indication des mouvements (*allegro, presto, andante*) des prédicats émotifs, poétiques, de plus en plus raffinés — donnés en langue nationale, de façon à diminuer l'empreinte du code et à développer le caractère « libre » de la prédication (*sehr kräftig, sehr präcis, spirituel et discret*, etc.).

Est-ce que nous sommes condamnés à l'adjectif ? Est-ce que nous sommes acculés à ce dilemme : le prédicable ou l'ineffable ? Pour savoir s'il y a des moyens (verbaux) de parler de la musique sans adjectifs, il faudrait regarder d'un peu près toute la critique musicale, ce qui, je crois, n'a jamais été fait et que, néanmoins, on n'a ni l'intention ni les moyens de faire ici. Ce qu'on peut dire, c'est ceci : ce n'est pas en luttant contre l'adjectif (dériver cet adjectif qui vous vient au bout de la langue vers quelque périphrase substantive ou verbale), que l'on a quelque chance d'exorciser le commentaire musical et de le libérer de la fatalité prédicative ; plutôt que d'essayer de changer directement le langage sur la musique, il vaudrait mieux changer l'objet musical lui-même, tel qu'il s'offre à la parole : modifier son niveau de perception ou d'intellection : déplacer la frange de contact de la musique et du langage.

C'est ce déplacement que je voudrais esquisser, non à propos de toute la musique mais seulement d'une partie de la musique chantée (lied ou mélodie) : espace (genre) très précis où *une langue rencontre une voix*. Je donnerai tout de suite un nom à ce signifiant au niveau duquel, je crois, la tentation de l'éthos peut être liquidée — et donc l'adjectif congédié : ce sera le *grain* : le grain de la voix, lorsque celle-ci est en double posture, en double production : de langue et de musique.

Ce que je vais tenter de dire du « *grain* » ne sera, bien sûr, que le versant apparemment abstrait, le compte rendu impossible d'une jouissance individuelle que j'éprouve continûment en écoutant chanter. Pour dégager ce « grain » des valeurs reconnues de la musique vocale, je me servirai d'une double opposition : celle, théorique, du phéno-texte et du géno-texte (Julia Kristeva), et celle, paradigmatique, de deux chanteurs, dont j'aime beaucoup l'un (bien qu'on ne l'entende plus) et très peu l'autre (bien qu'on n'entende que lui) : Panzéra et Fischer-Diskau (qui ne seront, bien entendu, que des chiffres : je ne divinise pas le premier et je n'en veux nullement au second).

*

Écoutez une basse russe (d'Église : car pour l'opéra, c'est un genre où la voix tout entière est passée du côté de l'expressivité dramatique : une voix au grain peu signifiant) : quelque chose est là, manifeste et têtu (on n'entend que *ça*), qui est au-delà (ou en deçà) du sens des paroles, de leur forme (la litanie), du mélisme, et même du style d'exécution : quelque chose qui est directement le corps du chantre, amené d'un même mouvement, à votre oreille, du fond des cavernes, des muscles, des muqueuses, des cartilages, et du fond de la langue slave, comme si une même peau tapissait la chair intérieure de l'exécutant et la musique qu'il chante. Cette voix n'est pas personnelle : elle n'exprime rien du chantre, de son âme ; elle n'est pas originale (tous les chantres russes ont en gros la même voix), et en même temps elle est individuelle : elle nous fait entendre un corps qui, certes, n'a pas d'état civil, de « personnalité », mais qui est tout de même un corps séparé ; et surtout cette voix charrie *directement* le symbolique, par-dessus l'intelligible, l'expressif : voici jeté devant nous, comme un paquet, le Père, sa stature phallique. Le « grain », ce serait cela : la matérialité du corps parlant sa langue maternelle : peut-être la lettre ; presque sûrement la signifiance.

Voici donc que dans le chant (en attendant d'étendre cette distinction à toute la musique) apparaissent les deux textes dont Julia Kristeva a parlé. Le *phéno-chant* (si l'on veut bien accepter cette transposition) couvre tous les phénomènes, tous les traits qui relèvent de la structure de la langue chantée, des lois du genre, de la forme codée du mélisme, de l'idiolecte du compositeur, du style de l'interprétation : bref, tout ce qui, dans l'exécution, est au service de la communication, de la représentation, de l'expression : ce dont on parle ordinairement, ce qui forme le tissu des valeurs culturelles (matière des goûts avoués, des modes, des discours critiques), ce qui s'articule directement sur les alibis idéologiques d'une époque (la « subjectivité », l' « expressivité », le « dramatisme », la « personnalité » d'un artiste). Le *géno-chant*, c'est le volume de la voix chantante et disante, l'espace où les significations germent « du dedans de la langue et dans sa matérialité même » ; c'est un jeu signifiant étranger à la communication, à la représentation (des sentiments), à l'expression ; c'est cette pointe (ou ce fond) de la production où la mélodie travaille vraiment la langue — non ce qu'elle dit, mais la volupté de ses sons-signifiants, de ses lettres : explore comment la langue travaille et s'identifie à ce travail. C'est, d'un mot très simple mais qu'il faut prendre au sérieux : la *diction* de la langue.

Du point de vue du phéno-chant, Fischer-Diskau est, sans doute, un artiste irréprochable ; tout, de la structure (sémantique et lyrique), est respecté ; et pourtant rien ne séduit, rien n'entraîne à la jouissance ; c'est un art excessivement expressif (la diction est dramatique, les césures, les oppressions et les libérations de souffle interviennent comme des séismes de passion) et par là même il n'excède jamais la culture : c'est ici l'âme qui accompagne le chant, ce n'est pas le corps : que le corps accompagne la diction musicale, non par un mouvement d'émotion mais par un « geste-avis [1] », voilà qui est difficile ; d'autant que toute la pédagogie musicale enseigne, non point la culture du « grain » de la voix, mais les modes émotifs de son émission : c'est le mythe du souffle. En avons-nous entendu, des professeurs de chant, prophétiser que tout l'art du chant était dans la maîtrise, la bonne conduite du souffle ! Le souffle, c'est le *pneuma*, c'est l'âme qui se gonfle ou se

1. « C'est pourquoi la meilleure façon de me lire est d'accompagner la lecture de certains mouvements corporels appropriés. Contre l'écrit non-parlé, contre le parlé non-écrit. Pour le geste-avis. » (Philippe Sollers, *Lois*, p. 108.)

brise, et tout art exclusif du souffle a chance d'être un art secrètement mystique (d'un mysticisme aplati à la mesure du microsillon de masse). Le poumon, organe stupide (le mou des chats !), se gonfle mais il ne bande pas : c'est dans le gosier, lieu où le métal phonique se durcit et se découpe, c'est dans le masque que la signifiance éclate, fait surgir, non l'âme, mais la jouissance. Chez F.D. je crois n'entendre que les poumons, jamais la langue, la glotte, les dents, les parois, le nez. Tout l'art de Panzéra, au contraire, était dans les lettres, non dans le soufflet (simple trait technique : on ne l'entendait pas *respirer*, mais seulement *découper* la phrase). Une pensée extrême réglait la prosodie de l'énonciation et l'économie phonique de la langue française ; des préjugés (issus généralement de la diction oratoire et ecclésiastique) étaient renversés. Les consonnes, dont on pense trop facilement qu'elles forment l'armature de notre langue (qui n'est pourtant pas une langue sémitique) et que l'on impose toujours d' « articuler », de détacher, d'emphatiser, *pour satisfaire à la clarté du sens*, Panzera recommandait au contraire, dans bien des cas, de les *patiner*, de leur rendre l'usure d'une langue qui vit, fonctionne et travaille depuis très longtemps, d'en faire le simple tremplin de la voyelle admirable : la « vérité » de la langue était là, non sa fonctionnalité (clarté, expressivité, communication) ; et le jeu des voyelles recevait toute la signifiance (qui est le sens en ce qu'il peut être voluptueux) : l'opposition des *é* et des *è* (si nécessaire dans la conjugaison), la pureté, je dirais presque *électronique*, tant le son en était tendu, haussé, exposé, tenu, de la plus française des voyelles, le *ü*, que notre langue ne tient pas du latin ; de la même façon, P. conduisait ses *r* au-delà des normes du chanteur — sans renier ces normes : son *r* était roulé, certes, comme dans tout art classique du chant, mais ce roulement n'avait rien de paysan ou de canadien ; c'était un roulement artificiel, l'état paradoxal d'une lettre-son à la fois entièrement abstraite (par la brièveté métallique de la vibration) et entièrement matérielle (par l'enracinement manifeste dans le gosier en mouvement). Cette phonétique (suis-je seul à la percevoir ? Est-ce que j'entends des voix dans la voix ? — Mais n'est-ce pas la vérité de la voix que d'être hallucinée ? L'espace entier de la voix n'est-il pas un espace infini ? C'était sans doute le sens du travail de Saussure sur les anagrammes), cette phonétique-là n'épuise pas la signifiance (elle est inépuisable) ; du moins impose-t-elle un coup d'arrêt aux tentatives de *réduction expressive* opérées par toute une culture sur le poème et sa mélodie.

Cette culture, il n'en faudrait pas beaucoup pour la dater, la spécifier historiquement. F. D. règne aujourd'hui à peu près exclusivement sur tout le microsillon chanté ; il a tout enregistré : si vous aimez Schubert et si vous n'aimez pas F.D., Schubert vous est aujourd'hui *interdit* : exemple de cette censure positive (par le plein) qui caractérise la culture de masse sans qu'on la lui reproche jamais ; c'est peut-être que son art, expressif, dramatique, *sentimentalement clair*, porté par une voix sans « grain », sans poids signifiant, correspond bien à la demande d'une culture *moyenne* ; cette culture, définie par l'extension de l'écoute et la disparition de la pratique (plus d'amateurs), veut bien de l'art, de la musique, pourvu que cet art, cette musique soient clairs, qu'ils « traduisent » une émotion et représentent un signifié (le « sens » du poème) : art qui vaccine la jouissance (en la réduisant à une émotion connue, codée) et réconcilie le sujet avec ce qui, dans la musique, *peut être dit* : ce qu'en disent, prédicativement, l'École, la Critique, l'Opinion. Panzéra n'appartient pas à cette culture (il ne l'aurait pu, ayant chanté avant l'avènement du microsillon ; je doute d'ailleurs que s'il chantait aujourd'hui, son art fût reconnu, ou même simplement *perçu*) ; son règne, très grand entre les deux guerres, a été celui d'un art exclusivement bourgeois (c'est-à-dire nullement petit-bourgeois), finissant d'accomplir son devenir interne, séparé de l'Histoire — par une distorsion bien connue ; et c'est peut-être, précisément et moins paradoxalement qu'il n'y paraît, parce que cet art était *déjà* marginal, mandarinal, qu'il pouvait porter des traces de signifiance, échapper à la tyrannie de la signification.

*

Le « grain » de la voix n'est pas — ou n'est pas seulement — son timbre ; la signifiance qu'il ouvre ne peut précisément mieux se définir que par la friction même de la musique et d'autre chose, qui est la langue (et pas du tout le message). Il faut que le chant parle, ou mieux encore, *écrive*, car ce qui est produit au niveau du géno-chant est finalement de l'écriture. Cette écriture chantée de la langue, c'est, à mon sens, ce que la mélodie française a essayé quelquefois d'accomplir. Je sais bien que le *lied* allemand a été lui aussi intimement lié à la langue allemande par l'intermédiaire du poème romantique ; je sais que la culture poétique de Schumann était immense et que ce même Schumann disait de Schubert que s'il avait vécu vieux il aurait mis toute la littérature allemande en musique ; mais je crois tout de même que le sens historique du *lied* doit être cherché du côté de la musique (ne serait-ce qu'en raison de ses origines populaires). Au contraire, le sens historique de la mélodie française, c'est une certaine culture de la langue française. On le sait, la poésie romantique de notre pays est plus oratoire que textuelle ; mais ce que notre poésie n'a pu faire à elle toute seule, la mélodie l'a fait parfois avec elle ; elle a travaillé la langue à travers le poème. Ce travail (dans la spécificité qu'on lui reconnaît ici) n'est pas visible dans la masse courante de la production mélodique, trop complaisante à l'égard des poètes mineurs, du modèle de la romance petite-bourgeoise et des pratiques de salon ; mais il est indiscutable dans quelques œuvres : anthologiquement (disons : un peu par hasard) dans certaines mélodies de Fauré et de Duparc, massivement dans le dernier Fauré (prosodique) et dans l'œuvre vocale de Debussy (même si *Pelléas* est souvent mal chanté : dramatiquement). Ce qui est engagé dans ces œuvres, c'est bien plus qu'un style musical, c'est une réflexion pratique (si l'on peut dire) sur la langue ; il y a assomption progressive de la langue au poème, du poème à la mélodie et de la mélodie à sa performance. Cela veut dire que la mélodie (française) relève très peu de l'histoire de la musique et beaucoup de la théorie du texte. Le signifiant doit être, ici encore, redistribué.

Comparons deux morts chantées — fort célèbres toutes deux, celle de Boris et celle de Mélisande. Quelles qu'aient été les intentions de Moussorgski, la mort de Boris est *expressive*, ou, si l'on préfère, hystérique ; elle est surchargée de contenus affectifs, historiques ; toutes les exécutions de cette mort ne peuvent être que dramatiques : c'est le triomphe du phéno-texte, l'étouffement de la signifiance sous le signifié d'âme. Mélisande, au contraire, ne meurt que *prosodiquement* ; deux extrêmes sont liés, tressés : l'intelligibilité parfaite de la dénotation, et la pure découpe prosodique de l'énonciation : entre les deux un creux bienfaisant, qui faisait le plein de Boris : le *pathos*, c'est-à-dire, selon Aristote (pourquoi pas ?), la passion *telle que les hommes la parlent, l'imaginent*, l'idée reçue de la mort, la mort *endoxale*. Mélisande meurt *sans bruit* ; entendons cette expression au sens cybernétique : rien ne vient troubler le signifiant, et donc rien n'oblige à la redondance ; il y a production d'une langue-musique dont la fonction est d'empêcher le chanteur d'être expressif. Comme pour la basse russe, le symbolique (la mort) est immédiatement jeté (sans médiation) devant nous (ceci pour prévenir l'idée reçue selon laquelle ce qui n'est pas expressif ne peut être que froid, intellectuel ; la mort de Mélisande « émeut » ; cela veut dire qu'elle bouge quelque chose dans la chaîne du signifiant).

La mélodie française a disparu (on peut même dire qu'elle coule à pic) pour bien des raisons, ou du moins cette disparition a pris bien des aspects ; elle a sans doute succombé sous l'image de son origine salonnarde, qui est un peu la forme ridicule de son origine de classe ; la « bonne » musique de masse (disques, radio) ne l'a pas prise en charge, préférant ou l'orchestre, plus pathétique (fortune de Mahler), ou des instruments moins bourgeois que le piano (le clavecin, la trompette). Mais surtout cette mort accompagne un phénomène historique bien plus vaste et qui a peu de rapport avec l'histoire de la musique ou celle du goût musical : les Français abandonnent leur langue, non certes comme ensemble normatif de valeurs nobles (clarté, élégance, correction) — ou du moins de cela nous nous inquiétons peu, car ce sont des valeurs institutionnelles —, mais comme espace de plaisir, de jouissance, lieu où le langage se travaille *pour rien*, c'est-à-dire dans la perversion (rappelons ici la singularité — la solitude — du dernier texte de Philippe Sollers, *Lois*, qui remet en scène le travail prosodique et métrique de la langue).

*

Le « grain », c'est le corps dans la voix qui chante, dans la main qui écrit, dans le membre qui exécute. Si je perçois le « grain » d'une musique et si j'attribue à ce « grain » une valeur théorique (c'est l'assomption du texte dans l'œuvre), je ne puis que me refaire une nouvelle table d'évaluation, individuelle sans doute, puisque je suis décidé à écouter mon rapport au corps de celui ou de celle qui chante ou qui joue et que ce rapport est érotique, mais nullement « subjective » (ce n'est pas en moi le « sujet » psychologique qui écoute ; la jouissance qu'il espère ne va pas le renforcer — l'exprimer —, mais au contraire le perdre). Cette évaluation se fera sans loi : elle déjouera la loi de la culture mais aussi celle de l'anticulture ; elle développera au-delà du sujet toute la valeur qui est cachée derrière « *j'aime* » ou « *je n'aime pas* ». Les chanteurs et les chanteuses, notamment, viendront se ranger dans deux catégories que l'on pourrait dire prostitutives puisqu'il s'agit de choisir ce qui ne me choisit pas : j'exalterai donc en liberté tel artiste peu connu, secondaire, oublié, mort peut-être, et je me détournerai de telle vedette consacrée (ne donnons pas d'exemples, ils n'auraient sans doute qu'une valeur biographique), et je transporterai mon choix dans tous les genres de musique vocale, y compris dans la populaire, où je n'aurai aucune peine à retrouver la distinction du phéno-chant et du géno-chant (certains artistes y ont un « grain » que les autres, si connus soient-ils, n'ont pas). Bien plus, en dehors de la voix, dans la musique instrumentale, le « grain » ou son manque persiste ; car s'il n'y a plus là de langue pour ouvrir la signifiance dans son ampleur extrême, il y a du moins le corps de l'artiste qui de nouveau m'impose une évaluation : je ne jugerai pas une exécution selon les règles de l'interprétation, les contraintes du style (bien illusoires d'ailleurs), qui presque toutes appartiennent au phéno-chant (je ne m'extasierai pas sur la « rigueur », le « brillant », la « chaleur », le « respect de ce qui est écrit », etc.), mais selon l'image du corps (la figure) qui m'est donnée : j'entends avec certitude — la certitude du corps, de la jouissance — que le clavecin de Wanda Landowska vient de son corps interne, et non du petit tricotage digital de tant de clavecinistes (au point que c'en est un autre instrument) ; et pour la musique de piano, je sais tout de suite quelle est la partie du corps qui joue : si c'est le bras, trop souvent, hélas, musclé comme le mollet d'un danseur, la griffe (malgré les ronds de poignets), ou si c'est au contraire la seule partie érotique d'un corps de pianiste : le coussinet des doigts, dont on entend le « grain » si rarement (faut-il rappeler qu'il semble y avoir aujourd'hui, sous la pression du microsillon de masse, un aplatissement de la technique ; cet aplatissement est paradoxal : tous les jeux sont aplatis *dans la perfection* : il n'y a plus que du phéno-texte).

Tout cela est dit à propos de la musique « classique » (au sens large) ; mais il va de soi que la simple considération du « grain » musical pourrait amener une autre histoire de la musique que celle que nous connaissons (celle-là est purement phéno-textuelle) : si nous réussissions à affiner une certaine « esthétique » de la jouissance musicale, nous accorderions sans doute moins d'importance à la formidable rupture tonale accomplie par la modernité.

1972, *Musique en jeu.*

La musique, la voix, la langue

Les réflexions que je vais vous présenter auront quelque chose d'un peu paradoxal : elles ont en effet pour objet une prestation unique et particulière : celle d'un chanteur de mélodies françaises que j'ai beaucoup aimé, Charles Panzéra. Comment puis-je me permettre d'entretenir les auditeurs d'un Colloque, dont le thème est très général, de ce qui n'est peut-être qu'un goût très personnel, le goût d'un chanteur disparu de la scène musicale depuis vingt-cinq ans au moins, mort l'année dernière et sans doute, par là même, ignoré de la plupart d'entre vous ?

Pour justifier ou tout au moins excuser un parti pris aussi égoïste, et sans doute peu conforme aux habitudes des Colloques, je voudrais rappeler ceci : toute interprétation, me semble-t-il, tout discours de l'interprétation repose sur une position de valeurs, sur une évaluation. Cependant, la plupart du temps, nous occultons ce fondement : soit par idéalisme, soit par scientisme, nous travestissons l'évaluation fondatrice : nous nageons dans « l'élément *indifférent* [= sans différence] *de ce qui vaut en soi*, ou de *ce qui vaut pour tous* » (Nietzsche, Deleuze).

De cette *indifférence* des valeurs, la musique nous réveille. Sur la musique, aucun autre discours ne peut être tenu que celui de la différence — de l'évaluation. Dès qu'on nous parle de la musique — ou de telle musique — comme d'une valeur *en soi*, ou au contraire — mais c'est la même chose —, dès qu'on nous parle de la musique comme d'une valeur *pour tous* — c'est-à-dire dès qu'on nous dit qu'il faut aimer toutes les musiques —, nous sentons une sorte de chape idéologique tomber sur la matière la plus précieuse de l'évaluation, la musique : c'est le « commentaire ». Parce que le commentaire est insupportable, nous voyons que la musique nous force à l'évaluation, nous impose la différence — sauf à choir dans le discours vain, le discours de la musique en soi ou de la musique pour tous.

Il est donc très difficile de parler de la musique. Beaucoup d'écrivains ont bien parlé de la peinture ; aucun, je crois, n'a bien parlé de la musique, pas même Proust. La raison en est qu'il est très difficile de conjoindre le langage, qui est de l'ordre du général, et la musique, qui est de l'ordre de la différence.

Si donc, parfois, on peut se risquer à parler musique, comme je le fais aujourd'hui, ce ne doit pas être pour « commenter », scientifiquement ou idéologiquement, c'est-à-dire *généralement* — selon la catégorie du général — mais pour affirmer ouvertement, activement, une valeur et produire une évaluation. Or mon Évaluation de la musique passe par la voix, et très précisément par la voix d'un chanteur que j'ai connu et dont la voix est restée dans ma vie l'objet d'un amour constant et d'une méditation récurrente qui m'a entraîné souvent, au-delà de la musique, vers le texte et la langue — la langue française.

La voix humaine est en effet le lieu privilégié (éidétique) de la différence : un lieu qui échappe à toute science, car il n'est aucune science (physiologie, histoire, esthétique, psychanalyse) qui épuise la voix : classez, commentez historiquement, sociologiquement, esthétiquement, techniquement la musique, il y aura toujours un reste, un supplément, un lapsus, un non dit qui se désigne lui-même : la voix. Cet objet toujours *différent* est mis par la psychanalyse au rang des objets du désir en tant qu'il manque, à savoir des objets (*a*) : il n'y a aucune voix humaine au monde qui ne soit objet de désir — ou de répulsion : il n'y a pas de voix neutre — et si parfois ce neutre, ce blanc de la voix advient, c'est pour nous une grande terreur, comme si nous découvrions avec effroi un monde figé, où le désir serait mort. Tout rapport à une voix est forcément amoureux, et c'est pour cela que c'est dans la voix qu'éclate la différence de la musique, sa contrainte d'évaluation, d'affirmation.

J'ai moi-même un rapport amoureux à la voix de Panzéra : non par sa voix brute, physique, mais sa voix en tant qu'elle passe sur la langue, sur notre langue française, comme un désir : aucune voix n'est brute ; toute voix se pénètre de ce qu'elle dit. J'aime cette voix — je l'ai aimée toute ma vie. A l'âge de vingt-deux ou vingt-trois ans, désirant apprendre le chant, ne connaissant aucun professeur, avec intrépidité, je me suis adressé au meilleur des chanteurs de mélodies de cette époque d'entre les deux guerres, à Panzéra. Cet homme m'a fait travailler avec générosité, jusqu'à ce que la maladie m'empêche de poursuivre l'apprentissage du chant. Depuis, je n'ai cessé d'écouter sa voix, à travers des disques rares, imparfaits techniquement : le malheur historique de Panzéra, c'est d'avoir régné sur la mélodie française entre les deux guerres, mais qu'aucun témoignage de ce règne ne puisse nous être transmis directement : Panzéra a cessé de chanter à l'avènement même du microsillon ; nous n'avons de lui que des 78 tours ou des repiquages imparfaits. Cette circonstance toutefois garde son ambiguïté : car si l'écoute de ses disques risque aujourd'hui d'être pour vous décevante, c'est à la fois parce que ces disques sont imparfaits, mais plus largement peut-être parce que l'histoire même a modifié notre goût, faisant tomber cette façon de chanter dans l'indifférence du démodé, mais aussi, plus topiquement, parce que cette voix fait partie de mon affirmation, de mon évaluation et qu'il est donc possible que je sois seul à l'aimer.

*

Il nous manque, je crois, une sociologie historique de la mélodie française, de cette forme spécifique de musique qui s'est développée, en gros, de Gounod à Poulenc, mais dont les héros éponymes sont Fauré, Duparc et Debussy. Cette mélodie (le mot n'est pas bien bon) n'est pas exactement le versant français du lied allemand : par le romantisme, le lied, si cultivée que soit sa forme, participe d'un être allemand qui était à la fois populaire et national. L'écologie, si l'on peut dire, de la mélodie française est différente : son milieu de naissance, de formation et de consommation, n'est pas populaire, et il n'est national (français) que parce que les autres cultures ne s'en soucient pas ; ce milieu, c'est le salon bourgeois.

Il serait facile, en raison de cette origine, de rejeter aujourd'hui la mélodie française, ou tout au moins de s'en désintéresser. Mais l'Histoire est complexe, dialectique, surtout si l'on passe au plan des valeurs : ce qu'avait bien vu Marx en détachant le « miracle grec » de l'archaïsme social de la Grèce, ou le réalisme balzacien des convictions théocratiques de Balzac. Il nous faut faire la même chose avec la mélodie française : chercher en quoi elle peut nous intéresser, en dépit de son origine. Voici, pour ma part, comment je définirai la mélodie française : c'est le champ (ou le chant) de célébration de la langue française cultivée. A l'époque où Panzéra chante ces mélodies, cette célébration touche à sa fin : la langue française n'est plus une *valeur* ; elle entre en mutation (dont les caractères ne sont pas encore étudiés, ni même consciemment perçus) ; une nouvelle langue française naît aujourd'hui, non pas exactement sous l'action des classes populaires, mais sous celle d'une classe d'âge (les classes marginales sont devenues aujourd'hui des réalités politiques), les jeunes ; il y a, séparé de notre langue, un parler jeune, dont l'expression musicale est le *Pop*.

A l'époque de Panzéra, le rapport de la musique à l'ancienne langue française est dans son raffinement extrême, qui est son dernier raffinement. Une certaine langue française va mourir : c'est ce que nous entendons dans le chant de Panzéra : c'est le périssable qui brille dans ce chant, d'une façon déchirante ; car tout l'art de dire la langue s'est réfugié là : la *diction* est chez les chanteurs, non chez les comédiens, asservis à l'esthétique petite-bourgeoise de la Comédie-Française, qui est une esthétique de l'*articulation*, et non de la *prononciation*, comme le fut celle de Panzéra (nous y reviendrons).

*

La phonétique musicale de Panzéra comporte, me semble-t-il, les traits suivants : 1. la pureté des voyelles, spécialement sensible dans la voyelle française par excellence ; le *ü*, voyelle antérieure, *extérieure* pourrait-on dire (on dirait qu'elle appelle l'autre à entrer dans ma voix) et dans l'*é fermé* qui nous sert, sémantiquement, à opposer le futur et le conditionnel, l'imparfait et le passé simple ; 2. la beauté franche et fragile des *a*, la plus difficile des voyelles, lorsqu'il faut la chanter ; 3. le grain des nasales, un peu âpre, et comme épicé ; 4. le *r*, roulé, bien sûr, mais qui ne suit nullement le roulement un peu gras du parler paysan, car il est si pur, si bref, que c'est comme s'il ne donnait du roulement que l'*idée*, et dont le rôle — symbolique — est de viriliser la douceur — sans l'abandonner ; 5. enfin la patine de certaines consonnes, à certains moments : consonnes qui sont alors, si l'on peut dire, plus « atterries » que chutées, plus amenées que marquées.

Ce dernier trait est non seulement volontaire, mais encore théorisé par Panzéra lui-même : cela faisait partie de son enseignement et cela (cette patine nécessaire de certaines consonnes) lui servait, selon un projet d'*évaluation* (encore une fois), à opposer l'*articulation* et la *prononciation* : l'articulation, disait-il, est le simulacre et l'ennemie de la prononciation ; il faut *prononcer*, nullement *articuler* (contrairement au mot d'ordre stupide de tant d'arts du chant) ; car l'articulation est la négation du *legato* ; elle veut donner à chaque consonne la même intensité sonore, alors que dans un texte musical, une consonne n'est jamais la même : il faut que chaque syllabe, loin d'être issue d'un code olympien des phonèmes, donné en soi et une fois pour toutes, soit sertie dans le sens général de la phrase.

Et c'est ici, sur ce point somme toute technique, qu'apparaît tout d'un coup l'ampleur des options esthétiques (et j'ajouterai : idéologiques) de Panzéra. L'articulation, en effet, opère nocivement comme *un leurre du sens* : croyant servir le sens, elle en est, foncièrement, la méconnaissance ; des deux excès contraires qui tuent le sens, le vague et l'emphase, le plus grave, le plus conséquent est le dernier : *articuler*, c'est encombrer le sens d'une clarté parasite, inutile sans qu'elle soit pour cela luxueuse. Et cette clarté n'est pas innocente ; elle entraîne le chanteur dans un art, parfaitement idéologique, de l'expressivité — ou pour être encore plus précis, de la *dramatisation* : la ligne mélodique se brise en éclats de sens, en soupirs sémantiques, en effets d'hystérie. Au contraire, la *prononciation* maintient la coalescence parfaite de la ligne du sens (la phrase) et de la ligne de la musique (le phrasé) ; dans les arts de l'articulation, la langue, mal comprise comme un théâtre, une mise en scène du sens quelque peu kitsch, vient faire irruption dans la musique et la dérange d'une façon inopportune, intempestive : la langue se met en avant, elle est le fâcheux, le casse-pieds de la musique ; dans l'art de la prononciation au contraire (celui de Panzéra), c'est la musique qui vient dans la langue et retrouve ce qu'il y a en elle de musical, d'amoureux.

*

Pour que ce phénomène rare se produise, pour que la musique fasse irruption dans la langue, il faut, bien sûr, une certaine *physique* de la voix (j'entends par *physique* la façon dont la voix se tient dans le corps — ou dont le corps se tient dans la voix). Ce qui m'a toujours frappé dans la voix de Panzéra, c'est qu'à travers une maîtrise parfaite de toutes les nuances imposées par une bonne lecture du texte musical — nuances qui exigent de savoir produire des *pianissimi* et des détimbrages extrêmement délicats —, cette voix était toujours *tendue*, animée d'une force quasi métallique de désir : c'est une voix dressée — *aufgeregt* (mot schumannien) — ou mieux encore : une voix bandée — une voix qui bande. Hormis dans les *pianissimi* les plus réussis, Panzéra chante toujours de tout son corps, *à plein gosier* : comme un collégien qui va dans la campagne, et chante pour lui *à tue-tête* : à tuer tout ce qu'il y a de mauvais, de déprimé, d'angoisse, dans sa tête. D'une certaine façon, Panzéra chantait toujours *à voix nue*. Et c'est ici que nous pouvons comprendre comment Panzéra, tout en honorant d'un dernier éclat l'art bourgeois de la mélodie française, subvertit cet art ; car chanter *à voix nue*, c'est le mode même de la chanson populaire traditionnelle (aujourd'hui souvent édulcorée par des accompagnements indus) : Panzéra, en secret, chante la mélodie cultivée comme une chanson populaire (les exercices de chant qu'il donnait étaient toujours empruntés à d'anciennes chansons françaises). Et c'est ici aussi que nous retrouvons l'esthétique du sens que j'aime chez Panzéra. Car si la chanson populaire se chantait traditionnellement *à voix nue*, c'est parce qu'il importait qu'*on entendît bien l'histoire* : quelque chose est raconté, qu'il faut que je reçoive à nu : rien que la voix et le dire : voilà ce que veut la chanson populaire ; voilà ce que veut — quels que soient les détours imposés par la culture — Panzéra.

Qu'est-ce donc que la musique ? L'art de Panzéra nous répond : c'est une *qualité de langage*. Mais cette qualité de langage ne relève en rien des sciences du langage (poétique, rhétorique, sémiologie), car en devenant qualité, ce qui est promu dans le langage, c'est ce qu'il ne dit pas, n'articule pas. Dans le non dit, viennent se loger la jouissance, la tendresse, la délicatesse, le comblement, toutes les valeurs de l'Imaginaire le plus délicat. La musique est à la fois l'exprimé et l'implicite du texte : ce qui est prononcé (soumis à inflexions) mais n'est pas articulé : ce qui est à la fois en dehors du sens et du non-sens, à plein dans cette *signifiance*, que la théorie du texte essaye aujourd'hui de postuler et de situer. La musique, comme la signifiance — ne relève d'aucun métalangage, mais seulement d'un discours de la valeur, de l'éloge : d'un discours amoureux : toute relation « réussie » — réussie en ce qu'elle parvient à dire l'implicite sans l'articuler, à passer outre l'articulation sans tomber dans la censure du désir ou la sublimation de l'indicible —, une telle relation peut être dite à juste titre *musicale*. Peut-être qu'une chose ne vaut que par sa force métaphorique ; peut-être que c'est cela, la valeur de la musique : d'être une bonne métaphore.

Rome, 20 mai 1977.

Le chant romantique

J'écoute de nouveau, ce soir, la phrase qui ouvre l'andante du *Premier Trio* de Schubert— phrase parfaite, à la fois unitaire et divisée, phrase amoureuse s'il en fut — et je constate une fois de plus combien il est difficile de parler de ce qu'on aime. Que dire de ce qu'on aime, sinon : *je l'aime*, et le répéter sans fin ? Cette difficulté est ici d'autant plus grande que le chant romantique n'est aujourd'hui l'objet d'aucun grand débat : ce n'est pas un art d'avant-garde, il n'y a pas à combattre pour lui ; et ce n'est pas non plus un art lointain ou étranger, un art méconnu, pour la résurrection duquel nous devions militer ; il n'est ni à la mode, ni franchement démodé : on le dira simplement *inactuel.* Mais c'est précisément là, peut-être, qu'est sa plus subtile provocation ; et c'est de cette inactualité que je voudrais faire une autre actualité.

Tout discours sur la musique ne peut commencer, semble-t-il, que dans l'évidence. De la phrase schubertienne dont j'ai parlé, je ne puis dire que ceci : *cela chante*, cela chante simplement, terriblement, à la limite du possible. Mais n'est-il pas surprenant que cette assomption du chant vers son essence, cet acte musical par lequel le chant semble se manifester ici dans sa gloire, advienne précisément sans le concours de l'organe qui fait le chant, à savoir la voix ? On dirait que la voix humaine est ici d'autant plus présente qu'elle s'est déléguée à d'autres instruments, les cordes : le substitut devient plus vrai que l'original, le violon et le violoncelle « chantent » mieux — ou pour être plus exact, chantent *plus* que le soprano ou le baryton, parce que, s'il y a une signification des phénomènes sensibles, c'est toujours dans le déplacement, la substitution, bref, en fin de compte, *l'absence*, qu'elle se manifeste avec le plus d'éclat.

Le chant romantique n'abolit pas la voix : Schubert a écrit six cent cinquante *lieder*, Schumann en a écrit deux cent cinquante :

mais il abolit *les* voix, et c'est peut-être là sa révolution. Il faut ici rappeler que le classement des voix humaines — comme tout classement élaboré par une société — n'est jamais innocent. Dans les chœurs paysans des anciennes sociétés rurales, les voix d'hommes répondaient aux voix de femmes : par cette division simple des sexes, le groupe mimait les préliminaires de l'échange, du marché matrimonial. Dans notre société occidentale, à travers les quatre registres vocaux de l'opéra, c'est l'Œdipe qui triomphe : toute la famille est là, père, mère, fille et garçon, symboliquement projetés, quels que soient les détours de l'anecdote et les substitutions de rôles, dans la basse, le contralto, le soprano et le ténor. Ce sont précisément ces quatre voix familiales que le lied romantique, en quelque sorte, *oublie* : il ne tient pas compte des marques sexuelles de la voix, car un même lied peut être indifféremment chanté par un homme ou une femme ; pas de « famille » vocale, rien qu'un sujet humain, *unisexe*, pourrait-on dire, dans la mesure même où il est amoureux : car l'amour — l'amour-passion, l'amour romantique — ne fait acception ni de sexes ni de rôles sociaux. Il y a un fait historique qui n'est peut-être pas insignifiant : c'est *précisément* lorsque les castrats disparaissent de l'Europe musicale que le lied romantique apparaît et jette tout de suite son plus brillant éclat : à la créature publiquement châtrée, succède un sujet humain complexe, dont la castration imaginaire va s'intérioriser.

Peut-être, cependant, le chant romantique a-t-il connu la tentation d'une division des voix. Mais cette division, qui parfois le hante, n'est plus celle des sexes ou des rôles sociaux. C'est une autre division : elle oppose la voix noire de la sur-nature, ou de la nature démoniaque, et la voix pure de l'âme, non point en tant qu'elle est religieuse, mais simplement humaine, trop humaine. L'évocation diabolique et la prière de la jeune fille appartiennent ici à l'ordre du sacré, non du religieux : ce qui est esquissé, ce qui est mis en scène vocalement, c'est l'angoisse de quelque chose qui menace de diviser, de séparer, de dissocier, de dépiécer le corps. La voix noire, voix du Mal ou de la Mort, est une voix sans lieu, une voix inoriginée : elle résonne de partout (dans la gorge aux Loups du *Freischütz*) ou se fait immobile, suspendue (dans *la Jeune Fille et la Mort*, de Schubert) : de toutes manières, elle ne renvoie plus au corps, qui est éloigné dans une sorte de non-lieu.

Cette voix noire est l'exception, bien sûr. Dans sa masse, le lied romantique s'origine au cœur d'un lieu fini, rassemblé, centré, intime, familier, qui est le corps du chanteur — et donc de l'auditeur. Dans l'opéra, c'est le timbre sexuel de la voix (basse/ténor, soprano/contralto), qui est important. Dans le lied, au contraire, c'est la tessiture (ensemble des sons qui conviennent *le mieux* à une voix donnée) : ici point de notes excessives, point de contre-ut, point de débordements dans l'aigu ou le grave, point de cris, point de prouesses physiologiques. La tessiture est l'espace modeste des sons que chacun de nous peut produire, et dans les limites duquel il peut fantasmer l'unité rassurante de son corps. Toute la musique romantique, qu'elle soit vocale ou instrumentale, dit ce chant du corps naturel : c'est une musique qui n'a de sens que si je puis toujours la chanter en moi-même avec mon corps : condition vitale que viennent dénaturer tant d'interprétations modernes, trop rapides ou trop personnelles, à travers lesquelles, sous couvert de *rubato*, le corps de l'interprète vient se substituer abusivement au mien et lui *voler (rubare)* sa respiration, son émotion. Car *chanter*, au sens romantique, c'est cela : jouir fantasmatiquement de mon corps unifié.

*

Quel est donc ce corps qui chante le lied ? Qu'est-ce qui, dans mon corps, à moi qui écoute, chante le lied ?

C'est tout ce qui retentit en moi, me fait peur ou me fait désir. Peu importe d'où vient cette blessure ou cette joie : pour l'amoureux, comme pour l'enfant, c'est toujours l'affect du sujet perdu, abandonné, que chante le chant romantique. Schubert perd sa mère à quinze ans ; deux ans plus tard, son premier grand lied, *Marguerite au rouet*, dit le tumulte d'absence, l'hallucination du retour. Le « cœur » romantique, expression dans laquelle nous ne percevons plus, avec dédain, qu'une métaphore édulcorée, est un organe fort, point extrême du corps intérieur où, tout à la fois et comme contradictoirement, le désir et la tendresse, la demande d'amour et l'appel de jouissance, se mêlent violemment : quelque chose soulève mon corps, le gonfle, le tend, le porte au bord de l'explosion et tout aussitôt, mystérieusement, le déprime et l'alanguit. Ce mouvement, c'est *par-dessous* la ligne mélodique qu'il faut l'entendre ; cette ligne est pure et, même au comble de la tristesse, elle dit toujours le bonheur du corps unifié ; mais elle est prise dans un volume sonore qui souvent la complique et la contredit : une pulsion étouffée, marquée par des respirations, des modulations tonales ou modales, des battements rythmiques, tout un gonflement mobile de la substance musicale, vient du corps séparé de l'enfant, de l'amoureux, du sujet perdu. Parfois, ce mouvement souterrain existe à l'état pur : je crois, pour ma part, l'entendre à nu dans un court *Prélude* de Chopin (le premier) : quelque chose se gonfle, ne chante pas encore, cherche à se dire et puis disparaît.

*

Je sais bien qu'historiquement le lied romantique occupe tout le XIXe siècle, et qu'il va d'*A la Bien-Aimée lointaine* de Beethoven, aux *Gurrelieder* de Schönberg, à travers Schubert, Schumann, Brahms, Wolf, Malher, Wagner et Strauss (sans oublier certaines des *Nuits d'été* de Berlioz). Mais le propos qui est tenu ici n'est pas musicologique : le chant dont je parle, c'est le lied de Schubert et de Schumann, parce qu'il est pour moi le noyau incandescent du chant romantique.

Qui l'écoute, ce lied ? — Ce n'est pas le salon bourgeois, lieu social où la « romance », expression codée de l'amour, bien distincte du lied, va peu à peu s'affiner et engendrer la mélodie française. L'espace du lied est affectif, il est à peine socialisé : parfois, peut-être, quelques amis, ceux des Schubertiades ; mais son espace vrai d'écoute, c'est, si l'on peut dire, l'intérieur de la tête, de ma tête : en l'écoutant, je chante le lied avec moi-même, pour moi-même. Je m'adresse en moi-même à une Image : image de l'être aimé, en laquelle je me perds, et d'où me revient ma propre image, abandonnée. Le lied suppose une interlocution rigoureuse, mais cette interlocution est imaginaire, enfermée dans ma plus profonde intimité. L'opéra met en voix séparées, si l'on peut dire, des conflits extérieurs, historiques, sociaux, familiaux : dans le lied, la seule force réactive, c'est l'absence irrémédiable de l'être aimé : je lutte avec une image, qui est à la fois l'image de l'autre, désirée, perdue, et ma propre image, désirante, abandonnée. Tout lied est secrètement un objet de dédicace : je dédie ce que je chante, ce que j'écoute ; il y a une *diction* du chant romantique, une adresse articulée, une sorte de déclaration sourde, que l'on entend très bien dans certaines des *Kreisleriana* de Schumann, parce que là, aucun poème ne vient l'investir, la remplir. En somme, l'interlocuteur du lied, c'est le Double — mon Double, c'est Narcisse : double altéré, pris dans la scène affreuse du miroir fendu, telle que la dit l'inoubliable *Sosie* de Schubert.

*

Le monde du chant romantique, c'est le monde amoureux, le monde que le sujet amoureux a dans la tête : un seul être aimé, mais tout un peuple de figures. Ces figures ne sont pas des personnes, mais de petits tableaux, dont chacun est fait, tour à tour, d'un souvenir, d'un paysage, d'une marche, d'une humeur, de n'importe quoi qui soit le départ d'une blessure, d'une nostalgie, d'un bonheur. Prenez le *Voyage d'hiver* : *Bonne Nuit* dit le don que l'amoureux fait de son propre départ, don si furtif que l'être aimé n'en sera même pas incommodé, et je me retire moi aussi, mes pas dans les siens. Les *Larmes glacées* disent le droit de pleurer ; *Gel*, ce froid si spécial de l'abandon ; le *Tilleul*, le bel arbre romantique, l'arbre du parfum et de l'endormissement, dit la paix perdue ; *Sur le fleuve*, la pulsion d'inscrire — d'écrire — l'amour parfait ; le *Joueur de vielle* rappelle, pour finir, le grand ressassement des figures du discours que l'amoureux se tient. Cette faculté — cette décision — d'élaborer librement une parole toujours nouvelle avec de brefs fragments, dont chacun est à la fois intense et mobile, de place incertaine, c'est ce que, dans la musique romantique, on appelle la *Fantaisie*, schubertienne ou schumanienne : *Fantasieren* : à la fois imaginer et improviser : bref, fantasmer, c'est-à-dire produire du romanesque sans construire un roman. Même les cycles de lieder ne racontent pas une histoire d'amour, mais seulement un voyage : chaque moment de ce voyage est comme retourné sur lui-même, aveugle, fermé à tout sens général, à toute idée de destin, à toute transcendance spirituelle : en somme, une errance pure, un devenir sans finalité : le tout, en ce qu'il peut, d'un seul coup et à l'infini, recommencer.

LE CHANT ROMANTIQUE

*

Il est possible de situer l'art du chant romantique dans l'histoire de la musique : dire comme il est né, comment il a fini, à travers quel cadre tonal il a passé. Mais pour l'évaluer comme moment de civilisation, c'est plus difficile. Pourquoi le lied ? Pourquoi, selon quelle détermination historique et sociale, s'est-il constitué, au siècle dernier, une forme poétique et musicale aussi typique et aussi féconde ? L'embarras de la réponse vient peut-être de ce paradoxe : que l'Histoire a produit dans le lied un objet qui est *toujours* anachronique. Cette inactualité, le lied la tient du sentiment amoureux dont il est la pure expression. L'Amour — l'Amour-passion — est historiquement insaisissable, parce que toujours, si l'on peut dire, à moitié historique : apparaissant à certaines époques, disparaissant à d'autres : tantôt se pliant aux déterminations de l'Histoire, tantôt y résistant, comme s'il durait depuis toujours et devait durer éternellement. La passion amoureuse, ce phénomène *intermédiaire* (ainsi l'appelait Platon), tiendrait peut-être son opacité historique de ce qu'elle n'apparaîtrait en somme, le long des siècles, que chez des sujets ou dans des groupes marginaux, dépossédés de l'Histoire, étrangers à la société grégaire, forte, qui les entoure, les presse et les exclut, écartés de tout pouvoir : chez les Udrites du monde arabe, les Troubadours de l'Amour courtois, les Précieux du grand siècle classique et les musiciens-poètes de l'Allemagne romantique. D'où, aussi, l'ubiquité sociale du sentiment amoureux, qui peut être chanté par toutes les classes, du peuple à l'aristocratie : on retrouve ce caractère trans-social dans le style même du lied schubertien, qui a pu être, à la fois ou tour à tour, élitiste et populaire. Le statut du chant romantique est par nature incertain : inactuel sans être réprimé, marginal sans être excentrique. C'est pourquoi, en dépit des apparences intimistes et sages de cette musique, sans insolence, on peut la mettre au rang des arts extrêmes : celui qui s'y exprime est un sujet singulier, intempestif, déviant, fou, pourrait-on dire, si, par une dernière élégance, il ne refusait le masque glorieux de la folie.

France-Culture, le 12 mars 1976.
1977, *Gramma*.

Aimer Schumann

Il y a une sorte de préjugé français, dit Marcel Beaufils, à l'encontre de Schumann : on voit facilement en lui une sorte de « Fauré un peu épais ». Je ne crois pas qu'il faut attribuer cette tiédeur à quelque opposition entre la « clarté française » et la « sentimentalité allemande » ; si l'on en juge par la discographie et les programmes de radio, les Français raffolent aujourd'hui des musiciens pathétiques du romantisme lourd, Mahler et Bruckner. Non, la raison de ce désintérêt (ou de cet intérêt moindre) est historique (et non psychologique).

Schumann est très largement un musicien de piano. Or le piano, comme instrument social (et tout instrument de musique, du luth au clavecin, au saxophone, implique une idéologie), a subi depuis un siècle une évolution historique dont Schumann est la victime. Le sujet humain a changé : l'intériorité, l'intimité, la solitude ont perdu de leur valeur, l'individu est devenu de plus en plus grégaire, il veut des musiques collectives, massives, souvent paroxystiques, expression du *nous*, plus que du *je* ; or Schumann est vraiment le musicien de l'intimité solitaire, de l'âme amoureuse et enfermée, qui *se parle* à elle-même (d'où l'abondance des *parlando* dans son œuvre, tel celui, admirable, de la *Sixième Kreisleriana*), bref de l'enfant qui n'a d'autre lien qu'à la Mère.

L'écoute du piano, elle aussi, a changé. Ce n'est pas seulement qu'on est passé d'une écoute privée, tout au plus familiale, à une écoute publique — chaque disque, même écouté chez soi, se présentant comme un événement de concert et le piano devenant un champ de performances —, c'est encore que la virtuosité elle-même, qui certes existait au temps de Schumann, puisqu'il voulut devenir virtuose à l'égal de Paganini, a subi une mutilation ; elle n'a plus à s'accorder à l'hystérie mondaine des concerts et des salons, elle n'est plus lisztienne ; c'est maintenant, à cause du disque, une virtuosité un peu glacée, une performance parfaite (sans faille, sans hasard), à laquelle il n'y a rien à redire, mais qui n'exalte pas, n'emporte pas : loin du corps, en quelque sorte. Aussi, pour le pianiste d'aujourd'hui, énorme estime, mais aucun affolement, et je dirai, en me référant à l'étymologie du mot, aucune sympathie. Or le piano de Schumann, qui est difficile, ne suscite pas l'image de la virtuosité (la virtuosité est en effet une image, non une technique) ; on ne peut le jouer ni selon l'ancien délire ni selon le nouveau style (que je comparerais volontiers à la « nouvelle cuisine », peu cuite). C'est un piano intime (ce qui ne veut pas dire *doux*), ou encore : un piano *privé*, individuel même, rétif à l'approche professionnelle, parce que jouer Schumann, cela implique une *innocence* de la technique, à laquelle bien peu d'artistes savent atteindre.

Enfin, ce qui a changé, fondamentalement, c'est l'emploi du piano. Tout au long du XIXe siècle, le piano a été une activité de classe, certes, mais assez générale pour coïncider, en gros, avec l'écoute de la musique. Moi-même, je n'ai commencé à écouter les symphonies de Beethoven qu'en les jouant à quatre mains, avec un camarade aimé, tout aussi passionné que moi. Mais maintenant l'écoute de la musique s'est dissociée de sa pratique : des virtuoses, beaucoup ; des auditeurs, en masse ; mais des praticiens, des amateurs, très peu. Or (ici encore) Schumann ne fait entendre pleinement sa musique qu'à celui qui la joue, même mal. J'ai toujours été frappé par ce paradoxe : que tel morceau de Schumann m'enthousiasmait lorsque je le jouais (approximativement), et me décevait un peu lorsque je l'entendais au disque : il paraissait alors mystérieusement appauvri, incomplet. Ce n'était pas, je crois, infatuation de ma part. C'est que la musique de Schumann va bien plus loin que l'oreille ; elle va dans le corps, dans les muscles, par les coups de son rythme, et comme dans les viscères, par la volupté de son *melos* : on dirait qu'à chaque fois, le morceau n'a été écrit que pour une personne, celle qui le joue : le vrai pianiste schumannien, c'est moi.

Est-ce donc qu'il s'agit d'une musique égoïste ? L'intimité l'est toujours un peu ; c'est le prix qu'il faut payer si l'on veut renoncer aux arrogances de l'universel. Mais la musique de Schumann comporte quelque chose de radical, qui en fait une expérience existentielle plus que sociale ou morale. Cette radicalité n'est pas sans rapport avec la folie, même si la musique de Schumann est continûment « sage », dans la mesure où elle se soumet docilement au code de la tonalité et à la régularité formelle des mélismes. La folie est ici en germe très tôt, dans la vision, l'économie du monde avec lequel le sujet Schumann entretient un rapport qui le détruit peu à peu, cependant que la musique, elle, essaye de se construire. Marcel Beaufils dit très bien tout cela : il dégage et nomme ces points où la vie et la musique s'échangent, l'une se détruisant, l'autre se construisant.

Le premier est celui-ci : le monde, pour Schumann, n'est pas irréel, la réalité n'est pas nulle. Sa musique, par ses titres, parfois par des ébauches discrètes de description, réfère sans cesse aux choses les plus concrètes : saisons, moments du jour, paysages, fêtes, métiers. Mais cette réalité est menacée de désarticulation, de dissociation, de mouvements non point saccadés (rien de grinçant), mais brefs et, si l'on peut dire, sans cesse « mutants » : rien ne tient longtemps, un mouvement interrompant l'autre : c'est le règne de l'*intermezzo*, notion assez vertigineuse lorsqu'elle s'étend à toute la musique et que le moule n'est vécu que comme une suite épuisante (même si gracieuse) d'interstices. Marcel Beaufils a eu raison de placer à l'origine du piano schumannien le thème littéraire du Carnaval ; car le Carnaval est vraiment le théâtre de ce décentrement du sujet (tentation très moderne) que Schumann dit à sa manière par le carrousel de ses formes brèves (de ce point de vue, l'*Album pour la jeunesse*, si on le joue à la suite, comme un cycle, n'est pas si sage qu'il paraît).

Dans ce monde cassé, tiré d'apparences tournoyantes (le monde est tout entier un Carnaval), parfois un élément pur et comme terriblement immobile fait sa percée : la douleur. « Si vous me demandiez le nom de ma douleur, je ne pourrais pas vous le dire. Je crois que c'est la douleur elle-même, et je ne saurais pas la désigner plus justement. » Cette douleur pure, sans objet, cette essence de douleur est certainement la douleur du fou ; on ne pense jamais que les fous (pour autant que nous puissions nommer la folie et nous en démarquer) tout simplement *souffrent.* La douleur absolue du fou, Schumann l'a vécue prémonitoirement cette nuit du 17 octobre 1833, où il a été saisi de la plus épouvantable peur : celle, précisément, de perdre la raison. Une telle douleur ne peut se dire musicalement ; la musique ne peut dire que le pathétique de la douleur (son image sociale), non son être ; mais elle peut fugitivement faire entendre, sinon la douleur, du moins la pureté, l'inouï de la pureté : donner à écouter un son pur, c'est un acte musical entier, dont la musique moderne tire souvent profit (de Wagner à Cage). Schumann, certes, n'a pas mené de telles expériences ; et pourtant : Marcel Beaufils signale très justement l'énigmatique *si naturel* qui ouvre le lied *Mondnacht* et qui vibre en nous d'une façon surnaturelle. C'est, me semble-t-il, dans cette perspective qu'il faudrait écouter, dans la musique de Schumann, les positions de tonalité. La tonalité schumannienne est simple, robuste ; elle n'a pas la merveilleuse sophistication dont Chopin la pare (notamment dans les *Mazurkas*). Mais précisément : sa simplicité est une insistance : pour bien des morceaux schumanniens, l'étalement tonal a la valeur d'un seul son qui vibre infiniment jusqu'à nous affoler ; la tonique n'est pas douée, ici, d'un « évasement cosmique » (comme celui du premier *mi bémol* de l'*Or du Rhin*), mais plutôt d'une masse qui pèse, insiste, impose sa solitude jusqu'à l'obsession.

Le troisième point où la musique de Schumann rencontre sa folie, c'est le rythme. Marcel Beaufils l'analyse très bien ; il en montre l'importance, l'originalité, et pour finir le dérèglement (par exemple, à travers la généralisation des syncopes). Le rythme, chez Schumann, est une violence (Beaufils dit comment il violente le thème, le rend « barbare », ce que n'aimait pas Chopin) ; mais (comme pour la douleur) cette violence est pure, elle n'est pas « tactique ». Le rythme schumannien (écoutez bien les basses) s'impose comme une texture de coups plus que de battements ; cette texture peut être fine (Beaufils montre bien que les *Intermezzi*, si beaux et pourtant méconnus, sont des études différenciées et poussées de rythme pur), elle n'en a pas moins quelque chose d'atypique (à preuve qu'on ne considère jamais Schumann comme un musicien du rythme : on l'enferme dans la mélodie). On peut dire autrement : le rythme, chez Schumann, chose très singulière, n'est pas au service d'une organisation duelle, oppositionnelle, du monde.

Nous touchons là, je crois, à la singularité de Schumann : ce point de fusion où se rejoignent son destin (la folie), sa pensée et sa musique. Ce point, Beaufils l'a vu : « son univers est sans lutte », dit-il. C'est là, à première vue, un diagnostic bien paradoxal pour un musicien qui a souffert si souvent et si cruellement de la contrariété de ses projets (mariage, vocation) et dont la musique frémit toujours des sautes du désir (accablements, espoirs, désolations, ivresses). Et pourtant la « folie » de Schumann (ceci n'est pas, on s'en doute, un diagnostic psychiatrique, qui me ferait horreur à bien des égards) tient (du moins on peut le dire ainsi) à ce qu'il a « manqué » la structure conflictuelle (je dirai dans mon langage : *paradigmatique*) du monde : sa musique ne prend assise dans aucun affrontement simple, et si je puis dire « naturel » (naturalisé par la culture anonyme). Rien du manichéisme beethovénien, ou même de la fragilité schubertienne (tristesse tendre d'un sujet qui voit en face de lui la mort). C'est une musique à la fois dispersée et unaire, continûment réfugiée dans l'ombre lumineuse de la Mère (le lied, abondant chez Schumann, est, je crois, l'expression de cette unité maternelle). En somme, Schumann manque le conflit (nécessaire, dit-on, à la bonne économie du sujet « normal »), dans la mesure même où, paradoxalement, il multiplie les « humeurs » (autre notion importante de l'esthétique schumannienne : « humoresques », « *mit Humor* ») : de même il détruit la pulsion (jouons sur les mots ; disons aussi : la pulsation) de la douleur en la vivant sur un mode pur, de même il exténue le rythme en généralisant la syncope. Seul, pour lui, le monde extérieur est différencié, mais selon les à-coups superficiels du Carnaval. Schumann « attaque » sans cesse, mais c'est toujours dans le vide.

Est-ce pour cela que notre époque lui fait une place sans doute « honorable » (certes, c'est un « grand musicien »), mais nullement une place aimée (il y a beaucoup de wagnériens, de mahleriens, mais de schumanniens, je ne connais que Gilles Deleuze, Marcel Beaufils et moi) ? Notre époque, surtout depuis l'avènement, par le disque , de la musique de masse, veut les belles images des grands conflits (Beethoven, Mahler, Tchaïkovski). Aimer Schumann, comme le font et en témoignent ici Beaufils et son éditeur, c'est d'une certaine façon assumer une philosophie de la Nostalgie, ou, pour reprendre un mot nietzschéen, de l'Inactualité, ou encore, pour risquer cette fois le mot le plus schumannien qui soit : de la Nuit. L'amour de Schumann, se faisant aujourd'hui d'une certaine manière *contre* l'époque (j'ai esquissé les motifs de cette solitude), ne peut être qu'un amour responsable : il amène fatalement le sujet qui l'éprouve et le prononce à se poser dans son temps selon les injonctions de son désir et non selon celles de sa socialité. Mais ceci est une autre histoire, dont le récit excéderait les bornes de la musique.

Préface à *Musique pour piano de Schumann*,
de Marcel Beaufils. © 1979, Phébus, Paris.

Rasch

> *... il n'y a rien de plus évident que le passage suivant que j'ai lu quelque part :* Musices seminarium accentus, *l'accent est la pépinière de la mélodie.*
>
> Diderot.

Dans les *Kreisleriana* de Schumann [1], je n'entends à vrai dire aucune note, aucun thème, aucun dessin, aucune grammaire, aucun sens, rien de ce qui permettrait de reconstituer quelque structure intelligible de l'œuvre. Non, ce que j'entends, ce sont des coups : j'entends ce qui bat dans le corps, ce qui bat le corps, ou mieux : ce corps qui bat.

Voici comment j'entends le corps de Schumann (celui-là, à coup sûr, avait un corps, et quel corps ! Son corps, c'était *ce qu'il avait en plus*) :

dans la première des *Kreisleriana*, cela fait la boule, et puis cela tisse,

dans la deuxième, cela s'étire ; et puis cela se réveille : ça pique, ça cogne, ça rutile sombrement,

dans la troisième, cela se tend, cela s'étend : *aufgeregt*,

dans la quatrième, ça parle, ça déclare, quelqu'un se déclare,

dans la cinquième, ça douche, ça déboîte, ça frissonne, ça monte en courant, en chantant, en tapant,

dans la sixième, cela dit, cela épelle, le dire s'emporte jusqu'à chanter,

dans la septième, ça frappe, ça tape,

dans la huitième, ça danse, mais aussi cela recommence à gronder, à donner des coups.

1. Op. 16 (1838).

J'entends dire : Schumann a écrit des pièces brèves *parce qu'il ne savait pas développer*. Critique répressive : ce que vous *refusez* de faire, c'est ce que vous ne *savez* pas faire.

La vérité, c'est plutôt ceci : le corps schumannien ne tient pas en place (gros défaut rhétorique). Ce n'est pas un corps méditatif. De la méditation, il prend parfois le geste, non la tenue, la persistance infinie, le tassement léger. C'est un corps pulsionnel, qui se pousse et repousse, passe à autre chose — pense à autre chose ; c'est un corps étourdi (grisé, distrait et ardent tout à la fois). D'où l'*envie* (gardons à ce mot son sens physiologique) de l'*intermezzo*.

L'intermezzo, consubstantiel à toute l'œuvre schumannienne, même lorsque l'épisode n'en porte pas le nom, n'a pas pour fonction de distraire, mais de déplacer : tel un saucier vigilant, il empêche le discours de prendre, de s'épaissir, de s'étaler, de rentrer sagement dans la culture du développement ; il est cet acte renouvelé (comme l'est toute énonciation) par lequel le corps s'agite et dérange le ronron de la parole artistique. A la limite, il n'y a que des intermezzi : ce qui interrompt est à son tour interrompu, et cela recommence.

On peut dire que l'intermezzo est épique (dans le sens que Brecht donnait à ce mot) : par ses irruptions, ses mouvements de tête, le corps se met à *critiquer* (à mettre en crise) le discours que, sous couvert d'art, on essaye de mener au-dessus de lui, sans lui.

La seconde K. commence par une scène d'étirement (a) ; et puis quelque chose (intermezzo 1) vient brusquement descendre l'escalier des tons (b). S'agit-il d'un contraste ? Ce serait bien commode de le dire : on pourrait alors tirer la nappe de la structure paradigmatique, retrouver la sémiologie musicale, celle qui fait surgir le sens des oppositions d'unités. Mais le corps connaît-il des contraires ? Le contraste est un état rhétorique simple ; pluriel, perdu, affolé, le corps schumannien, lui, ne connaît (du moins ici) que des bifurcations ; il ne se construit pas, il diverge, perpétuellement, au gré d'une accumulation d'intermèdes ; il n'a, du sens, que cette idée *vague* (le vague peut être un fait de structure) qu'on appelle la signifiance. La suite des intermezzi n'a pas pour fonction de faire parler des contrastes, mais plutôt d'accomplir une écriture

(b)

rayonnante, qui se retrouve alors bien plus proche de l'espace peint que de la chaîne parlée. La musique, en somme, à ce niveau, est une image, non un langage, en ceci que toute image rayonne, des incisions rythmées de la pré-histoire aux cartons de la bande dessinée. Le texte musical *ne suit pas* (par contrastes ou amplification), il explose : c'est un *big-bang* continu.

Il ne s'agit pas de taper des poings contre la porte, à la façon supposée du destin. Ce qu'il faut, c'est que *ça batte* à l'intérieur du corps, contre la tempe, dans le sexe, dans le ventre, contre la peau intérieure, à même tout cet émotif sensuel que l'on appelle, à la fois par métonymie et par antiphrase, le « cœur ». « Battre », c'est l'acte même du cœur (il n'y a de « battement » que du cœur), ce qui se produit à ce lieu paradoxal du corps : central et décentré, liquide et contractile, pulsionnel et moral ; mais c'est aussi le mot emblématique de deux langages : le linguistique (dans l'exemple de grammaire « *Pierre bat Paul* ») et le psychanalytique (« *Un enfant est battu* »).

Le battement schumannien est affolé, mais il est aussi codé (par le rythme et la tonalité) ; et c'est parce que l'affolement des coups se tient apparemment dans les limites d'une langue sage, qu'il passe ordinairement inaperçu (à en juger par les interprétations de Schumann). Ou plutôt : rien ne peut décider si ces coups sont censurés par le grand nombre, qui ne veut pas les entendre, ou hallucinés par un seul, qui n'entend qu'eux. On reconnaît ici la structure même du paragramme : un texte second est entendu, mais, à la limite, tel Saussure à l'écoute des vers anagrammatiques, *je suis seul à l'entendre*. Il semble ainsi que seuls Yves Nat et moi (si j'ose dire) entendions les formidables butées de la 7e K. (c). Cette incertitude (de lecture, d'écoute) est le statut même du texte schumannien, ramassé contradictoirement dans un excès (celui de l'évidence hallucinée) et une esquive (le même texte peut être joué platement). En termes méthodologiques on dira (ou redira) : pas de modèle au texte : non parce qu'il est « libre », mais parce qu'il est « différent ».

Le coup — corporel et musical — ne doit jamais être *le signe d'un signe* : l'accent n'est pas expressif.

L'interprétation n'est alors que le pouvoir de lire les anagrammes du texte schumannien, de faire surgir sous la rhétorique tonale, rythmique, mélodique, le réseau des accents. L'accent est la vérité de la musique, par rapport à quoi toute interprétation se déclare. Dans Schumann (à mon goût), les coups sont joués avec trop de timidité ; le corps qui en prend possession est presque toujours un corps médiocre, dressé, gommé par des années de Conservatoire ou de carrière, ou plus simplement par l'insigni-

(c)

fiance, l'indifférence de l'interprète : il joue l'accent (le coup) comme une simple marque rhétorique ; ce que le virtuose étale, alors, c'est la platitude de son propre corps, incapable de « battre » (ainsi de Rubinstein). Ce n'est pas une question de force, mais de rage : le corps doit cogner — non le pianiste (ceci a été entrevu ici et là par Nat et Horowitz).

Au plan des coups (du réseau anagrammatique), tout auditeur *exécute* ce qu'il entend. Il y a donc un lieu du texte musical où s'abolit toute distinction entre le compositeur, l'interprète et l'auditeur.

Le retour jouissif du coup, telle serait l'origine de la rengaine.

Le coup peut prendre telle ou telle figure, qui n'est pas forcément celle d'un accent violent, rageur. Cependant, quelle qu'elle soit, puisqu'elle est de l'ordre de la jouissance, nulle figure ne peut être prédiquée *romantiquement* (même et surtout si elle est proposée par un musicien romantique) ; on ne peut dire que celle-ci est gaie ou triste, sombre ou joyeuse, etc. ; la précision, la distinction de la figure est liée, non aux états de l'âme, mais aux mouvements subtils du corps, à toute cette cénesthésie différentielle, à cette moire histologique dont est fait le corps qui se vit. La 3e K., par exemple, n'est pas « animée » (*molto animato*) : elle est « dressée » (*aufgeregt*), levée, tendue, érigée ; on pourra dire aussi — mais ce sera la même chose — qu'elle progresse à travers une suite de minuscules révulsions, comme si, à chaque morsure, quelque chose se ravalait, se retournait, se coupait,

(d)

comme si toute la musique se mettait dans l'onde brève du gosier qui déglutit (d).

Il faut donc appeler *coup* n'importe quoi qui fait fléchir brièvement tel ou tel lieu du corps, même si ce fléchissement semble prendre les formes romantiques d'un apaisement. L'apaisement — du moins dans les K. — est toujours un *étirement* : le corps s'étire, se détend, s'étend vers sa forme extrême (s'étirer, c'est atteindre la limite d'une dimension, c'est le geste même du corps indéniable, qui se reconquiert). Y a-t-il étirement mieux rêvé

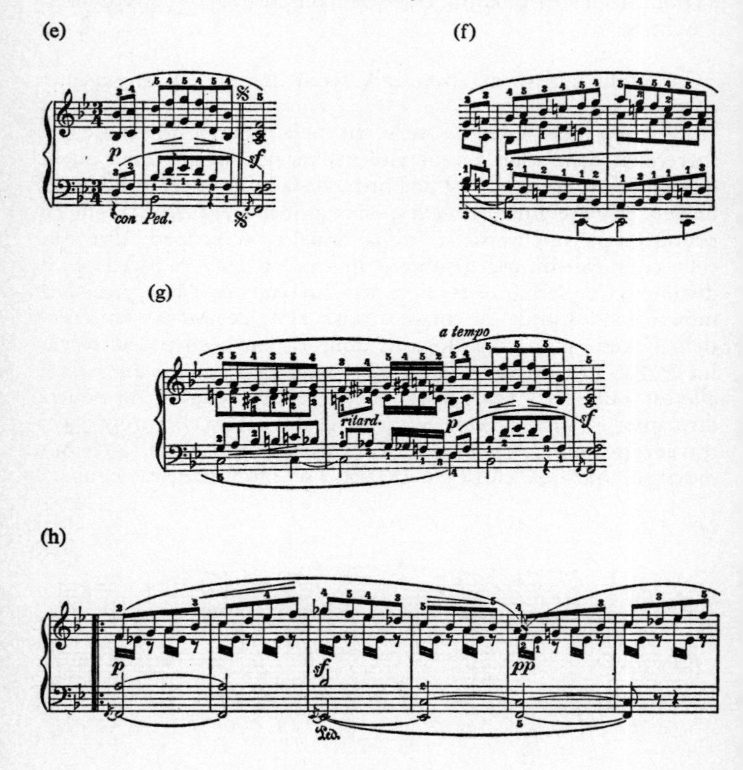

(on l'a vu) que celui de la 2ᵉ K. (e) ? Tout y concourt : la forme mélodique, l'harmonie, ici suspensive (par l'arrêt de la septième de dominante), et plus loin par l'extension des lignes et des dissonances (f). Parfois même le corps se pelotte pour mieux s'étirer ensuite : dans la 2ᵉ K. (g) ou dans l'intermezzo déguisé de la 3ᵉ, dont le long étirement vient varier — épanouir ou reposer ? — le corps piqué, avalé, révulsé, du début (h).

Qu'est-ce que le corps *fait*, lorsqu'il énonce (musicalement) ? Et Schumann répond : mon corps frappe, mon corps se ramasse, il explose, il se coupe, il pique, ou au contraire et sans prévenir (c'est le sens de l'intermezzo, qui arrive toujours *comme un voleur*), il s'étire, il tisse légèrement (tel l'intermède arachnéen de la 1ʳᵉ K.) (i). Et parfois même — pourquoi pas ? — il parle, il déclame, il dédouble sa voix : *il parle mais ne dit rien* : car dès lors qu'elle est

(i)

(j)

(k)

musicale, la parole — ou son substitut instrumental — n'est plus linguistique, mais corporelle ; elle ne dit jamais que ceci, et rien d'autre : *mon corps se met en état de parole : quasi parlando* (j et k).

Quasi parlando (je tire l'indication d'une Bagatelle de Beethoven) : c'est le mouvement du corps *qui va parler*. Ce *quasi parlando* règle une part énorme de l'œuvre schumannienne ; il déborde de beaucoup l'œuvre chantée (qui peut très bien, paradoxalement, n'y participer en rien) : l'instrument (le piano) parle sans rien dire, à la façon d'un muet qui fait lire sur son visage toute la puissance inarticulée de la parole. Tous ces *quasi parlando* qui marquent tant d'œuvres pianistiques, viennent de la culture poétique ; aussi ce que ses poètes ont donné à Schumann, plus encore peut-être que leurs poèmes, c'est le geste d'une voix ; cette voix parle pour ne rien dire d'autre que la mesure (le mètre) qui lui permet d'exister — de sortir — comme signifiant.

Telles sont les *figures du corps* (les « somatèmes »), dont le tissu forme la signifiance musicale (et dès lors plus de grammaire, finie la sémiologie musicale : issue de l'analyse professionnelle — repérage et agencement des « thèmes », « cellules », « phrases » —, elle risquerait de passer à côté du corps ; les traités de composition sont des objets idéologiques, dont le sens est d'annuler le corps).

Ces figures du corps, qui sont figures musicales, je ne parviens pas toujours à les nommer. Car pour cette opération, il faut une puissance métaphorique (comment dirais-je mon corps autrement qu'en images ?) et cette puissance peut ici et là me manquer : cela s'agite en moi, mais je ne trouve pas la bonne métaphore. Ainsi de la 5e K., dont tel épisode (événement plutôt) m'obsède, mais dont je n'arrive pas à transpercer le secret corporel : cela s'inscrit en moi, mais je ne sais où : de quel côté, dans quelle région du corps et du langage (l) ? En tant que corps (en tant que mon corps), le texte musical est troué de pertes : je lutte pour rejoindre un langage, une nomination : *mon royaume pour un mot ! ah, si je savais écrire !* La musique, ce serait ce qui lutte avec l'écriture.

Lorsque l'écriture triomphe, elle prend la relève de la science, impuissante à restituer le corps : seule la métaphore est exacte ; et il suffirait que nous soyons *écrivains* pour que nous puissions rendre compte de ces êtres musicaux, de ces chimères corporelles, d'une façon parfaitement *scientifique*.

« Ame », « sentiment », « cœur » sont les noms romantiques du corps. Tout est plus clair, dans le texte romantique, si l'on traduit le terme effusif, moral, par un mot corporel, pulsionnel — et il n'y a à cela aucun dommage : la musique romantique est sauvée, dès lors que le corps lui revient — dès lors que par elle, précisément, le corps revient à la musique. En remettant le corps dans le texte romantique, nous redressons la lecture idéologique de ce texte, car cette lecture, qui est celle de notre opinion courante, ne fait jamais que *renverser* (c'est le geste de toute idéologie) les motions du corps en mouvements de l'âme.

(I)

La sémiologie classique ne s'est guère intéressée au référent ; c'était possible (et sans doute nécessaire) puisque dans le texte articulé il y a toujours l'écran du signifié. Mais dans la musique, champ de signifiance et non système de signes, le référent est inoubliable, car le référent, ici, c'est le corps. Le corps passe dans la musique sans autre relais que le signifiant. Ce passage — cette transgression — fait de la musique une folie : non seulement la musique de Schumann, mais toute musique. Par rapport à l'écrivain, le musicien est toujours fou (et l'écrivain, lui, ne peut jamais l'être, car il est condamné au sens).

Et le système tonal, qu'est-ce qu'il devient dans cette sémantique du corps musical, dans cet « art des coups » que serait au fond la musique ? Imaginons à la tonalité deux statuts contradictoires (et cependant concomitants). D'un côté, tout l'appareil tonal est un écran pudique, une illusion, un voile *maya*, bref une *langue*, destinée à articuler le corps, non selon ses propres coups (ses propres coupures), mais selon une organisation connue qui ôte au sujet toute possibilité de délirer. D'un autre côté, contradictoirement — ou dialectiquement —, la tonalité devient la servante habile des coups qu'à un autre niveau elle prétend domestiquer.

Voici quelques-uns des « services » que la tonalité rend au corps : par la dissonance, elle permet au coup, ici et là, de « tinter », de « tilter » ; par la modulation (et le retour tonal), elle peut parfaire la figure du coup, lui donner sa forme spécifique : *cela fait la boule*, dit la 1e K. ; mais cela boule d'autant mieux que l'on revient à l'origine après en être sorti (m) ; enfin (pour en rester au texte schumannien), la tonalité fournit au corps la plus forte, la plus constante des figures oniriques : la montée (ou la descente) de l'escalier : il y a, on le sait, une échelle des tons, et en parcourant cette échelle (selon des humeurs très diverses), le corps vit dans l'essoufflement, la hâte, le désir, l'angoisse, la lumière, la montée de l'orgasme, etc. (n).

En somme, la tonalité peut avoir une fonction *accentuelle* (elle participe à la structure paragrammatique du texte musical). Lorsque le système tonal disparaît (aujourd'hui), cette fonction passe à un autre système, celui des timbres. La « timbralité » (le réseau des couleurs de timbre) assure au corps toute la richesse de ses « coups » (tintements, glissements, butées, rutilances, creux, dispersions, etc.). Ce sont donc les « coups » — seuls éléments structuraux du texte musical — qui font la continuité transhistorique de la musique, quel que soit le système (lui, parfaitement historique) dont le corps battant s'aide pour s'énoncer.

Les indications de mouvements, d'atmosphère, sont en général aplaties sous le code italien (*presto, animato*, etc.), qui est ici un code purement technique. Rendus à une autre langue (originelle ou inconnue), les mots de la musique ouvrent la scène du corps. Je ne sais si Schumann a été le premier musicien à connoter ses textes en langue vulgaire (ce genre d'informations manque ordinairement aux histoires de la musique) ; mais je crois que l'irruption de la langue maternelle dans le texte musical est un fait important. Pour

(n)

en rester à Schumann (l'homme aux deux femmes — aux deux mères ? — dont la première chantait et dont la seconde, Clara, lui donna visiblement la parole abondante : cent lieder en 1840, l'année de son mariage), l'irruption de la *Muttersprache* dans l'écriture musicale, c'est vraiment la restitution déclarée du corps, comme si, au seuil de la mélodie, le corps se découvrait, s'assumait dans la double profondeur du coup et du langage, comme si, à l'égard de la musique, la langue maternelle occupait la place de la *chora* (notion reprise à Platon par Julia Kristeva) : le mot indicateur est le réceptacle de la signifiance.

Lisez, écoutez quelques-uns de ces mots schumanniens et voyez tout ce qu'ils disent du corps (rien à voir avec un quelconque mouvement métronomique) :
Bewegt : quelque chose se met en mouvement (point trop vite), quelque chose remue sans direction, comme des branches qui bougent, comme un émoi bruissant du corps,
Aufgeregt : quelque chose s'éveille, se lève, se dresse (comme un mât, un bras, une tête), quelque chose suscite, énerve (et bien évidemment : quelque chose bande),
Innig : vous vous portez tout au fond de l'intérieur, vous vous

rassemblez à la limite de ce fond, votre corps s'intériorise, il se perd en dedans, vers sa propre terre,
Ausserst innig : vous vous concevez en état de limite ; à force d'intériorité, *dedans* se retourne, comme s'il y avait à l'extrême un *dehors* du dedans, qui ne serait pas, pourtant, l'extérieur,
Ausserst bewegt : cela remue, cela s'agite si fort que cela pourrait bien craquer — mais ne craque pas,
Rasch : prestesse dirigée, exactitude, rythme juste (contraire à la hâte), foulée rapide, surprise, mouvement du serpent qui va dans les feuilles.

Rasch : cela, disent les éditeurs, ne signifie que : *vif, rapide* (*presto*). Mais moi qui ne suis pas allemand et qui devant cette langue étrangère n'ai à ma disposition qu'une écoute stupéfiée, j'y ajoute la vérité du signifiant : comme si j'avais un membre emporté, *arraché* par le vent, le fouet, vers un lieu de dispersion précis mais inconnu.

Dans un texte célèbre [1], Benveniste oppose deux régimes de signification : le *sémiotique*, ordre des signes articulés dont chacun a un sens (tel le langage naturel), et le *sémantique*, ordre d'un discours dont aucune unité n'est en soi signifiante, bien que l'ensemble soit doué de signifiance. La musique, dit Benveniste, appartient au sémantique (et non au sémiotique), puisque les sons ne sont pas des signes (aucun son, en soi, n'a de sens) ; partant, dit encore Benveniste, la musique est une langue qui a une syntaxe, mais pas de sémiotique.

Ce que Benveniste ne dit pas mais que peut-être il ne contredirait pas, c'est que la signifiance musicale, d'une façon bien plus claire que la signification linguistique, est pénétrée de désir. Nous changeons donc de logique. Dans le cas de Schumann, par exemple, l'ordre des coups est rhapsodique (il y a tissu, rapiéçage d'intermezzi) : la syntaxe des *Kreisleriana*, c'est celle du *patchwork* : le corps, si l'on peut dire, accumule sa dépense, la signifiance prend l'emportement, mais aussi la souveraineté d'une économie qui va se détruisant ; elle relève donc d'une sémanalyse,

1. E. Benveniste, *Problèmes de linguistique générale*, t. II, Gallimard, 1974, p. 43-66.

ou, si l'on préfère, d'une sémiologie seconde, celle du corps en état de musique ; que la sémiologie première se débrouille, si elle peut, avec le système des notes, des gammes, des tons, des accords et des rythmes ; ce que nous voudrions percevoir et suivre, c'est le fourmillement des coups.

Par la musique, nous comprenons mieux le Texte comme signifiance.

Extrait de *Langue, discours, société. Pour Émile Benveniste*, Seuil, 1975.

En appendice à la première partie *

Droit dans les yeux

Un signe, c'est ce qui se répète. Sans répétition, pas de signe, car on ne pourrait le *reconnaître*, et la reconnaissance, c'est ce qui fonde le signe. Or, note Stendhal, le regard peut tout dire, mais il ne peut se répéter textuellement. Donc le regard n'est pas un signe, et cependant il signifie. Quel est ce mystère ? C'est que le regard appartient à ce règne de la signification dont l'unité n'est pas le signe (discontinu), mais la signifiance, dont Benveniste a esquissé la théorie. En opposition avec la langue, ordre des signes, les arts, en général, relèvent de la signifiance. Rien d'étonnant, donc, à ce qu'il y ait une sorte d'affinité entre le regard et la musique, ou que la peinture classique ait reproduit avec amour tant de regards, éplorés, impérieux, courroucés, pensifs, etc. Dans la signifiance, il y a sans doute quelque noyau sémantique assuré, faute de quoi le regard ne pourrait vouloir dire quelque chose : à la lettre, un regard ne saurait être *neutre*, sinon pour signifier la neutralité ; et s'il est « vague », le vague est évidemment plein de duplicité ; mais ce noyau est entouré d'un halo, champ d'expansion infinie où le sens déborde, diffuse, sans perdre son *impression* (l'action de s'imprimer) : et c'est bien ce qui se passe quand on écoute une musique ou contemple un tableau. Le « mystère » du regard, le trouble dont il est fait, se situe évidemment dans cette zone de débordement. Voilà donc un objet (ou une entité) dont l'être tient à son *excès*. Notons un peu ces débordements.

*

La science interprète le regard de trois façons (combinables) : en termes d'information (le regard renseigne), en termes de relation (les regards s'échangent), en terme de possession (par le regard, je touche, j'atteins, je saisis, je suis saisi) : trois fonctions : optique, linguistique, haptique. Mais toujours le regard *cherche* : quelque chose, quelqu'un. C'est un signe *inquiet* : singulière dynamique pour un signe : sa force le déborde.

* Nous avons placé en appendice ce texte qui n'était peut-être pas définitif. Nous remercions le Centre Georges-Pompidou de nous en avoir permis la publication.

*

En face de chez moi, de l'autre côté de la rue, à hauteur de mes fenêtres, il y a un appartement en apparence inoccupé ; cependant, de temps en temps, comme dans les meilleurs feuilletons policiers, ou même fantastiques, une présence, une lampe tard dans la nuit, un bras qui ouvre et referme un volet. Du fait que je ne vois personne et que moi-même je regarde (je scrute), j'induis que je ne suis pas regardé — et je laisse mes rideaux ouverts. Mais c'est peut-être tout le contraire : je suis peut-être, sans cesse, intensément regardé par qui est *tapi*. La leçon de cet apologue serait qu'à force de regarder, on oublie qu'on peut être soi-même regardé. Ou encore : dans le verbe « regarder », les frontières de l'actif et du passif sont incertaines.

*

La neuro-psychologie a bien établi comment naît le regard. Dans les premiers jours de la vie, il y a une réaction oculaire vers la lumière douce ; au bout d'une semaine, le bébé essaye de voir, il oriente ses yeux, mais d'une façon encore vague, hésitante ; deux semaines plus tard, il peut fixer un objet proche ; à six semaines, la vision est ferme et sélective : le regard est formé. Ne peut-on dire que ces six semaines-là, ce sont celles où naît l'« âme » humaine ?

*

Comme lieu de signifiance, le regard provoque une synesthésie, une indivision des sens (physiologiques), qui mettent leurs impressions en commun, de telle sorte qu'on puisse attribuer à l'un, poétiquement, ce qui arrive à l'autre (« Il est des parfums frais comme des chairs d'enfant ») : tous les sens peuvent donc « regarder », et inversement, le regard peut sentir, écouter, tâter, etc. Gœthe : « Les mains veulent voir, les yeux veulent caresser. »

*

On dit avec mépris : « Son regard fuyait... », comme s'il appartenait de droit au regard d'être direct, impérieux. Cependant, l'économie psychanalytique dit autre chose : « Dans notre rapport aux choses, tel qu'il est constitué par la voie de la vision et ordonné dans les figures de la représentation, quelque chose glisse, passe, se transmet d'étage en étage, pour y être toujours à quelque degré élidé — c'est ça qui s'appelle le regard. » Et encore : « D'une façon générale, le rapport du regard à ce qu'on veut voir est un rapport de leurre. Le sujet se présente comme autre qu'il n'est, et ce qu'on lui donne à voir n'est pas ce qu'il veut voir. C'est par là que l'œil peut fonctionner comme objet (*a*), c'est-à-dire au niveau du manque » (Lacan, *Séminaire XI*, pp. 70 et 96).

*

Revenir, cependant, au regard direct, impérieux : qui ne fuit pas, s'arrête, se fige, se bute. L'analyse a aussi prévu ce cas : ce regard-là peut être le *fascinum*, le maléfice, le mauvais œil, qui a pour effet « d'arrêter le mouvement et de tuer la vie » (*Séminaire XI*, p. 107).

*

Selon une expérience ancienne, lorsqu'on montrait pour la première fois un film aux indigènes de la brousse africaine, ils ne regardaient nullement la scène représentée (la place centrale de leur village), mais seulement la poule qui traversait cette place dans un coin de l'écran. On peut dire : c'est la poule qui les regardait.

*

Massacre au Cambodge : les morts déboulinent de l'escalier d'une maison à moitié démolie ; en haut, assis sur une marche, un jeune garçon regarde le photographe. Les morts ont délégué au vivant la charge de me regarder ; et c'est dans le regard du garçon que je les vois morts.

*

Au Rijksmuseum d'Amsterdam, il y a une suite de tableaux peints par un anonyme dit « le Maître d'Alkmaar ». Ce sont des scènes de la vie quotidienne, les gens s'attroupent pour telle ou telle raison, qui change de tableau en tableau ; dans chaque groupe, il y a un personnage, toujours le même : perdu dans la foule, alors que les uns et les autres sont figurés comme à leur insu, lui seul, à chaque fois, regarde le peintre (et donc moi) droit dans les yeux. Ce personnage est le Christ.

*

L'art incomparable du photographe Richard Avedon tient (entre autres choses) à ceci : tous les sujets qu'il photographie, plantés devant moi, me regardent en face, droit dans les yeux. Est-ce que cela produit un effet de « franchise » ? Non, la pose est artificielle (tant il apparaît que c'est une pose), la situation n'est pas psychologique. L'effet produit est de « vérité » : le personnage est « vrai » — d'une vérité souvent insupportable. Pourquoi cette vérité ? En fait, le portrait ne regarde personne et je le sais ; il ne regarde que l'objectif, c'est-à-dire un autre œil, énigmatique : l'œil de la vérité (comme il y avait, à Venise, pour y déposer les dénonciations anonymes, des Bouches de Vérité). Le regard, rendu ici par le photographe d'une façon emphatique (autrefois, ce pouvait être par le peintre), agit comme l'organe même de la vérité : son espace d'action se situe *au-delà de l'apparence* : il implique du moins que cet au-delà existe, que ce qui est « percé » (regardé) est plus vrai que ce qui s'offre simplement à la vue.

*

A un moment, la psychanalyse (Lacan, *Séminaire I*, p. 243) définit l'intersubjectivité imaginaire comme une structure à trois termes : 1. je vois l'autre ; 2. je le vois me voir ; 3. il sait que je le vois. Or, dans la relation amoureuse, le regard, si l'on peut dire, n'est pas aussi retors ; il manque un trajet. Sans doute, dans cette relation, d'une part je vois l'autre, avec intensité ; je ne vois que lui, je le scrute, je veux percer le secret de ce corps que je désire ; et d'autre part, je le vois me voir : je suis intimidé, sidéré, constitué passivement par son regard tout-puissant ; et cet affolement est si grand que je ne peux (ou ne veux) reconnaître qu'il sait que je le vois — ce qui me désaliénerait : je me vois *aveugle* devant lui.

*

« Je vous regarde comme on regarde l'impossible. »

*

La tique peut rester des mois inerte sur un arbre, attendant qu'un animal à sang chaud (mouton, chien) passe sous la branche ; elle se laisse alors tomber, colle à la peau, suce le sang : sa perception est sélective : elle ne sait du monde que le sang chaud. De la même façon, autrefois, l'esclave n'était perçu que sous l'espèce d'un outil, non d'une figure humaine. Combien de regards ne sont ainsi que les instruments d'une seule finalité : je regarde ce que je cherche, et pour finir, si l'on peut avancer ce paradoxe, je ne vois que ce que je regarde. Cependant, dans des cas exceptionnels, et combien savoureux, le regard est requis de passer inopinément d'une finalité à l'autre ; deux codes s'enchaînent sans prévenir dans le champ clos du regard, et il se produit un trouble de lecture. Ainsi, me promenant dans un souk marocain et regardant un vendeur d'objets artisanaux, je vois bien que ce vendeur ne lit dans mon œil que le regard d'un acheteur éventuel, car, comme la tique, il ne perçoit les promeneurs que sous une seule espèce, celle des partenaires de commerce. Mais si mon regard insiste (de combien de secondes supplémentaires ? ce serait là un bon problème de sémantique), sa lecture tout d'un coup vacille : si c'était à lui, et non à sa marchandise, que je m'intéressais ? Si je sortais du premier code (celui de la tractation) pour entrer dans le second (celui de la complicité) ? Or, ce frottement des deux codes, à mon tour je le lis dans son regard. Tout cela forme une moire fugitive de sens successifs. Et pour un sémanticien, fût-ce à même une promenade dans le souk, rien n'est plus excitant que de voir dans un regard l'éclosion muette d'un sens.

*

Comme on l'a vu à propos d'Avedon, il n'est pas exclu qu'un sujet photographié vous regarde — c'est-à-dire regarde l'objectif : la direction du regard (on pourrait dire : son adresse) n'est pas pertinente en photographie. Elle l'est au cinéma, où il est interdit à l'acteur de regarder la caméra, c'est-à-dire le spectateur. Je ne suis pas loin de considérer cette interdiction comme le trait distinctif du cinéma. Cet art coupe le regard en deux : l'un de nous deux regarde l'autre, il ne fait que cela : il a le droit et le devoir de regarder ; l'autre ne regarde jamais ; il regarde tout, sauf moi. Un seul regard venu de l'écran et posé sur moi, tout le film serait perdu. Mais ceci n'est que la lettre. Car il se peut que, à un autre niveau, invisible, comme la poule africaine, l'écran ne cesse de me regarder.

Inédit. Écrit en 1977 pour un ouvrage collectif en préparation sur *le Regard*.

Table des illustrations

Table

IMPRIMERIE MAURY-EUROLIVRES MANCHECOURT (LOIRET)
D.L. : FEVRIER 1992 - N° 14609 (91/12/M0268)

Du même auteur

AUX MÊMES ÉDITIONS

Le Degré zéro de l'écriture
coll. « Pierres vives », 1953
suivi de Nouveaux Essais critiques
coll. « Points Essais », 1972

Michelet
coll. « Écrivains de toujours », 1954
coll. « Points Essais », 1988

Mythologies
coll. « Pierres vives », 1957
coll. « Points Essais », 1970

Sur Racine
coll. « Pierres vives », 1963
coll. « Points Essais », 1979

Essais critiques
coll. « Tel Quel », 1964
coll. « Points Essais », 1981

Critique et Vérité
coll. « Tel Quel », 1966

Système de la mode, *1967*
coll. « Points Essais », 1983

S/Z
coll. « Tel Quel », 1970
coll. « Points Essais », 1976

Sade, Fourier, Loyola
coll. « Tel Quel », 1971
coll. « Points Essais », 1980

Le Plaisir du texte
coll. « Tel Quel », 1973
coll. « Points Essais », 1982

Roland Barthes
coll. « Écrivains de toujours », 1975

Fragments d'un discours amoureux
coll. « Tel Quel », 1973

Poétique du récit *(en collaboration)*
coll. « Points Essais », 1977

Leçon, *1978*
coll. « Points Essais », 1989

Sollers écrivain, *1979*

Le Grain de la voix, *1981*
Entretiens

Littérature et Réalité *(en collaboration)*
coll. « Points Essais », 1982

Essais critiques III
L'Obvie et l'Obtus
coll. « Tel Quel », 1982

Essais critiques IV
Le Bruissement de la langue, *1984*

L'Aventure sémiologique, *1985*
coll. « Points Essais », 1991

Incidents, *1987*

CHEZ D'AUTRES ÉDITEURS

L'Empire des signes, *1970*
Skira

La Chambre claire, *1980*
Gallimard/Seuil

La Tour Eiffel, *1989*
(en collaboration avec André Martin)
CNP/Seuil